Ompteda, Luo

Bilder aus dem Leben in England

Ompteda, Ludwig

Bilder aus dem Leben in England

Inktank publishing, 2018

www.inktank-publishing.com

ISBN/EAN: 9783747796221

All rights reserved

BILDER

AUS DEM

LEBEN IN ENGLAND.

VON

Ludwig Freiherrn von Ompteda.

> Wir lernen die Menschen nicht kennen,
> wenn sie zu uns kommen; wir müssen zu
> ihnen gehen, um zu erfahren, wie es mit
> ihnen steht.
>
> Goethe. —

BRESLAU.

Druck und Verlag von S. Schottlaender.

1881.

Ihrer

kaiserlichen und königlichen Hoheit

VICTORIA

Kronprinzessin

des deutschen Reiches und von Preussen

Princess Royal von Grossbritannien und Irland

in tiefster Ehrfurcht gewidmet

vom

Verfasser   und   Verleger.

Inhalt.

Englische
Landsitze, Gärten und Gärtner.

Vor- und Fürwort.

Ein Theil der nachstehenden Aufsätze ist bereits in der Monatsschrift „Nord und Süd" erschienen. Die freundliche und ermunternde Aufnahme, welche diese Versuche eines unbekannten schriftstellerischen Dilettanten fanden, ermuthigt mich, meine „Bilder aus dem Leben in England" jetzt dem günstigen Leser in geschlossener, überarbeiteter und vervollständigter Reihefolge vorzulegen.

Diese Bilder sind aufgezeichnet worden, wie sie sich in der Erinnerung des Heimgekehrten wiederspiegelten; es sind keine Photographien, die den Augenblick peinlich genau abschreiben. Ich strebte, als ich sie schuf, nach der höheren Wahrheit der Darstellung, die durch geordnete Gruppirung der einzelnen zerstreuten Erlebnisse zu einem Gesammtbilde erreicht wird — falls Zeichnung und Farben richtig und treu sind — gegenüber der mechanischen Genauigkeit des Reisetagebuchs mit seinen vereinzelten, lückenhaften Wahrnehmungen, mit seinen unvermeidlichen Alltäglichkeiten.

Ich wünsche und hoffe, dass die folgenden Blätter meine Leser unterhalten werden.

Zugleich aber hoffe und wünsche ich auch, dass meine Skizzen nicht ohne ein wenig bleibenden Nutzen gelesen werden mögen.

Es war mein Bestreben, das Leben unserer englischen Vettern von einigen neuen Seiten und auf einigen Gebieten vorzuführen, die — wie ich glaube — meinen verehrten Landsleuten im grossen Ganzen weniger bekannt sind. Ich wählte dafür sowohl Licht- als Schattenseiten, denn beide ziehen an und fesseln durch die Eigenartigkeit der englischen Entwickelung und durch die Grossartigkeit der dortigen Lebensverhältnisse.

Vor allem ist der, in England vorwiegende, Typus des tüchtigen Massenhaften uns Deutschen, die wir meistens in engeren Verhältnissen leben, fremdartig und ungeläufig. Dieser Eindruck überwältigt uns daher regelmässig, wenn wir Englands Boden zum ersten Male betreten, und selbst auf die Dauer wirkt diese durchgängige, tüchtige Massenhaftigkeit in allen Verhältnissen immer von neuem imponirend.

Treten wir dann allmälig auch den Schattenseiten näher, so werden wir bald erkennen, dass die überwiegende Mehrheit der scharf ausgeprägten englischen Sitten und Unsitten naturgemäss aus löblichen und, namentlich für uns Deutsche, grössten Theils nachahmenswerthen Eigenthümlichkeiten des Nationalcharakters entspringt; es sind natürliche Kehrseiten.

Zu diesen Eigenthümlichkeiten rechne ich: die insulare Concentrirung auf sich selbst, verbunden mit einem klarsichtigen, unbefangenen, praktischen Nationalegoismus; den zuversichtlichen Respect vor sich selbst und die daraus kategorisch folgende, ungeschminkte Einfachheit, Gradheit und Wahrhaftigkeit im geselligen wie im geschäftlichen Verkehr; die ruhige, stetige Umbildung aller Zustände durch den unzerrissenen Zusammenhang von Neu und Alt; den gesunden Conservatismus in der Sitte und in den äusseren Lebensformen; die freie Behandlung und stetige Ausscheidung des Abgestorbenen, und zwar, ohne jede doctrinäre Systemmacherei, ohne alle springende Hast; die gesunde Abwesenheit aller kosmopolitischen Verschwommenheit und aller confessionellen Vaterlandslosigkeit — beide stets das Kennzeichen einer unfertigen Nation.

Ferner müssen wir hieher den grossen Grundsatz für alle öffentliche Thätigkeit zählen: die organisirte Selbsthülfe, welche alle allgemeinen Missstände, die Mängel der Gesetzgebung wie die Schäden der nationalen Moral, mit Zähigkeit und mit meistens langsamem aber desto nachhaltigeren Erfolge bekämpft.

Mit am höchsten aber schätze ich in der englischen Nationalsitte: die allgemeine Vorliebe für das Landleben. Denn diese ist eine der wesentlichsten Stützen für das politische und sociale Uebergewicht des Landes über die grosse Stadt. —

Beide Erscheinungen aber sind stets sichere Zeichen der Volksgesundheit, ein reinigendes Reagens gegen die häufig trübe und gefälschte politische Intelligenz der Grossstädte. — Wahrhaftig! ich wüsste keine Nation, aus deren Beispiel gerade wir Deutsche, die wir jetzt endlich ernsthaft begonnen haben, auch eine Nation werden zu wollen, so viele heilsame und fördernde Lehren gewinnen können, als England uns bietet; sowohl in demjenigen, was wir zu erstreben, als was wir zu vermeiden haben!

Denn der englische Volkscharakter, wenn schon ein fremder, ist dennoch für uns keineswegs ein völlig fremdartiger, wie der slavische und der jetzt sogenannte „lateinische". In seinen Grundzügen hat er sich, unter dem Einflusse ähnlichen Klimas und Bodens, sowie gleicher Sprachwurzeln, denselben ursprünglichen Typus bewahrt, den wir noch heute in der ländlichen Bevölkerung erkennen, welche in den alten angelsächsischen Ursprungsstätten sitzt. Besonders der Norddeutsche, der in unseren niedersächsisch-friesischen Küstenländern heimisch ist, findet überall im englischen Wesen und vor allem im älteren sächsischen Theile der Sprache, zahlreiche verwandte Berührungspunkte. Die heutigen Unterschiede der beiden Vettern liegen wesentlich in der dortigen kraftvollen, einheitlichen Entwickelung, die unserer politisch zersplitterten Heimath versagt blieb. —

Hoffentlich wird es mir auch gelingen, durch meine Schilderungen englischen Lebens, Strebens und namentlich englischer Gastfreundschaft in Stadt und Land, einige der Vorurtheile zu lockern, die sich bei uns, in Beziehung auf England, festgewurzelt haben. Diese Vorurtheile sind wesentlich wohl aus unserer einseitigen Bekanntschaft mit der Species des „reisenden Engländers" entsprungen, allerdings kein normaler Repräsentant seines Vaterlandes. Oder sie erwuchsen aus unsrer allzu oberflächlichen Berührung mit der ablehnenden Zurückhaltung gegen alles Fremdartige und Unbekannte, hinter der das englische Wesen, auch zu Hause, sich anfangs verbirgt.

Ohne Zweifel ist jene abgeschlossene Zurückhaltung für den Fremden weder anziehend, noch bequem. In Deutschland jedoch existirt über diesen Punkt eine Art hergebrachter öffentlicher Meinung, welche die Schale für den Kern nimmt. Und diese, immerhin erklärliche Voreingenommenheit verhindert dann uns, die wir doch selbst — namentlich nördlich der Mainlinie — keineswegs frei von würdevoller Steifheit sind, die zuverlässige Tüchtigkeit und einfache, ruhige Liebenswürdigkeit des gebildeten Engländers aufzusuchen, die hinter der anscheinenden Unnahbarkeit wohnt.

Diese weit verbreitete Ansicht also fühle ich mich, in Dankbarkeit gegen das mir so gastfreundliche England, verpflichtet nach Kräften zu widerlegen.

Dabei „aufrichtig zu sein kann ich versprechen, unparteiisch zu sein aber nicht"; das bekenne ich mit den goldenen Worten unseres grossen, weisen Altmeisters.

Vielleicht gelingt es mir sogar, einige meiner jüngeren Landsleute zum eingehenderen Besuche Englands und zu näherer Bekanntschaft mit dem Leben in England zu bewegen. Sie würden von dort ohne allen Zweifel einen reicheren Schatz gesunder Anschauungen und praktisch förderlicher Lebenserfahrungen heimbringen, als aus den gewissen grossen internationalen Vergnügungsanstalten Europas, in denen man sich zwar sehr angenehm zerstreut, aber nicht sammelt. —

Da ich im allgemeinen auf meiner bescheidenen Lebensreise kein schweres Bündel von Gelehrsamkeit mit mir trage, so darf auch der geneigte Leser in diesen Bildern tiefe Weisheit und hohen Gedankenflug nicht suchen. Ich bitte daher meine werthen Genossen auf unserer bevorstehenden Fahrt vor allem um gute Reiselaune und um verständnissvolle Nachsicht gegen den Reisemarschall, denn — um ein bekanntes, kluges Wort nachzubilden —: „Ein jeder giebt nur, was er geben kann".

Unter einer Voraussetzung allerdings würde ich sogar mit einiger Sicherheit darauf hoffen, bei meinen geneigten Reisegefährten diese gut gelaunte Nachsicht hervor zu rufen: wenn mir nämlich gelungen wäre, wonach ich beim Schaffen meiner Bilder vor allem gestrebt habe:

dass ein Hauch von dem mächtigen Strome frischer, englischer Lebensluft dem Leser auch aus diesen Blättern entgegen wehen möge.

I.

Einleitung.

Dem deutschen Reisenden, welcher England besucht, steht dort ein Freund und Führer von seltener Zuverlässigkeit zur Seite. Sicher geleitet er uns über das Meer und zeigt uns Weg und Steg durch das fremde Land. Er bereitet uns sorgsam vor auf die riesige Weltstadt, ihre Gasthäuser und Sehenswürdigkeiten, ihre Verbindungen und Verkehrsmittel, ihre Unterhaltungen und Gefahren. Er führt uns durch das betäubende Gedränge der City, durch das schwarze Wirrsal der unterirdischen Eisenbahnen; er erleichtert uns die schwere Last der Museen und Sammlungen; er lichtet uns das Dunkel der englischen Geschichte; er enthüllt uns die Mysterien der englischen Küche. An jedem Morgen weckt er uns zeitig; er weist uns an, die kurz gemessenen, hier doppelt kostbaren Stunden jedes Tages auszunutzen; er weiss sogar Rath und Trost in der unendlichen Oede des Londoner Sonntags und flüchtet mit uns nach Hampton Court oder Greenwich. Das Alles thut der *rothe Bädcker* für Alle, die sich ihm anvertrauen. Jeder wird ihn loben, der an seiner Hand Städte und Landschaften durchwandert hat und mit erweitertem Blicke, gereiften Lebensanschauungen und nicht fruchtlos erschöpfter Börse aus dem grossartigen Altengland heimgekehrt ist.

Zu Hause blättern wir die vertrauten Seiten wieder durch und besprechen mit des Landes Kundigen die Fülle unserer Erinnerungen. Erst dann erkennen wir vielleicht, dass wir doch vielfach nur die äusseren Mauern der grossen Inselfestung umgangen haben. Die Städte und Häfen, die Kirchen und Museen in England haben wir kennen gelernt, nicht aber das

lebendige England selbst, jedenfalls nicht einen wichtigen und
hervorragenden Theil seiner Bewohner und ihr Leben.

Denn der Engländer der höheren Klassen wohnt und lebt
nicht in der grossen Stadt, dort arbeitet er nur; er schlendert
nicht auf Boulevards und sitzt nicht um Mitternacht vor Cafés,
denn das verbietet das Klima; er sucht nicht seine Erholung
mit Frau und Kindern in nahegelegenen öffentlichen Ver-
gnügungsgärten, denn solche gibt es für die höheren Stände
nicht: des Engländers Heimat ist auf dem Lande, in den
Schlössern und Cottages, in den Parks, Gärten und Gärtchen.
Den Weg nach *dieser* Seite des englischen Lebens weist uns
der getreue Bädeker zwar aus der Ferne, aber er verschafft uns
nicht den Schlüssel, um in die wohlverwahrte Burg einzudringen.

Der Engländer hat sein Daheim auf dem Lande. Dort
müssen wir ihn aufsuchen, um seine besten Seiten, die liebenswürdigen Eigenschaften zu entdecken, die er hinter einem
tüchtigen aber ungelenken und abweisenden Aeussern verbirgt;
denn nur hier öffnet sich diese spröde verschlossene Natur zu
echter Höflichkeit und herzlicher Gastfreiheit.

Dieses Daheim will er in Haus und Garten geschmückt
sehen, er studirt darauf, es mit allem Comfort und aller Cultur
auszustatten, die der Boden, das Klima und der nationale
Reichthum entwickelt haben.

Nur dann also besitzen wir eine volle Anschauung des
englischen Lebens, wenn wir Englands Landsitze und Gärten
kennen lernten. Zugleich aber werden wir dort in ein uns
neues Culturgebiet, in die englische Gartenkunst eingeführt.
Die Pflege und Ausschmückung der Landsitze, unter Bedin-
gungen, die von den Linien unseres continentalen Lebens wesentlich abweichen, hat die Gärtnerei in England zu einer eigenthümlichen und hochentwickelten Luxusindustrie ausgestaltet.

Zunächst erlaubt das sonnenarme feuchte Klima nicht ein
anhaltendes ruhiges Verweilen im Freien; es gestattet den
reichlichen Genuss der frischen Luft nur in lebhafter Bewegung.

Dieses kühle Klima reift auch in einem grossen Theile
Englands viele von den edleren Früchten nicht, an denen bei uns
jedes Gärtchen selbst dem Unbemittelteren seinen Antheil gibt.

Andrerseits gewähren die wärmeren, in der Regel frost-
freien englischen Winter einer grossen Zahl von Gewächsen,
die unser härteres Klima vernichtet, das Fortkommen im Freien.

Hierzu gesellt sich noch der meistens leichte und dabei frische Boden in einem grossen Theile von England. Dieser, in Verbindung mit dem feuchten Klima, erzeugt oder gestattet die saftigen reinen smaragdgrünen Rasenflächen, die dem englischen Garten seinen Grundzug geben und deren glückliche Nachahmung bei uns so selten gelingt.

Endlich führt die bestehende politische und soziale Eintheilung des Jahres den Engländer während der schönsten Monate des Frühlings und Sommers in die Stadt; auf dem Lande lebt er im Spätherbst und Winter.

Diese Umstände sind es hauptsächlich, die, unterstützt von dem hohen durchschnittlichen Reichthum der grösseren Grundeigenthümer und der zahlreichen kleineren Landhausbesitzer, zu einer völlig eigenthümlichen Methode in der Behandlung und Cultur der Parks und Gärten führten.

Die Parks sollen möglichst weit, dabei baum- und wildreich sein, um Raum für energische Bewegung im Freien, für die Jagd und den nationalen Sport zu schaffen. Die Gärten sollen im kurzen Sommer dichtes Laub und heitere Blumen tragen, sie sollen aber vor Allem in der rauhen Jahreszeit keine blätterlose Oede, sie sollen *immer grün* sein. Das Haus soll während dieser Zeit im Wohnzimmer und im Wintergarten einen stets blühenden Blumenfrühling zeigen. Die Tafel verlangt frische Früchte und junge Gemüse das ganze Jahr hindurch.

Es soll mithin der englische Landsitz nicht etwa nur dem Stadtbewohner einen nothdürftigen Behelf für den Sommer liefern, er soll vielmehr dem Besitzer und seinen zahlreichen Gästen einen geräumigen warmen reichen, einen „comfortablen" Aufenthalt im Herbste und Winter bieten. Hier will der Eigenthümer sich durch Gärtnerei, Landwirthschaft, Pflege des Forstes und durch die Anstrengung der Jagd wieder für die heisse gehetzte Season in London stärken, hier will er in ausreichenden Räumen bequeme Geselligkeit üben, hier will er als Gutsherr seinen politischen und sozialen Einfluss geltend machen und geniessen.

So hat sich die heutige englische hohe Gärtnerei entwickelt aus einem Kampfe gegen die Ungunst des Klimas und aus einer künstlichen Verschiebung der Jahreszeiten. Der schwere Streit ist siegreich durchgefochten vermöge der

1*

charakteristischen Rücksichtslosigkeit des Engländers gegen den Kostenpunkt, wenn ein bestimmter, nothwendiger oder wünschenswerther Zweck erreicht werden soll. Es bildete sich eine besondere Schule der Gärtnerei, die, zugleich mit dem bunten Teppiche der Sommerblumen, den *Garten der immergrünen Gewächse* um das Haus legt; die aber vor Allem im *Treibhause* zu jeder Jahreszeit das beste Obst, die seltensten Blumen für Tisch und Wohnzimmer hervorbringt und daneben im *Wintergarten* einen erfreulichen, reich geschmückten Aufenthalt für die Hausgenossen schafft.

Es ist also, wie wir sehen, das Treibhaus die nothwendige Grundlage dieses weitverbreiteten grossartigen gärtnerischen Comforts.

Vereinzelte Ansätze und unvollkommene Nachahmungen dieser englischen Treibhausgärtnerei treffen wir auch in der Heimat; aber nur in seltenen einzelnen Fällen ist diese Kunst bei uns zu einer ähnlichen Stufe der Vielseitigkeit und Vollendung entwickelt wie sie in England den Durchschnitt der Leistungen bildet.

Diese hohe englische Gärtnerschule fand ihre Zusammenfassung in dem grossartigen botanisch-gärtnerischen Institute zu Kew; von dort aus entwickelten sich, dem Gesetze der Arbeitstheilung folgend, die riesenhaften Warmhausbetriebe der grossen Handelsgärtner.

In diese Welt lade ich meine Leser ein, mir zu folgen. Unsere Wanderung wird uns nicht mit einem Ballaste lehrhafter Beschreibungen, nicht mit photographisch genauen Wiedergaben technischer Einzelheiten beladen; sie bietet nur wechselnde Bilder, die sich dem reisenden Gartenfreunde als Gast auf englischen Landsitzen und als Besucher englischer Gärten entrollten.

Die nachfolgenden Blätter *sollen* daher oberflächlich sein. Falls sie sich wider Willen irgendwo in der Ueberfülle des Stoffes verlieren, bitte ich den Sachkundigen wegen der unvermeidlichen dilettantischen Mängel und Lücken um Nachsicht; mit den übrigen geneigten Lesern aber bin ich vollständig einverstanden, wenn sie ermüdende Aufzählungen und Schilderungen fremdartiger Einzelheiten wohlwollend überschlagen.

II.

Hatfield House, der Landsitz des Marquis von Salisbury.

Aus der langen Reihe jener bemerkenswerthen Eigenthümlichkeiten des englischen Volkscharakters, welche wesentlich dazu mitgewirkt haben, das Inselreich so frühzeitig auf seine Höhe zu führen und dort bis jetzt dauernd und fest zu erhalten, tritt, verwandt mit dem allgemeinen Geiste der Gesetzlichkeit, ganz besonders der historische conservative Sinn des Engländers hervor. Dieser Sinn zeigt sich namentlich auch in der weit verbreiteten Bekanntschaft mit der vaterländischen Geschichte, in dem warmen Interesse für die Denkmale und für die bedeutenden wirkungsvollen Menschen der Vorzeit. Jeder Lebende fühlt sich in traditionellem Respecte mit seiner Vorgeschichte und ihren hervorragenden Vertretern verbunden; er sieht die Entwickelung seines Landes durch die Jahrhunderte greifbar vor seinen Augen entrollt, und naturgemäss vereinigt sich in ihm die erhaltende Neigung mit der angeborenen weiterbildenden Thätigkeit.

So genährt und erzogen strebt der englische Volksgeist, von positiven Gesichtspunkten ausgehend, stets nur nach den nächsten praktischen Zielen und schweift nicht haltungslos nach willkürlichen doctrinären Theoremen in die Irre.

Allerdings konnte sich dieser glückliche historische Sinn des Volkes im Wesentlichen ungestört entwickeln. Es ist England stets vergönnt gewesen, ruhig an sich weiter zu bauen und die Fäden seiner Vergangenheit stetig vom Vater durch den Sohn zum Enkel fortzuspinnen. Kein dreissigjähriges Kriegs-

elend hat die hohe Kultur und Blüthe des Landes unter Schutt,
Thränen und Blut auf fast zwei Jahrhunderte begraben, hat die
stärksten Wurzeln der nationalen Kraft zerstört und die geistig
wie materiell verarmten Nachkommen, jenseit einer weiten
Kluft, ihren Vorfahren und ihrer eigenen Vergangenheit ent-
fremdet gegenüber gestellt. Nie ist England zum Spielballe
und Tummelplatze jedes raubgierigen Nachbars erniedrigt
gewesen; nie ist die imponirende Entfaltung seiner nationalen
Wehrkraft, das nothwendigste Schutzmittel für den nationalen
Wohlstand, durch ein verfassungsmässig gelähmtes, organisch
auseinander strebendes föderatives Regiment unterdrückt worden.
Endlich drang auch die englische Kirchenreformation, getragen
von der starken Staatsgewalt, zur Einheit durch; es entstand kein Riss inmitten der Nation, in den fremde Gewalten
ihre Hebel mit Erfolg hätten einsetzen können.

Unter allen Figuren in der Geschichte Englands, welche
sich über das gewöhnliche menschliche Maass, der Herrscher
wie der Beherrschten, erheben und um so grösser erscheinen,
je tiefer im Laufe der Jahrhunderte alle umgebenden, ehedem
hervorragenden Spitzen in Vergessenheit versunken sind, — unter
allen nimmt im Herzen jedes Engländers die Königin Elisabeth
den ersten Platz ein. Sie ist in der Erinnerung ihres Volkes
lebendig geblieben; nicht wandelt sie nur als blutloser Schatten
durch die Schlösser, Gallerien und Bibliotheken. Der stetig
fortgesponnene Faden der geschichtlichen Entwickelung verbindet noch immer »Good Queen Bess« mit denen, die drei Jahrhunderte nach ihr leben.

Zu dieser Wahrnehmung gelangt man schon wenn, man in
englischer Gesellschaft die Kapelle Heinrichs VII. in der Westminster Abtei betritt und bemerkt, wie dort der ehrfurchtsvoll
schweigende Kreis das Monument der Königin umsteht, allen
ihren Nachbarn gleichgültig vorbeigehend; oder wenn der
Beefeater im Bell Tower das Gefängniss der jungen Prinzess
Elisabeth zeigt und daneben vom schönen Essex und der armen
zehntägigen Königin Lady Jane Grey erzählt. Ebenso verschwindet in White Hall Karl I., in St. James's Palast die „blutige
Mary", in Hampton Court Wolsey und Heinrich VIII., ja! es
verblasst, zwischen allen starken Tudors und schwachen Stuarts,
selbst der grosse Protector Cromwell vor dieser einzigen

erhabenen und volksthümlichen Gestalt. .Und es ist nicht nur märchenhafte fernabliegende Romantik die sie umgibt, .wie unsere Kaiser: den „Rothbart" und. den „letzten Ritter"; nein! der englische Protestant jeder Partei und Sekte sah und sieht noch heute in ihr die endliche Befreierin von der Herrschaft Roms, die Vorkämpferin für Gewissensfreiheit, die Beschützerin Englands gegen den spanischen Kreuzzug und gegen die schottische katholische Prätendentin, die Erwerberin Irlands, die Begründerin der Macht und Grösse des britischen Volkes. Man hat ihr noch nicht die weise Selbstüberwindung vergessen, mit der sie in der Frage wegen des königlichen Monopolrechtes dem energischen Widerstande des Unterhauses nachgab und wie sie hernach sogar den Gemeinen in würdigen und warmen Worten für ihre Pflichttreue in der Vertheidigung des Volkswohles dankte.

So fühlt die. Gegenwart sich der Königin Bess als ihrer direkten Erblasserin dankbar verbunden; längst sind die kleinen Schwächen der Frau vergessen, die als Königin schon bei ihren zeitgenössischen Widersachern so hoch stand, dass die Puritaner, die sie selbst hatte in's Gefängniss werfen lassen, dort für ihre Errettung von jesuitischen Mordanschlägen beteten, und dass ein besonders fanatischer Sektirer dem soeben auf dem Schaffote die rechte Hand abgeschlagen war, mit der Linken seinen Hut schwenkte und laut rief: „God save the Queen!"

Solche und ähnliche, durch den Vergleich mit den leider! weit verschiedenen Schicksalen des eigenen Vaterlandes nicht erheiternde Betrachtungen werden dem deutschen Reisenden häufig das Geleit geben, wohin er auch in England seine Schritte wendet. Ueberall hier findet er Vergangenheit und Gegenwart friedlich nebeneinander und in harmonischer Folge vereinigt, überall stellt sich aus Erhaltung und Fortbildung ein einheitliches Ganzes zusammen. —

Wir verlassen nach kaum einstündiger Fahrt unsern Zug auf einer Station der Grossen Nordbahn, die uns von King's Cross dem dunstigen London entführt hat. Schon wenige Schritte ausserhalb des Bahnhofes haben wir ein Stück Mittelalter vor uns. Wir betreten ein Städtchen, dessen malerische weissgetünchte Fachwerkhäuser sich mit ihren spitzen Giebeln und ihren kleinen tiefen Fenstern der Strasse zuwenden und

die mit dem übergebauten, Sonne und Luft' suchenden Sommer-
zimmer die schmale Gasse überragen. Sie versetzen uns in die
Zeiten der ersten Tudors, wo 'der Haustein 'noch den Kirchen
und Herrenhäusern vorbehalten und der rothe Backstein ein
neuer Luxus war. Das Städtchen lag ursprünglich nur im
Thale; die Kirche allein, älter als Wilhelm der Eroberer, stand
darüber erhöht. An dieser vorbei zog sich später die neuere
Hochstrasse, dem Wege nach London entlang, den Hügel
hinan und mündete unter dem alten Sommerpalaste der frommen
Bischöfe von Ely. Vielleicht war dieser neue Stadttheil noch
nicht ganz oben angelangt, als die Bischöfe den Hügel schon
wieder hinabstiegen um dem zweiten Tudor, Heinrich VIII,
in ihrer Sommerfrische Platz zu machen. Hernach wurde es
dann zu spät die Höhe vollends zu erklimmen, denn als auch
Jakob I. den alten Bischofspalast wieder verliess, schied der
neue Eigenthümer, Robert Cecil erster Earl von Salisbury,
Elisabeths zweiter grosser Minister, sich und sein „Haus"
durch die heute noch stehende hohe Parkmauer von dem
emporstrebenden Städtchen ab. Zwei und ein halbes Jahrhundert lag der Ort alsdann ruhig in seinem alten Weichbilde,
bis wieder ein Grosser des Reiches, dieses Mal ein ganz
moderner, der Direktor der „Grossen Nordbahn", sich auf
dessen anderer Seite ansiedelte, der nun die neuesten Häuser
sich zuwenden.

Das Städtchen heisst Hatfield und war schon eine erwähnens-
werthe Niederlassung, als es unter dem Namen „Hetfelle" in das
Doomsdaybook (1086) eingetragen wurde. Hier sassen Benedik-
tiner von der Abtei Ely und verwalteten ihr schönes Gut, ein
Geschenk des sächsischen Königs Edgar aus den Tagen des
heiligen Dunstan. Es umfasste etwa viertausend Morgen.
Später ward aus der Abtei zu Ely ein Bischofssitz und aus
dem Meierhofe zu Hatfield eine Sommerresidenz der Bischöfe.
Um das Jahr 1480 bauten diese sich dort einen „Palast", von
dem wir ein herrliches Stück Ueberrest näher kennen lernen
werden. Jedoch sollten die geistlichen Herren sich des so ver-
schönerten Besitzes nicht mehr lange erfreuen, denn im Jahre 1534
musste der neue Bischof vom König HeinrichVIII. seine Ernennung
mit der Abtretung von Hatfield bezahlen. Wie beide hohe
Herren sich wegen dieser Sünde der Simonie vor ihren Gewissen

absolvirten, weiss man jetzt nicht mehr genau. Vermuthlich
verfuhr Heinrich VIII. hier ähnlich wie gegen die Gläubiger
des Cardinals Wolsey, als er dessen ungeheures Vermögen
einzog. Er überwies den Berechtigten als Vergütung eine
Reihe von Forderungen der Krone, die aber schon lange
notorisch „nothleidend", nicht mehr realisirbar waren. Leider
ist ja zu allen Zeiten und aller Orten das Gut der Kirche,
deren Reich nicht von dieser Welt sein soll, von den frommen
Grossen dieser Erde als passende Beute angesehen. Auch die
mächtigen rechtgläubigen Laien hatten stets nicht minder „einen
guten Magen" als Mephisto ihn, in seiner tadelnswerthen par-
teiischen Einseitigkeit, der Kirche zuschreibt und konnten „un-
gerechtes Gut verdauen".

So wurde Hatfield eine königliche Residenz und sogar
eine sehr beliebte und viel bewohnte. Eduard VI. und seine
Schwester Elisabeth verlebten hier einen Theil ihrer Jugend
und letztere bestieg von hier Englands Thron. Ihrem Nachfolger jedoch, Jakob I., gefiel Teobalds, das grossartigere Schloss
seines Ministers Robert Cecil, besser und er tauschte es im
Jahre 1607 gegen Hatfield ein. Mit diesem Wechsel stieg der
Bischofs- und Königssitz zu frischem und dauernden Glanze empor,
denn der neue Eigenthümer baute in den alten Park das
prächtige „Haus", welches wir, nebst den weiten Gärten, mit
denen er es umgab, heute durchwandern wollen.

Indessen begann die Verbindung der Cecils mit Hatfield
nicht erst damals, als sie dessen Besitzer wurden. Schon
Robert Cecils, des ersten Earls von Salisbury, Vater William
Cecil, der berühmte erste Minister Elisabeths während vierzig
Jahren, uns Deutschen aus Schillers Maria Stuart als Lord
Burghley wohl bekannt, liess die Spuren seines Wirkens hier
zurück. Er besass eine hervorragende klassische Bildung und
gab, erst neunzehn Jahre alt, den Studenten von St. John's
College zu Cambridge schon griechischen Unterricht. Bereits
unter Eduard VI. war er Sekretär des Lord Protector, des
Herzogs von Somerset; nach dessen Sturze wurde er zwar
zuerst in den Tower gesetzt aber bald darauf zum Staatssecretär befördert. Als die „blutige" Mary zur Regierung kam,
stellte er sich zwar an die Spitze der Opposition im Unterhause,
gleichzeitig aber bewahrte er sich die Gnade der Königin,

indem er sich wieder öffentlich zum Katholicismus bekannte
und — wie es die Königin verlangte — einen Hauskaplan
hielt. Er war ein verständiger Mann, verspürte daher keinen
Beruf zum Märtyrer. Als Elisabeth im Jahre 1558 aus ihrer
Gefangenschaft in Hatfield den Thron bestieg, ernannte sie
noch hier William Cecil, ihren bewährten geheimen Rathgeber,
zu ihrem Ersten Staatssecretär. Er blieb in dieser Stellung
und in der noch höheren als Lord High Treasurer bis zu seinem
Tode im Jahre 1598. Augenscheinlich war er der Mann, der
von Allen, welche Elisabeth und ihre königliche Macht um-
warben, die meisten von den Eigenschaften vereinigte, deren
der erste Diener und Rath der energischen Selbstherrscherin
bedurfte. Nach längerem Schwanken hat sein geschichtliches
Bild sich etwa dahin festgestellt: dass er, wenn auch kein
grosser Mann und kein sogenannter edler heroischer Charakter,
jedenfalls ein grosser Minister war. — Vielleicht bedingt das
Eine nicht immer nothwendig das Andere.

Und niemals verliess das Vertrauen der Königin ihren
treuen Diener. Ihrem Herzen standen der hofmännische gewandte Leicester und der schöne glänzende Essex näher,
Burghley aber wurde stets gegen die Intriguen und Angriffe
aller Nebenbuhler in den höchsten Ehren erhalten. Für ihn
galt die damalige strenge Etikette nicht, nach welcher Jedermann, den die Königin anredete oder auch nur ansah, sofort
auf die Kniee sinken musste; für Burghley war in Gegenwart
der Majestät stets ein Sessel vorhanden. Auch ihre Sparsamkeit in Ehren und Geldbelohnungen vergass sie für William
Cecil. Er hinterliess, nach Macaulay, etwa dreihundert verschiedene Landgüter. Zwölf königlicher Besuche hatte er
sich zu erfreuen; jeder dauerte mehrere Wochen und kostete
dem Wirthe vierzig- bis sechzigtausend Mark. Indessen war
der ganze Zuschnitt seines Haushaltes oder richtiger: Hof-
staates diesem königlichen Luxus gewachsen. Er hatte zwei
Residenzen in London und zwei auf dem Lande. In der Stadt
kostete sein Haushalt wöchentlich sechshundert Mark, wenn
er abwesend und achthundert bis tausend Mark, wenn er
anwesend war. Dort hielt er stets drei offene Tafeln. Sein
Gefolge bestand aus zwanzig angesessenen bemittelten Edel-
leuten. Er war ein sehr vornehmer und stolzer aber auch, was

noch mehr ist, ein sehr kluger und scharfsinniger Mann.
England verdankt William Cecil, wie seinem jüngeren Sohne
und Nachfolger Robert Cecil, seinen grossen Aufschwung unter
Elisabeths langer Regierung und die endliche feste Gründung
des protestantischen Glaubens. Dieser Sohn war sein unmittelbarer Nachfolger als Elisabeths erster Minister. Das
Aeussere des jüngeren Cecil konnte die Königin nicht be-
stochen haben. Er war kränklich, seine Gestalt verwachsen
und zwerghaft, aber in diesem elenden Körper lebte ein starker,
thätiger, geduldiger, kluger Geist und eine zuverlässige, muthige
Pflichttreue. Robert Cecil ererbte in Wirklichkeit von seinem
Vater die Eigenschaften, die einen bedeutenden Staats- und
Geschäftsmann ausmachen — eine Erbschaft, welche immer noch
häufiger eröffnet als angetreten wird.

Nicht ohne Grund wird ihm die kluge und diskrete Art,
in welcher er den Uebergang der Krone von der alternden
Elisabeth auf ihren unruhigen ungeduldigen schottischen Gross-
neffen vermittelte, zum Verdienste gerechnet. Er traf im
Stillen alle Vorbereitungen für einen Wechsel ohne Störungen
und stand an Elisabeths Seite als sie starb (1603). Sie hatte ihn
stets gern mit seiner körperlichen Missgestalt geneckt und auch wol
in ihren Briefen „Pigmäe", „kleines Männlein" angeredet. Als es
nun an's Sterben ging und sie irreredend mit starrem Blicke im
Garten von Richmond dasass, von ihrem rathlosen Hofe umstanden, sagte Cecil: „Euer Majestät müssen jetzt zu Bette
gehen". „Müssen"! stiess die Königin hervor, „müssen! Ist
„müssen" ein Wort für eine Fürstin? Oh, Männlein, Männlein!
Dein Vater hätte sich ein solches Wort nicht erlaubt, aber
Du wirst jetzt unverschämt, weil Du weisst, dass ich sterben
werde". — Das unglückliche Wort „müssen" war wol des
armen Cecils einzige Pflichtvergessenheit gegen seine Gebieterin
während seiner langen Dienstzeit.

Jakob I. zeigte sich nicht undankbar gegen Cecil. Nach
zwei Jahren war dieser Earl of Salisbury, Ritter des Hosen-
bandes und bald darauf Lord High Treasurer. Aber der Herr
selbst war ein Anderer. Er war kein Selbstherrscher wie
Elisabeth und verlangte keine äussere ceremoniöse Unter-
würfigkeit. Es regierte sich ganz bequem unter ihm, falls er
nur hinreichend Freiheit und Geld fand, um die neuen grossen

Verhältnisse mit seinen „hungrigen" schottischen Günstlingen zu geniessen. Man beglückwünschte eines Tages Cecil, dass er nun nicht mehr zu knieen brauche; er erwiderte: „Wollte Gott, ich spräche noch auf meinen Knieen". Er hatte hart zu kämpfen gegen des Königs Verschwendung und Haltlosigkeit und mit Schmerz sah er England von der hohen Stellung herabgleiten, die es unter Elisabeth in Europa eingenommen hatte. Um so weniger wol mochte er sich weigern, dem Könige zu Willen zu sein, als Jakob wünschte, Robert Cecils schönen Landsitz Teobalds bei Cheshunt, in nächster Nähe von London, gegen das entferntere Hatfield einzutauschen.

Jedoch dem Minister genügte der „Palast" in Hatfield ebenso wenig als dem Könige und da er zudem die Bauleidenschaft hatte, so benutzte er Ort und Gelegenheit, vermuthlich auch günstige Tauschbedingungen, um sich ein neues „Haus" neben dem alten „Palaste" und diesen weit überragend, zu bauen.

Das neue „Haus" krönt, weithin sichtbar, die Anhöhe, welche wir vom Bahnhofe aus hinansteigen. Durch den Umschwung der Zeiten und Communicationen kehrt jetzt das Schloss dem Ankömmlinge seine nördliche Rückfront zu, während die südliche Vorderseite, der alten Heerstrasse von London zugewandt und mit ihr durch eine grossartige Allee verbunden, in einsamer Hoheit die Gärten überragt. Nach Nord und Nordost dehnt sich der Park aus; nicht sehr gross, seine Umfassungsmauer misst nur eine deutsche Meile. Ein neuer Weg leitet uns vom kürzlich eröffneten Parkthore am Bahnhofe nach Osten und biegt in die Hauptallee ein, die südlich zum Schlosse führt. Der Park tritt hier unmittelbar an das Haus heran. Das Schloss bildet drei Seiten eines offenen Vierecks. Die ungebrochene nördliche Rückfront, in ihrer Mitte durch einen hohen Uhrthurm gekrönt, hat eine Länge von etwa achtzig Metern; die nach Süden vorspringenden Seitenflügel sind etwa sechsundvierzig Meter lang. Das Haus ist aus rothem Backstein aufgeführt, die Einfassungen der Fenster und Thüren, die Mauerkanten und Krenelirungen sind von dunklem Haustein. Die vordere südliche Front ist eine der grossartigsten Schöpfungen der englischen Architektur in jener eigenthümlichen Mischung des späteren gothischen oder perpendikulären Stils mit der Renaissance welche man den »Elisabethstil« genannt, hat. Die beiden auf dieser südlichen Seite weit vortretenden Flügel sind jeder mit zwei ausspringenden viereckigen Thürmen abgeschlossen, zwischen denen doppelte Freitreppen zu weiten mit Glas geschlossenen Pforten führen. Längs der, zwischen diesen beiden Flügeln weit zurücktretenden südlichen Front des Hauptgebäudes, welches zwei Stockwerke enthält, während die Flügel es mit einem dritten überragen, zieht sich eine doppelte Reihe aufeinander gestellter dorischer Säulen hin. Der grosse Haupteingang, dessen Ueberbau, der Uhrthurm, in mehreren Stockwerken emporstrebt und mit einer zwiebelförmigen Kuppel abschliesst, zeigt nach damaligem Geschmacke eine aufsteigende Zusammenstellung von Säulen dorischer, jonischer und korinthischer Ordnung. An jeder Seite des mittleren erhöhten Hauptportals, welches das kolossale Wappen der Cecils: den von Löwen gehaltenen und mit Löwen besäeten Schild trägt, erheben sich auf dem Dache zwei niedrige geschweifte Giebel. Das Ganze bringt durch seine edlen Verhältnisse, mannigfaltigen Verzierungen und durch den Gegensatz, in welchem sich der rothe Backsteinbau von dem üppigen Grün der Landschaft abhebt, eine aussergewöhnlich grossartige Wirkung hervor.

Der Hof zwischen den beiden Flügeln ist ganz frei; eine breite Terrasse, deren dichter grüner Rasen durch blühende Büsche und Blumenbeete unterbrochen wird, erstreckt sich vor der Hauptfront längs dem Schlosse. Von ihr aus führen nach vorn und nach den Seiten schwere Sandsteintreppen in die Gärten hinab. Hier mündet auch, vor der Hauptfront, die grosse etwa fünfzig Meter breite Einfahrtsallee von mächtigen Linden, an deren fernem nicht absehbaren südlichen Ende der Park durch ein reich vergoldetes Eisengitter sich gegen die alte Heerstrasse nach London abschliesst.

Da ich den Vorzug genoss, Hatfield House als Gast zu betreten und der Hausherr heute durch Geschäfte in Downingstreet gefesselt war, so empfing mich sein ältester Sohn, der junge Lord Cranborne und erbot sich mir das „Haus" und die Gärten zu zeigen. Nach den ungezwungenen Gewohnheiten, die auf den grossen englischen Landsitzen jedem Gaste, und auch den Wirthen, möglichst selbständige Bewegung gestatten, wusste ich, dass ich die Dame des Hauses erst Abends beim

Dinner begrüssen würde. Wir begaben uns daher sofort auf die Wanderung.

Der erste Robert Cecil war sein eigner Baumeister und wahrhaftig! er hatte einen grossartigen Begriff von seiner Aufgabe; er wusste, wie ein prächtiger ländlicher Herrensitz zugeschnitten und ausgestattet sein muss, um nicht nur seines vornehmen Eigenthümers würdig zu erscheinen, sondern auch den Souverain und seinen Hof festlich zu empfangen und zu bewirthen.

Sehen wir jetzt, wie er seine Aufgabe gelöst hat.

In jedem Flügel des Schlosses führt eine Treppe zum ersten Stocke empor. Beide sind in Eichenholz schwer geschnitzt, die östliche jedoch ist reicher mit allerlei Figuren verziert, da sie zu denjenigen Gemächern des ersten Stockes führt, die für die Majestät bestimmt waren. Diesen oberen Stock füllt in der ganzen Länge der Hauptfront des Mittelbaues eine Gallerie aus, sechsundfünfzig Meter lang. Sie ist an Decken und Wänden mit reichem eichenen Täfelwerke bekleidet, das durch silberne Armleuchter unterbrochen wird. Grosse, bis beinahe auf den Fussboden gehende Fenster führen genügendes Licht zu, auch wird der allgemeine dunkle Ton des Raumes durch rothe Vorhänge und durch eine Waffensammlung belebt. Auf der westlichen Seite stösst diese Gallerie an einen, jetzt als Bibliothek reich und bequem eingerichteten saalartigen Raum. Auf der anderen Seite der Gallerie ist ein gleich grosses Gemach, The King's Chamber, denn hier und in den anstossenden Schlafzimmern sollten die Majestäten wohnen, in der Gallerie aber und jenseit derselben, in der jetzigen Bibliothek, die Feste sich entwickeln. Die Verbindungen sind durch die zwei Treppen auf's Beste hergestellt und zugleich ist die Raumverschwendung für ein übergrosses Staatstreppenhaus in der Mitte des Schlosses vermieden, welches sich oft wie ein riesiges fremdartiges Ungeheuer in's Unendliche breit macht und ein halbes Dutzend unentbehrlicher Zimmer zum Fenster hinauswirft.

Auf die königlichen Wohnräume ist selbstverständlich aller Glanz und Reichthum verwendet, den die damalige Zeit zu ersinnen vermochte. Aus den Kassettirungen des Plafonds hängen metallene Verzierungen herab, die Wände sind (wol erst später) mit weissem Atlas bespannt, die Möbel mit rothem Sammet und Gold überzogen. Ein bis an die Decke ragender Kamin wird durch die Bronzestatue Jakobs I. gekrönt.

Die Arbeiten der Holztäfelung, womit das Schloss hier und in vielen anderen seiner Räume verziert ist, sind von seltener Schönheit und verdienen eine nähere Betrachtung. Man weiss aus den Bauakten, dass der Bauherr den Entwürfen zu diesen Decorationen ganz besondere Aufmerksamkeit widmete. Er vermied thunlichst die grossen ebenen Flächen, verschmähte alle überladene Vergoldung, ebenso die dem englischen Klima nicht Stand haltenden Wandmalereien und wendete auch keine Ledertapeten an. Dafür bekleidete er das Haus mit einem seltenen Reichthum von Holzsculptur.

Dorische und ionische Halbsäulen mit reichen Laubkränzen an den Kapitälen schmücken die königlichen Schlafzimmer; in der Kapelle und in der grossen Speisehalle, beide zu ebener Erde, sind die Wände in einfachere grosse Fächer eingetheilt, hier abgerundet, dort rechteckig. Diese Fächer sind dann wieder mit Arabesken von zartester Arbeit verziert. Ueberall begegnet man reichen Friesen und Architraven, Blumengewinden und Pfeilern. Aber trotz der Zartheit in der Ausführung erweckt diese Decoration den Eindruck des Warmen, Massiven, Dauerhaften — des Einheimischen. Sie entspricht durchaus dem vornehmen ernsten Stile des Hauses und dem nicht weniger ernsten Charakter der umgebenden englischen Landschaft, in welcher dieses reich gemaserte und kräftig gefärbte Eichenholz gewachsen ist.

Als wir in der Reihenfolge dieser grossartigen Staatsgemächer den ersten Stock fast durchmessen hatten, öffnete mein junger Führer eine kleine Thür. Wir traten in eine Art von Gallerie oder Prieche ein, welche als hohe Empore die eine Breitseite eines kirchenhaft langen und weiten, zwei Stockwerke hohen Raumes einnimmt. Durch Oeffnungen, die mit Flügeln aus durchbrochenem Holzwerke verschliessbar sind, sahen wir hinab in die grosse »Hall«, den Speiseraum.

„Wir wollen die Hall heute Abend von unten genauer besehen", sagte der junge Lord, „ich brachte Sie jetzt nur hierher, damit Sie die Fahnen betrachten, die vor dieser Empore aufgehängt sind. Es sind Franzosen aus der Schlacht bei

Waterloo: der Herzog von Wellington schenkte sie hierher. Ich dachte mir, diese Erinnerung müsste Sie als Hannoveraner besonders interessiren. Bei grossen Festen wird hier oben Musik gemacht und sie klingt an der flachen weissen kassettirten Gipsdecke über uns recht kräftig wieder. — Jetzt haben wir Alles im ersten Stock gesehen".

„Aber", frug ich, „wo wohnten und schliefen denn wohl die Gäste, die zu den grossen Festen hier erschienen und wo wurde das königliche Gefolge untergebracht?"

„Ich weiss es eigentlich nicht recht", erwiderte Lord Cranborne, „denn zu ebener Erde sind ausser dieser Hall und der Kapelle nur die Drawingrooms und die Wohnzimmer meiner Eltern und oben, im zweiten Stock der Flügel, wo ich mit meinen fünf Brüdern und zwei Schwestern hause, da sieht es nur bescheiden aus. Auch nimmt unser grosses Familienarchiv, das die bekannten „Hatfield Papers" enthält, dort viel Raum ein. Indessen", fuhr er fort, „hörte ich oft sagen, dass man in früheren Zeiten nicht so viel Ansprüche und auch nicht so viel Umstände gemacht hat wie jetzt. Es erschienen auf den grossen Festen nicht so zahlreiche Damen, überwiegend Herren. Die Kammerjungfern schliefen mit im Zimmer ihrer Lady und die vornehmen Diener stellten eine Pritsche vor die Thür ihres Herrn. Von letzteren wurden auch wohl mehrere in ein Zimmer gelegt. Für die untere Dienerschaft war ausreichender Raum im Pferdestalle; davon werden Sie sich hernach selbst überzeugen".

„Eine schöne bescheidene Zeit, die ›gute alte‹, bemerkte ich, „räumen wir das ein; aber wie stand es damals wohl mit den Bade- und Waschapparaten, die in unseren jetzigen Schlaf- und Ankleidezimmern einen so bedeutenden Raum verlangen?"

„Das weiss ich nicht", erwiderte mein junger Führer, „jetzt aber ist diese Schwierigkeit gehoben, da das ganze Schloss mit heissem Wasser geheizt wird". —

Wir durchwanderten nun die Wohnräume zu ebener Erde. Sie sind stattlich, herrschaftlich und ihre reiche schwere Einrichtung entspricht in den Maassen wie in den Stoffen dem Stile des Hauses. Ihre schönste Zierde jedoch besteht in den hier vereinigten historischen Porträts, deren Originale zum grössten Theile durch persönliche Beziehungen mit dem Hause Cecil verknüpft sind.

Heinrich VIII. erscheint mehrfach, darunter einmal von Holbeins Meisterhand, mit prachtvollem täuschend gemalten Schmucke;. das Bild ist ausgezeichnet durch die Frische der Farben. Der dicke polygamische Herr mit seinem etwas rohen und grobsinnlichen Ausdrucke erinnert unwillkürlich an den Märchenhelden Blaubart.

Mary Tudor ist nicht vertreten; wir wissen, dass ihr Verhältniss zu William Cecil kein sehr inniges war. Sie traute seiner Orthodoxie nicht und er — temporisirte. Auch dauerte ihr finsteres Regiment nur fünf Jahre.

Die Königin Elisabeth erscheint hier in zwei bemerkenswerthen Porträts. Einmal jung, als Diana mit der Mondsichel und entsprechend durchgeführtem Kostüm. Sie ist in ihrer Blüthe dargestellt, etwas fade und weisslich mit blassröthlichem Haar. Sie blickt freundlich, aber das helle Auge, fast ohne Brauen, ist nicht gerade gewinnend. Das andere Bild, aus späterer Zeit, ist ernster: ein stechendes Auge, scharfe Züge und harter Ausdruck. Sehr merkwürdig ist ihr reiches Gewand. Das schwere Stoffkleid ist übersäet mit eingestickten menschlichen Augen und Ohren, also wohl die Allwissenheit darstellend. Wenn sie das Kleid wirklich jemals trug, so haben diese unendlich vervielfältigten Organe des Allsehens und Allhörens auf die officiellen königlichen Verehrer, deren heimliche kleine Erholungen ja nicht unbekannt geblieben sind, einen etwas unheimlichen Eindruck machen müssen — falls nicht etwa diese Herren es *besser* wussten, wie es mit der königlichen Allwissenheit bestellt war.

Es ist nicht zu leugnen, dass die Königin uns in diesen Darstellungen ihrer äusseren Erscheinung unendlich weniger gross und imponirend entgegentritt, als in ihrem geschichtlichen Charakterbilde. Sie hatte als Frau mancherlei weibliche Schwächen und Schatten, als Englands Beherrscherin jedoch war sie — „jeder Zoll eine Königin"! und so bezeichnet sie auch Robert Cecils Nachruf: „Wollte Gott, ich müsste noch knieen".

Zwischen der keuschen Diana und der Allwissenheit fesselt uns ein Bild von seltener Lieblichkeit: die poetisch verklärte Gestalt, die wir „Maria Stuart", die Engländer „Mary Queen of Scots" nennen. Es stammt aus ihrer Jugend, so wie sie uns Deutschen, wenn auch mit einiger dichterischer Freiheit,

auf immer bekannt und vertraut ist. Ein frischer duftiger
Schmelz ruht auf diesem Bilde; es ist ein echt französisches Gesicht mit feiner Nase, reizvoll lieblichem Munde, etwas schmach-
tenden Augen, die nicht gerade einschüchternd wirken und mit
ausserordentlich schönen Händen. Ihr Anzug, obschon in der
fremdartigen Tracht jener Zeit, ist so harmonisch in den
Farben und der Anordnung, dass man auch hierin die Fran-
zösin zu erkennen glaubt. Ein solches Bild zu besitzen, wäre
ohne Zweifel eine seltene Gunst des Geschickes; vielleicht
würde man sogar dieses Porträt — dem Originale vorziehen,
welches denn doch seinen verschiedenen Gatten etwas allzuviel
zu schaffen gemacht hat. Zu ihrer Rechten und Linken sehen
wir zwei vornehme Herren. Rechts der junge, verliebte, unwiderstehliche Dudley, der „zu Schiff nach Frankreich" ging,
und links derselbe Graf Leicester, lange nach seiner Rück-
kehr; ein vornehmer, schöner, starker, alter Herr, mit wohl-
gepflegtem weissen Barte; nicht sehr klug ausschauend, aber
recht würdevoll.

Wir verlassen die Drawingrooms im östlichen Flügel durch
eine der grossen Glasthüren, in England »French windows«
genannt, und stehen auf den breiten Gartenterrassen, die sich
mit stattlichen Treppenfluchten bis zum Flüsschen Lea hinab
ziehen, das den Park durchschneidet. Auch diese Anlagen sind
vom Erbauer des Schlosses entworfen; in einer späteren Generation wurden wohl einzelne Aenderungen in der Benutzung
getroffen.

Die Gartencultur nahm in England erst zur Zeit der Königin
Elisabeth einen neuen Aufschwung, gleichzeitig mit dem
Wechsel in der Bauart der Herrenhäuser auf den grossen
Landsitzen, die, nach dem Frieden der beiden Rosen, nicht
mehr befestigte Burgen, sondern frei zugängliche Häuser sein
sollten. Bis dahin muss der Gartenbau wenig gepflegt worden
sein. Noch im Jahre 1550 schreibt Roger Asham, Elisabeths
bekannter Lehrer in den alten Sprachen, aus Gent seinen
Freunden in Oxford: „Wenn man doch allein auf den wüsten
Plätzen innerhalb Londons solche Gärten anlegen wollte, wie
sie hier jede Stadt, auf eine Meile hinaus, voll Kraut und Gemüse umgeben; zuvörderst für die Fremden, die diese Kost
gewohnt sind; nach und nach würde auch die grosse Menge

der Einheimischen aus Noth, Sparsamkeit oder Mässigkeit davon Gebrauch machen und dann dürften sich in England die Lebensmittel bald billiger stellen als es jetzt der Fall ist".

Wir werden nun sehen, welche riesige Fortschritte die Gartenkunst in England in einem halben Jahrhundert gemacht hatte; wie es scheint, wesentlich unter dem Einflusse französischer Lehrer, denn solche sind auch in Hatfield gewesen. Es gibt wol wenige Orte, die dem Gartenfreunde und dem Landschaftsgärtner ein grösseres Interesse bieten, als die Gärten von Hatfield House. Alte Vergangenheit und die neueste Gegenwart bilden hier die stärksten Gegensätze und sind dennoch, jede in vollkommener Leistung, zu einem schönen, grossartigen und gefälligen Ganzen verschmolzen. Auch hier ist der historische Faden der Entwickelung nie zerrissen; diese Gärten und der umschliessende Park bilden ein Stück englischer Geschichte. Sie sind zum Theil älter als das „Haus", grösseren Theils gleichaltrig.

Durch einen stolzen, alten Baumgang von Linden und Eichen nähern wir uns dem „Weinberge", ein grosses nicht übersehbares Terrain, das sich östlich vom Schlosse an das Flüsschen Lea hinunterzieht. Aber der Weinberg, für den Sir Robert fünfzigtausend Reben und zwei Gärtner aus Frankreich verschrieb, ist längst verschwunden. Sehr wahrscheinlich wurde der Weinbau im Freien sehr bald wieder aufgegeben als ein hoffnungsloses Beginnen unter dem englischen bedeckten Himmel. Wir sehen jetzt hier Le Nôtre's Gartenkunst in ungewöhnlich grossartiger, seltsamer Anwendung. Man betritt den Weinberg zwischen soliden dunkelgrünen Mauern und befindet sich bald in einem weitläufigen verwickelten Systeme von Thürmen, bedeckten Wegen, Bögen, Schiessscharten und Zinnen. Alle diese Werke sind aus verschnittenem Taxus hergestellt. Wir wandern durch riesige Gallerien und gewölbte Gänge mit dichten undurchdringlichen Dächern; an den Kreuzungen stehen schwere Pfeiler, aus verschlungenen Stämmen gebildet. Der nach dem Flusse abfallende Boden hat zu den originellsten Abwechselungen Anlass gegeben. Die unteren Aeste der Bäume sind zur Erde herabgebogen und bilden eine dichte Decke, einen weit herabwallenden Schleppmantel um den Stamm, während der obere Theil sich zu einer frei

2*

und breit wachsenden Krone schliesst. Es gibt keine angenehmere Wandelbahn an einem heissen Sommertage. Der Anblick ist märchenhaft und feierlich, eine etwas prosaische Poesie; leider ist er wegen seiner Absonderlichkeit im Einzelnen und wegen der Grossartigkeit seiner Ausdehnung sehr schwer beschreiblich: er allein lohnt dem Gärtner eine Reise nach Hatfield. Eine Schilderung dieser Gärten sollte, bei richtiger Vertheilung des Stoffes, eigentlich mit dem Weinberge schliessen, denn alles andere ist geringer, mag auch einiges noch älter sein. In diesem Zauberwalde steigt man zum Flüsschen hinab, an dessen anderem Ufer der alte von hohen Mauern eingeschlossene Küchengarten, jetzt zeitgemäss cultivirt, sich erhebt.

Am entgegengesetzten westlichen Ende des Parkes liegen die neuen Küchengärten. Sie geben uns, in vollkommenem Gegensatze, auf ihrem Gebiete von etwa zwölf Morgen ein Bild neuester englischer Hochcultur. Im Vorübergehen erstaunen wir über die aussergewöhnliche Menge von verschiedenen Salatarten, die hier mehrere Morgen bedecken.

„Wie ist es nur möglich, dass das Alles verzehrt wird?"

„Möglich?" sagte der Obergärtner Mr. Normann, „Sie sollen sogleich noch mehr erstaunen! Ich liefere für den Haushalt jährlich 5000 Stück Sellerie; Endivien und Kopfsalat in die Zehntausende. Vor zwei Jahren wurden einmal binnen fünf Tagen 800 Köpfe Endiviensalat verbraucht!"

Indessen drängt die Zeit und wir treten unter der Führung des Obergärtners in das anstossende Gebiet der Treibhäuser. Hier reift die Traube für den Tisch, vom April bis in den Februar hinein, in sieben verschiedenen Häusern von insgesammt einhundert Metern Länge. In vier Häusern, von zusammen dreissig Metern Front, werden Gurken, Melonen und Bohnen getrieben. Daneben stehen zwei Ananashäuser, es folgen zwei Pfirsichhäuser, jedes zwanzig Meter lang und zwei andere Gebäude, mit je fünfzehn Metern Front, für Erdbeeren. Aus den letzteren waren zwei Tage zuvor vierzig Pfund Erdbeeren für die Tafel geliefert und trotzdem hing eine neue reichliche reife Ernte an den Büschen. Für die Ausschmückung des Schlosses und des Stadthauses mit Blumen ist durch ein Kalt- und ein Warmhaus gesorgt; zugleich steht hier ein reich decorirter Wintergarten. Dann folgen nochmals ein Pfirsich-

und ein Feigenhaus, beide achtzehn auf sechs Meter enthaltend, endlich zwei Ananashäuser und eine Treiberei, in der nur Trauben in Töpfen gezogen werden. Ausserdem fehlen die Vermehrungshäuser und der übrige nothwendige Zubehör an Räumen nicht. Doch genug, — vielleicht zuviel — der Aufzählung und Beschreibung!

Ich kann indessen nicht schliessen, ohne des Heizapparates zu erwähnen. Hier haben wir ein Stück allermodernster Gartenindustrie. Der grosse Wasserkessel für alle diese Häuser wird nicht direct durch Kohlenfeuerung geheizt, sondern er ruht auf einem Ofen, in welchem eine Kalkbrennerei betrieben wird und empfängt so die vom Kalke entweichende hochgradige Hitze. Die Idee ist ganz neu und hier zuerst praktisch ausgeführt. Mr. Normann sprach sich völlig zufrieden über das Ergebniss aus und bemerkte: dass bei durchschnittlichen Kalk- und Kohlenpreisen die gesammte erforderliche Wärme kostenfrei erzeugt und daneben an der täglichen Kalkproduction noch fünf bis zehn Mark verdient wird.

Wir nähern uns nun wieder dem Schlosse und gelangen an dessen südwestliche Ecke. Hier verändert der Garten seinen landschaftlichen Charakter. Er erscheint ungepflegter, verlassen, veraltet. Eine niedrige Mauer schliesst einen geräumigen quadratischen gegen die Umgebung vertieften Platz ein, wir steigen zu ihm auf halbverfallenen Stufen hinab. Rundum läuft ein Laubgang von alten knorrigen, verschnittenen und verschränkten Linden. In der Mitte ist ein grosses Wasserbecken, von geschorenen Juniperus umgeben, an welche sich schnörkelhafte Beete schliessen. Diese Beete, sind mit einfachen veralteten Sommerblumen und mit Gemüsen besetzt. In jeder der vier Ecken steht ein nicht grosser aber sehr alter Maulbeerbaum. Es ist ein Stück mittelalterlicher Gärtnerei, in das wir eintraten. Dieser Garten gehört zum alten Tudorpalaste und ward wahrscheinlich in seiner jetzigen allgemeinen Anlage zu der Zeit hergestellt, als die junge Prinzess Elisabeth hier die Maulbeeren pflanzte.

Aus dieser merkwürdigen Gartenruine führen uns wenige Schritte in den »Garten der wohlriechenden Pflanzen«.

Die Blumenbeete hier, in eleganten einfachen gradlinigen und runden Figuren, sind mit Buchsbaum eingefasst und ausschliesslich mit wohlriechenden Blumen bepflanzt. Um den Mangel an Farben in den Mustern der Beete zu ersetzen, sind alle Wege mit lebhaft buntem Sande beschüttet. Hier finden wir in reichem Wechsel, je nach der Jahreszeit: Heliotrop und Nelken, Thymian, Lavendel, Rosmarin und Reseda, Levkoien und Nachtviolen, Maiblümchen und Veilchen. Wir umwandern jetzt einen stattlichen See mit freien grünen Ufern und stehen vor einer Trauerweide von aussergewöhnlicher Entwickelung. Sie stammt aus St. Helena vom Grabe Napoleons I.

Ganz nahe diesem lebendigen Monumente gefallener irdischer Grösse gelangen wir in den unmittelbar anstossenden Rosengarten; ein geräumiges Quadrat, dessen Hintergrund der alte »Palast« bildet. Als die Tudors hier noch Hof hielten, war das jetzt blühende und duftende Rosenfeld ein kahler innerer Hof, welchen der Palast mit vier Flügeln umgab. Die Stellen, an denen ehemals die Eckthürme standen, sind durch erhöhteBeete bezeichnet. Die Rosen gedeihen hier prachtvoll; sie geniessen den doppelten Vortheil der niederen schattigen Lage und einer Bewässerung durch unterirdische Röhren. In der Mitte sprudelt ein erfrischender Springbrunnen unter einem offenen Dache von Kletterrosen. Die Hauptfront des alten Palastes, auf dessen Grunde wir stehen, lief dem jetzigen westlichen Flügel des neuen Schlosses parallel und lag an der alten Heerstrasse von London. Diese Front und die beiden Seiten wurden niedergerissen; man bedurfte des Bauplatzes und benutzte das erst einhundert und zwanzig Jahre alte Material. Zum Glück blieb das rückwärtige Gebäude verschont. Es enthält eine einzige grosse Halle, in deren Mitte ein Thurm den Eingang überhöht. Der Bau ist im reichen englisch-gothischen, dem sogenannten Tudorstile aus Back- und Hausteinen ausgeführt, die noch keine Spuren des Verfalls tragen. Die erhabenen Arbeiten an den Gesimsen und die Zierrathe an den Rahmen und Kreuzen der Fenster sind besonders kunstreich gearbeitet. Das Gebäude ist künstlerisch wol schöner zu nennen als das neue weit höhere Schloss und könnte ihm durch den Reichthum seiner stilvolleren Formen und durch den warmen dunklen Ton seiner Steine Eintrag thun. Die Halle ist überwölbt mit einer nach Innen offenen und reich ornamentirten Holzdecke, ähnlich dem berühmten Dachstuhle in der Westminster Hall. Einst gab es hier hohe königliche Feste, von denen eines noch nicht ganz vergessen ist. Nachdem die junge Prinzess Elisabeth, aus dem Tower entlassen war, beschränkte die Eifersucht der Königin ihren Aufenthalt auf Hatfield, das Eduard VI. der Schwester Elisabeth geschenkt hatte. Als Wächter ward ihr Sir Thomas Pope bestellt, der jedoch anscheinend keinen Beruf fühlte, es mit seiner Gefangenen durch Strenge zu verderben. Denn in der Fastenzeit des Jahres 1556 gab er auf seine Kosten der Lady Elisabeth eine glänzende Maskerade in der grossen Halle zu Hatfield, mit prächtigen Aufzügen und Belustigungen. Da erschienen zwölf alterthümliche Minstrels, ferner achtundvierzig Herren und Damen, gekleidet in rothen Atlas mit Gold, Spitzen und Perlen. Es war ein Kastell dargestellt aus goldgestickten Stoffen, dessen Zinnen mit Granatbäumen besetzt und mit den Schildern der sechs Ritter behängt waren, die davor in reicher Rüstung turnierten. Der Kredenz in der Halle hatte zwölf Stufen übereinander, alle geschmückt mit Gold- und Silbergeschirr. Beim Bankette waren siebzig Plätze gelegt und es gab dreissig verschiedene Speisen mit Zwischengängen von gewürzten Süssigkeiten und feinem Backwerke. Alles ging auf Kosten von Sir Thomas. Am folgenden Tage wurde, zum Schlusse des Festes, das Schauspiel vom Holofernes aufgeführt. Indessen die strenge und eifrige Majestät gab dem armen Sir Thomas hinterher das allerhöchste Missfallen über diese Fastnachtsscherze in einem sehr ungnädigen Handschreiben zu erkennen und so hatte das Maskiren fürder zu unterbleiben.

Jetzt ist jede Erinnerung an die frühere Herrlichkeit in der neueren Einrichtung verschwunden, denn diese königliche Banketthalle dient als hoher, luftiger, ganz modern eingerichteter — Pferdestall. Sic transit!

Vom früheren Abschlusse des Palastes gegen das Städtchen ist nur noch ein Thorhaus vorhanden. Neben diesem sieht man einen hohen, mit Epheu dicht bewachsenen Schornstein. Die Königin Mary soll auf diese Esse, die den Zimmern ihrer Halbschwester gegenüberstand, eine spitzige eiserne Stange haben befestigen und die Gefangene bedeuten lassen: es sei dort der Platz für ihren Kopf, falls dieser etwa unruhig und unbequem würde. —

,

Inzwischen mahnte die sinkende Sonne sich zum Dinner anzukleiden. Um acht Uhr erscholl die Hausglocke und man versammelte sich im Drawingroom neben der grossen Speisehalle. In diesen Räumen waltet in England der weibliche Genius und bethätigt sich vor Allem in der zarten und geschmackvollen Anordnung der reichen Blumenpracht, die, in den Treibhäusern vorbereitet, Wohnzimmer und Tafel stets mit frischem blühenden Leben schmückt. Dadurch gewinnt das schwere stilvolle Gemach des alten Schlosses ein heiteres und die häusliche Familientafel ein festliches Ansehen. Die Blumen bewillkommnen auch den ausgezeichneten Gast auf seinem Zimmer und ehren ihn jeden Tag neu in frischen Sträussen. So hat sich in England die Neigung für die Blumen in der pflegenden Hand der Frauen zu einer liebenswürdigen Seite des Nationalcharakters entwickelt.

Leider war der Herr des Hauses durch die Vorbereitungen für seine Congressreise nach Berlin verhindert worden, die Stadt heute zu verlassen, und ich genoss daher den Vorzug, im engsten Kreise der Damen und Kinder des Hauses zu speisen. Eine nicht grosse, prunklos reiche und mit Pflanzen und Blumen heiter verzierte Tafel stand in der Mitte des riesigen hell erleuchteten Raumes, und die wohlwollende einfach höfliche Aufnahme, die der Fremde an diesem Familientische fand, entsprach der echten Vornehmheit des Hauses. Mir gegenüber thürmte sich an der Wand ein mächtiges Buffet von dunklem Eichenholze, auf welchem schwere Schaustücke des viel gepriesenen alten englischen Silbers das Licht der Wachskerzen zurückwarfen. Zur Rechten des Buffets tritt aus goldenem Renaissance-Rahmen ein Bild hervor: der Gründer des „Hauses", in ganzer, lebensgrosser Figur, gemalt von Hilliard. Eine seltsame Erscheinung. In dem schönen blassen Gesichte schwarze, grosse, tiefe melancholische Augen; ein zu grosser Kopf unmittelbar auf die Schultern gesetzt; diese, rund und unverhältnissmässig, geben der Gestalt den unverkennbaren Typus des Verwachsenen. Dazu trägt die Kleidung bei: grosse Halskrause, über dem Knie gebundene Pluderhosen, lange enge gelbe Strümpfe an zu schwachen Beinen. Es fehlt dem Körper das sichere Fundament; der Schwerpunkt erscheint zu weit nach oben gerückt. Allerdings war bei dem ersten

Robert Cecil dieses „Oben" erheblich schwerer als bei der grössten Zahl seiner Zeitgenossen. Zur Linken des Buffets erscheint ein modernes Bild. Eine kräftige Gestalt über Mittelgrösse. Die Haltung ist leicht vornübergebeugt; eine nicht sehr hohe aber bedeutend entwickelte, denkende Stirn; kluge, ruhige, feste Augen; dunkler Vollbart, schwarzes, gelocktes Haar, um den Scheitel schon stark gelichtet. Es ist der jüngste Robert Cecil Marquis of Salisbury, der jetzige Herr dieses Hauses, dessen schon langjährige öffentliche Laufbahn gerade jetzt der Welt in neuem energischen Aufschwunge erscheint*), der sich inzwischen den schönen reinen Ruhm erworben hat, durch seine Festigkeit und Mässigung Europa den lange bedrohten Frieden gesichert zu haben und dafür den wohlverdienten Lohn in der höchsten Auszeichnung empfing, welche die englische Krone einem Engländer gewähren kann. „Sero sed serio", „langsam aber sicher", so lautet das Wappenmotto, welches der Ahnherr Robert Cecil seinem Geschlechte vererbte. —

Als wir nach Tische wieder hinaus auf die Terrasse traten, erglänzten die Gärten im Schimmer des klaren Vollmondes. Die Jugend war bereit, mir den nördlichen Park und besonders seinen „ältesten Baum" bei Mondschein zu zeigen. Bald traten wir in den alten Baumgang ein, dessen vielhundertjährige Eichen schon Eduard VI. Schatten spendeten, der als Kind unter ihnen spielte. Mit feinem historischen Takte ist dieser nördliche Theil des Parkes nie umgestaltet; der Boden zu beiden Seiten der Bäume ist forstartig mit hohem Farrenkraute bedeckt, über welchem in unregelmässigem lichten Bestande alte Baumriesen sich breiten.

Das junge Geschlecht der Cecils schritt, heiter und unbefangen plaudernd, auf dem gewohnten Wege dahin, der den Fremden durch die Fülle der geschichtlichen Erinnerung und durch den lebendigen Zusammenhang dieser Gegenwart mit ihrer Vorzeit zu ernsteren Betrachtungen anregte. Wir bogen in einen Seitengang ein, an dessen Ende uns bald gespensterhaft ein riesiger Eichenstumpf im weissen ungewissen Mondlichte entgegentrat. Seine Krone ist längst gebrochen und lebt nur

---

*) Geschrieben im Herbst 1878.

noch scheinbar, indem einige in den hohlen Stamm eingesäete Eicheln junge grüne Loden getrieben haben. Zu seinen beiden Seiten grünt und wächst die Gegenwart in zwei anderen kräftigen Eichen, von der jetzt regierenden Königin und dem nie genug betrauerten Prinzen Gemahl vor Jahren eigenhändig gepflanzt.

Wir stehen vor dem ältesten Baume von Hatfield House, vor der »Eiche der Königin Elisabeth«. Hier liebte die junge Prinzessin im Schatten des damals in seiner Vollkraft treibenden Baumes zu sitzen und mit Roger Asham griechische und lateinische Klassiker zu lesen. Hier sass sie auch am 17. November 1558, voll ängstlicher Spannung wegen der Nachrichten, die ihr William Cecil über die tödtliche Erkrankung ihrer Schwester hatte zugehen lassen. Schon war ihr von anderer Seite eine Todesbotschaft hinterbracht worden. Sie jedoch fürchtete eine Falle der grimmen Schwester — und dachte dabei vielleicht an den Schornstein. Sie verlangte daher, zum Zeichen der Wahrheit, dass man ihr einen gewissen Ring von schwarzer Emaille bringe, der die Hand der lebenden Königin Mary nie verliess. Indessen noch vor diesem Zeichen erschien auf der Strasse von London her vor dem Palaste ein Trupp Reiter, welcher der Prinzess in den Park nachfolgte. Es waren Mitglieder des Geheimrathes; sie kamen, ihr den Tod der Königin Mary anzuzeigen und der neuen Herrin zu huldigen. Da löste sich ihre quälende Spannung „zwischen Axt und Krone"; im überwältigenden Gefühle der Befreiung sank sie in die Kniee und rief laut mit dem Psalmisten: „Das ist vom Herrn geschehen und ist ein Wunder vor unseren Augen"; und die Nachlebenden können wol den voraufgehenden Vers desselben Psalms hinzufügen: „Der Stein, den die Bauleute verworfen haben, ist zum Eckstein geworden".

Es ist nun allerdings nicht gewöhnlich, dass junge Prinzessinnen im Monate November im Freien unter entlaubten Eichen sitzen. Aber Elisabeth war auch keine gewöhnliche Frau. Sie besass eine ungewöhnliche Stärke des Körpers wie des Geistes. Noch sechs Monate vor ihrem Tode, in ihrem siebzigsten Lebensjahre, einsam und leidend, ging sie täglich Stunden lang im Park von Windsor spazieren und ritt auch noch einmal auf einer Jagd zehn englische Meilen. Eine echte Engländerin, berufen: Engländer zu beherrschen. Sie starb, wie wir wissen, beinahe im Freien, im Garten von Richmond und ihr Lebensende fiel in den Winter.

Unter dieser alten Eiche gab sie auch später noch Audienzen und erledigte die Staatsgeschäfte. An diesem 17. November aber ernannte sie hier sofort ihren getreuen Freund in ihrer Niedrigkeit, William Cecil, zu ihrem Ersten Minister. Durch ihn schloss sie noch in Hatfield, als praktische Frau und Regentin, mit einem der damaligen Grossen von Lombardstreet, dem noch bekannten Sir Thomas Gresham, ein Anlehn ab von 500,000 Mark zur Bestreitung ihrer Krönung und von anderen 500,000 Mark, um ihre leere Kasse mit Betriebsmitteln zu füllen. Sir Thomas erwies sich hierbei als guter Patriot. Er nahm, wie er selbst erzählt, *nur* zwölf Procent von der jungen Königin, während ihre Vorgängerin stets vierzehn hatte bezahlen müssen.

Die vorgerückte Stunde mahnt zum Heimwege, den wir zögernd antreten. Unwillkürlich begleitet der grosse Schatten, den wir hier heraufbeschworen haben, noch unsere Schritte, als wir schon weit von der berühmten Eiche entfernt sind und uns der Gegenwart, dem erleuchteten Hause nähern. Er wandelt vor uns auf im ungewissen Mondlichte, das spärlich durch die Wipfel der Eichen dringt. Jetzt nicht mehr allein; der Königin zur Seite schreiten ihre beiden grossen Minister, William und Robert Cecil; und wol sind sie würdig, den Nachkommen neben der Majestät zu erscheinen. Durch sie wurde Elisabeth aus Hatfield auf den Thron geführt, durch sie auf dem Throne über das gewöhnliche Maass menschlicher Grösse emporgehoben. Sie lehrten ihre Herrin die grosse Kunst, ihr Volk stark und fest zu machen und dadurch zugleich die eigene Macht zu stärken. So ist durch die Cecils, im Laufe der Zeiten, die *Königin* mehr und mehr hinausgewachsen über die *Frau.*

Und so waren auch die Cecils Elisabeths würdigste Nachfolger in Hatfield House.

III.

Eine moderne Cottage.

Wir stehen auf der Zinne des hohen Steinriesen, welcher die majestätische Königsburg Englands überragt, des mächtigen runden Thurmes von Windsor Castle. Zu unseren Füssen liegt die Residenz der erhabenen Frau, in deren Reiche die Sonne nicht untergeht. Das stolze Schloss erglänzt im klaren Lichte eines wolkenlosen Frühlingsmorgens und die helle Umgegend streckt sich unabsehbar fern hinaus. Es giebt wohl keine Landschaft Englands, die in ihrer eigenthümlichen Schönheit englischer ist als das Bild, welches sich vor unseren Augen entrollt. Im Norden und Osten windet sich das silberne Band der Themse um die Höhe, auf deren breiter Kuppe Windsor Castle um weite Höfe emporstrebt. Jenseit des Flusses, gegen Norden, liegt tief unter uns, das alte stets jugendfrische Eaton, darüber hinaus sucht der Blick das ehrwürdige Oxford. Im Westen und Osten drängen sich Städte, Dörfer, Herrensitze und Cottages in der frischen grünen baumreichen Ebene; am fernsten östlichen Horizonte zeichnet sich dem scharfen Auge die mächtige Kuppel von St. Paul. Die ganze südliche Hälfte des Gesichtskreises aber ist mit einem unendlichen Meere von Baumgipfeln bedeckt; einzelne Riesen, Gruppen, ganze Wälder. Zwischen ihnen glänzt der wunderbare Smaragd der englischen Grasflächen, von seltenen musterhaft gepflegten Wegen durchschnitten. Diese grüne Welt ist der meilenweite »Grosse Park« und der »Forst« von Windsor, ernst und lachend, überwältigend grossartig und zugleich heimlich und herzerfreuend.

Der Grosse Park enthält zweitausend vierhundert Morgen; hinter ihm verliert sich der Forst am südlichen Horizonte in grünen Wellen, deren Rücken hier ganz besonders scharf ausgesprochen sind. Es scheint, als wirke in dem ungeheuern Ganzen jeder einzelne Baum wie eine besondere Halbkugel bemerklich zu dem Gesammtbilde mit, weil die Kronen der Waldriesen hier zu einer Entwickelung gelangt sind, wie man ihr wol selten anderswo wieder begegnet.

Wenden wir unsern Blick genau nach Süden, so wird er durch Linien gefesselt, welche die ungezwungene Natürlichkeit der Landschaft in strenger Ordnung unterbrechen. Wir sehen eine gewaltige Schneide entlang, die sich in mächtiger Breite und kaum zu ermessender Länge vom Thore König Georgs IV. am südlichen Fusse des Schlosshügels durch den Grossen Park zieht und in ihrem letzen Auslaufe wieder aufsteigt. In ihrer Mitte dehnt sich eine geräumige Fahrstrasse, jedoch erscheint sie nur als helle Linie, denn auf beiden Seiten nimmt der freie grüne Rasen, der sie begleitet, wol den vierfachen Raum des Weges ein. Diese gesammte Fläche ist wieder hüben und drüben durch zwei Reihen hoher alter Ulmen eingefasst, weite schattige Alleen für Fussgänger und Reiter. Das ist der berühmte Long Walk, eine in ihrer einfachen Grösse wahrhaft geniale Schöpfung. Die riesigen Rüstern sind zur Zeit der Königin Anna gepflanzt und stehen jetzt noch in der vollen Kraft ihrer Jahre.

Unser heutiger Weg führt uns durch dieses Meisterstück der englischen Parkkunst; während wir seine ganze Ausdehnung von beinahe vier Kilometern durchmessen, öffnen sich uns zu beiden Seiten liebliche wechselnde Durchblicke. Rechts zeigen sich zunächst die Landhäuser des Städtchens Windsor, die sich dem Parke hier bescheiden anschmiegen; links trennen uns leichte Gatter von dem, den Reisenden nicht zugänglichen Hausparke und den grossartigen königlichen Obst- und Küchengärten zu Frogmore. Dann erweitert sich die Aussicht, wir fahren zwischen geräumigen Weidegründen hin, belebt durch Heerden von Schafen, Angoraziegen und vertrautem Dammwilde, das, am Wege grasend, dem vorübereilenden menschlichen Verkehre gleichmüthig zusieht. Am Schlusse der Allee wächst nach und nach das Reiterstandbild König Georgs III. auf dem Hügel empor, den wir jetzt hinansteigen. Vor dem Denkmale theilt sich der Weg; rechts erreicht man bald das sportberühmte Ascot; unsere Fahrt jedoch biegt links zur Seite, wir verlassen nach kurzer Zeit die grosse Strasse und gelangen bald auf Waldwegen in einen blühenden Garten. Doch nein! wir sind noch im Walde, die grossen lichten Eichen über uns bezeugen es; aber unter ihnen nimmt jetzt unsern Weg von beiden Seiten ein wol sechs Meter hohes dichtes Gebüsch auf, dessen kräftiges immergrünes Blattwerk in einem bläulichen Meere der frischesten üppigsten Blüthen fast verschwindet. Wir sind in den, allen Pflanzen- und Gartenfreunden wohlbekannten »Rhododendron Walk« eingetreten. Ein wunderbarer Anblick gerade in dieser Blüthezeit; dem Fremden, der nie einen farbenreichen Wald gesehen, doppelt wunderbar. Wol länger als eine Viertelstunde begleitet uns diese Pracht, dann erreichen wir wieder die nach Osten führende Landstrasse und halten an der Grenze des Parkes vor dem Bishops Gate.

Aus einem von blühenden Glycinien völlig bedeckten Häuschen erwidert die stattliche Frau des Thorwärters den lauten Ruf unseres Kutschers: »Gate! Gate!« und wir biegen in einen sanft gewundenen Gartenpfad ein.

Wie durch einen Zauberschlag sind wir plötzlich in eine andere Welt versetzt. Eben noch Waldeinsamkeit unter Eichen, Gebüsch und Farrenkraut, nun vollendete ländliche Hochcultur. Auf beiden Seiten ist der Fahrweg von tadellosem Rasen eingeschlossen, auf welchem einzelne ausgewählte kleinere Coniferen: Cypressen, Retinosporen, Taxus und die goldgrüne Thuja aurea vertheilt sind; dazwischen die helle scheckige Aucuba mit tiefrothen Beeren und die gezackte Aralie aus Japan. Hinter diesen Rasenflächen begrenzen dichte Wände von immergrünem Evonymus, Laurustinus und bunter Stechpalme, mit wildem Rhododendron und buschigem Buchsbaum unterpflanzt, den Garten. Zu unserer Linken erscheinen über dem Gebüsche die spitzen Giebel ländlicher Gebäude; zur Rechten blicken wir hinauf in die Wipfel mächtiger Cedern, die aus der Ferne herüberragen.

Wir halten jetzt an dem Eingange des Wohnhauses; ein niedriges Gebäude von zwei Geschossen, in sauberer, hellgrauer Oelfarbe gestrichen. Das Dach ist durch verschiedenartige spitze vorspringende Giebel gebrochen, deren innere Auskleidung mit dunkelbraunem Holze gefällig von dem lichten

Grundtone absticht. Obenauf sind die weissen, als verzierte kurze Säulen behandelten Schornsteine in Bündel vereinigt, so dass sie das Gebäude schmücken und erhöhen. Die Mauerfläche des Hauses ist durch schmale Dachrinnen abgetheilt, deren obere Oeffnungen mit kleinen Kapitälen verhüllt und deren eiserne Beschläge gefällig verziert sind.

Ein kleiner Vorraum empfängt die Eintretenden, nicht ein unbequemes gelecktes „Rühr' mich nicht an", sondern er dient zur Aufbewahrung aller Mäntel, Peitschen, Schirme und Hüte; den letzteren nimmt im praktischen England der Gast nicht mit sich in das Wohnzimmer, hat ihn also auch beim Abschiede dort nicht ängstlich und vergeblich zu suchen. Hier liegt auch das grosse Fremdenbuch auf, nebst allem Material für das Briefschreiben. Das vorzügliche Papier trägt in Stempel und Aufschrift den Namen des Hauses, jedem Gaste eine doppelt willkommene Gabe für seine Correspondenz in die Heimat. Die Patentdintenfässer sind stets gefüllt und jede Feder ist diensttüchtig. Von der hinteren Wand herab überwacht der Hausherr, im rothen Frack auf einem edlen braunen Hunter, aus einem schweren gekehlten schwarzen Holzrahmen hervortretend, sein Hausrecht. Im Originale ist er jedoch schon mitten unter uns und bewillkommnet die Landsleute mit herzlichen Worten. Denn wir befinden uns hier in der Cottage des Barons Henry Schröder, des ältesten Sohnes des grossen Hauses Schröder in Hamburg, schon seit länger als zwanzig Jahren in England ansässig, jetzt in der vordersten Reihe unter den Magnaten der City stehend und eines der Häupter unserer deutschen Colonie in London. Aber der grosse Kaufherr ist zugleich ein vortrefflicher Reiter, ein unermüdlicher Jäger und ein Mann, der mit gebildetem Geschmacke und feinem Verständnisse reiche Mittel auf die Ausstattung dieser Perle einer modernen englischen Cottage, „die Dell" genannt, verwendet und hier, mit seiner liebenswürdigen Gattin, eine reiche gemüthliche herzliche Gastfreundschaft übt.

Die Dell ist kein neu gemachtes, sie ist ein altes im Laufe der Zeit gewordenes, ein gewachsenes Haus, und gerade dadurch in ihrer scheinbaren Unregelmässigkeit malerisch und heimlich. Die vordere Front zerfällt in zwei Theile; vor dem älteren, niederen läuft zu ebener Erde eine breite mit Glas geschlossene Vorhalle, in die wir nun eintreten. Sie ist als Wintergarten behandelt. Der Fussboden ist mit bunten Thonfliesen heiter musivisch eingelegt, an der inneren Hauswand ranken zierliche, gesund wuchernde Kletterpflanzen empor. Die Seite, durch welche wir eingehen, ist mit einer mächtigen Baumfarre in einem riesigen Kübel von Gien ausgefüllt, von hohen pyramidalisch gezogenen indischen Azaleen in voller Blüthenpracht umringt. In der Mitte des Wintergartens sehen wir eine der kolossalen hochaufgebauten Majoliken von Minton, phantastisches derbes Blätterwerk von bunten Delphinen und Figuren getragen; sie ist mit seltenen Treibhauspflanzen besetzt. Den Abschluss der Vorhalle bildet eine einzige grosse Glasscheibe, welche den sich nähernden Fremden durch das Entgegenkommen des eigenen Bildes überrascht und verwirrt. Die Wohnzimmer der Hausfrau münden auf diese blühende Vorhalle, erhalten dadurch Schutz gegen die äussere Luft und gewähren, da gleichwohl hinreichendes Licht eintritt, einen freien Durchblick in den Garten. Die Einrichtung der Räume ist bequem, zierlich, landhausmässig. Ihr Schmuck besteht in seltenen Blumen, kostbaren chinesischen Emaillen und einigen Familienbildern. Wir begegnen unter diesen der ehrwürdigen Gestalt des Hauptes der Familie Schröder, jetzt ein rüstiger Greis von vierundneunzig Jahren, nicht nur in weiten Kreisen der grossen Welt hochangesehen, sondern auch von jedem Kinde in Hamburg als der Gründer des „Schröderstiftes" und der unermüdliche, freigebige Wohlthäter aller Armen und Kranken gekannt und verehrt.

Allein es leidet uns nicht länger in diesen wohnlichen Zimmern; der schöne Tag und die Blicke, welche wir heimlich in den Garten geworfen haben, die dort immer mehr gefesselt wurden, immer verwunderter und bewundernder dahin zurückkehrten, — sie ziehen uns unwiderstehlich hinaus.

Der Garten um die Cottage ist achtzehn Morgen gross. Er macht zunächst den allgemeinen unbestimmten Eindruck von etwas Besonderem, Seltsamem; er ist in seinem dunkelgrünen Grundtone ernster als unsere Hausgärten und zugleich weit farbenreicher. Es ist ein *immergrüner* Garten. Ausser einigen alten Eichen auf seinen Grenzen enthält er keine perennirende Pflanze, die im Winter ihre Blätter verliert.

Die Durchführung dieses Systems ist streng und das Ergebniss ein anfangs fremdartiger, dann erfreulicher, ruhiger und heiterer, ein vornehmer Effect. Der ganze Garten liegt in dichtem reinen sammtartigen Rasen, der aus einem älteren, zu diesem Zwecke angekauften Grundstücke abgeschält und hier wieder zusammen gelegt ist. Denn je langjähriger die Grasnarbe, desto schöner. Nur ein einziger Kiesweg führt an der äusseren Grenze entlang, übrigens bildet die grüne Fläche selbst das Verkehrsmittel. Dieser Gegensatz zu unseren, oft übermässig mit hellen Kieswegen durchschnittenen Gärten trägt zu dem ruhigen und vornehmen Eindrucke wesentlich bei.

Die Peripherie ist mit verschiedenartigen ausgewählten hohen und mittelhohen Coniferen besetzt, die, mit immergrünen Sträuchern unterpflanzt, eine dichte Schutzwand gegen die Aussenwelt bilden. Die weite Rasenfläche enthält eine reiche Sammlung der ausgesuchtesten fremden Nadelhölzer. Jeder Baum steht allein, in ausreichendem Boden und Lufttraume; dadurch sind die untersten Aeste zu ihrer vollen natürlichen Entwickelung gelangt und breiten sich weit umher, den Stamm mit einem riesigen Schleppmantel umgebend. So sind Baumbilder erzielt, wie sie nicht schöner und regelmässiger gedacht werden können. Das Geschlecht der Pinus ist in etwa einem Dutzend Arten vertreten, die Cypresse in vier; der Juniperus, die Retinosporen, der Taxus, die Thuja: sie alle erscheinen in den interessantesten Varietäten, in regelmässigen und üppig entwickelten zum Theil grossartigen Individuen. Des Gartens schönste Zierden sind jedoch seine Wellingtonien, welche, bis zu achtzehn Meter hoch, normale Pyramiden bilden; mit ihnen die Araucarien, von denen eine über dreizehn Meter hinausragt und den sehr seltenen Anblick ihrer grossen Früchte gewährt. Ueber alle diese schönen und bedeutenden Bäume erheben sich die Cedern vom Libanon und die heiligen Deodaren. Sie sind hier von ungewöhnlicher Grossartigkeit und erreichen die Höhe unserer grossen alten Waldfichten. Die untersten Zweige ruhen weitgestreckt auf dem Grase, die über den mächtigen Stämmen frei entwickelten Kronen breiten sich weit in die Lüfte.

So beherrscht das Dunkelgrün den Garten und doch ist er nicht dunkel, nicht eintönig grün. Eine Fluth von Rhododendren ist in kleinen und grossen Gruppen über den Rasen ausgegossen; ein unendlicher Reichthum kräftig ausgeprägter Formen und leuchtender Farben, hervorgegangen aus den seit fünfzig Jahren unablässig fortgesetzten Kreuzungen des alten pontischen Rhododendron mit dem Catawbiense aus Nordamerika und dem feurig rothen Baumrhododendron vom Himalaya. Der Garten enthält mehrere Tausende von Rhododendren in etwa zweihundert Arten und diese Sammlung, wol eine der schönsten in ganz England, war jetzt im Monate Mai in voller Blüthe. Ein kaum zu beschreibendes Bild. Anfangs bewundert man still das Ganze, dann, eine nach der anderen, die zahllosen Verschiedenheiten in Bau, Grösse und Farbe. Die meisten dieser wunderbaren Erzeugnisse der englischen Kunstgärtnerei stammen von dem grossen Rhododendron-Specialisten, Mr. Waterer im benachbarten Woking. Hier finden wir die Queen, eine der grössten, stark gefüllt und ganz weiss; dort den Kronprinzen, dieselbe Grösse in feurigem Dunkelroth; weiterhin Kate Waterer, dunkles Rosa mit gelblicher Zeichnung im Innern; Baroness Schröder, lebhaftes Scharlachroth um eine hellere Mitte, und so fort im unendlichen Wechsel hybrider Spielarten.

Die Beete der Sommerblumen sind hier, wie häufig in England, untergeordnet behandelt; sie sind nie sehr gross, nur so zahlreich als die Belebung des Rasens es erfordert und meistens einfarbig; Pelargonien und Geranien, eingefasst mit blauen Lobelien, gelblichem Pyrethrum, grauer Gnaphalie; auch mit einer niedrigen geschorenen Kante von Erica, Epheu oder buntem Buchsbaum. Man wählt gern lebhafte Farbentöne, man vermeidet jedoch alles Unruhige und Verwirrte, Aufgeputzte und Ueberladene. Namentlich erfreuen sich die gekünstelten Teppichbeete vor dem, der Natürlichkeit nachstrebenden englischen Geschmacke keines grossen Beifalls. Man meint, dass sie in der Vermehrung einen übermässigen Raum einnehmen und die Frühgemüse aus den Mistbeeten verdrängen. Auch findet man die Kunstprodukte dieser Pflanzen-Teppichindustrie einigermassen zopfig, da sie nicht dem ersten Grundsatze jeder guten Gärtnerei entsprechen: veredelte idealisirte Natur darzustellen. „Ich weiss nicht, warum die Leute das Teppichbeete nennen", bemerkte ein anwesender Gartenfreund, „ich würde sie: Salade

à l'Italienne heissen. Mich erinnern sie stets an die grossen
Schüsseln mit kunstvoll garnirtem italienischen Salat, dem
Stolze jedes guten Ballbuffets, auf welchem Eigelb, Petersilie,
rothe Rüben und graugrüne Kapern ganz ähnliche Muster
bilden".

Wir hatten uns inzwischen den östlichen Randgebüschen
genähert.

„Jetzt, meine Herrn Gärtner, will ich Ihnen noch zum Schlusse
den Stolz meines Gartens zeigen", knüpfte Baron Schröder an,
„sehen Sie hier!" Wir standen vor einem riesigen Camelien-
baume, der mit Tausenden gefüllter weisser Blumen übersäet
war. „Die Pflanze ist gegen fünf Meter hoch und etwa acht Meter
breit; ihr Alter übersteigt wahrscheinlich schon einhundert Jahre".

„Wird der Baum im Winter überbauet?"

„Durchaus nicht; wir bedecken nur den Fuss dieses und
aller anderen zarteren Bäume mit einer dicken breiten Dünger-
schicht; das genügt. So hat diese Camelie ohne Schaden einmal eine Winternacht mit zwölf Grad Kälte Réaumur ertragen;
aber nur eine, am nächsten Tage war wieder Thauwetter.
Ausserdem ist der ganze Garten drainirt, so dass keine stockende
Nässe um die Wurzeln frieren kann. Endlich schützt uns
auch der umschliessende Park im Norden, Westen und Osten
gegen die rauhen Stürme".

„Es ist wirklich", bemerkte der Erfinder des italienischen
Salates, „die ganze gemässigte Zone des Erdballs in Contribution
gesetzt, um dieses immergrüne Eden zu schaffen wie es auf
dem Continente nördlich der Alpen unbekannt und auch unmöglich ist".

„Ja", erwiderte der Hausherr, „die Engländer schätzten und
pflegten die Evergreens schon in früheren Zeiten. Sie werden
grosse Anlagen davon in den alten Parks finden; aber seit
etwa fünfundzwanzig Jahren wird eine wahre Jagd um die ganze
Erde auf sie gemacht, und namentlich seit Japan erschlossen
ist, diese unerschöpfliche Fundgrube".

„Wir aber, verehrter Gastfreund, fühlen uns Ihnen hoch-
verpflichtet für dieses schöne, seltne Bild. Den immergrünen
Garten der Dell werden wir stets als einen unserer werthvollsten
Reiseeindrücke bewahren".

3*

Die Strasse, auf welcher wir anlangten, trennt Cottage und Garten von den Glashäusern. Wir treten in das Gebiet der letzteren hinüber und stehen vor einem allerliebsten Häuschen, der Wohnung des Obergärtners Mr. Ballantine. Die innere saubere zweckmässige und comfortable Einrichtung entspricht dem gefälligen grünbewachsenen Aeussern. Einen höchst seltenen Schmuck erhält die Cottage durch zwei, ihr unmittelbar benachbarte alte hochstämmige Magnolienbäume. Von hier aus übersieht man das benachbarte Gebiet der Treibhäuser vollständig, und wahrlich! es ist nicht klein.

Zuerst das lange niedrige Hauptgebäude; in seiner Mitte liegen zwei Dampfkessel, welche sämmtliche Treibhäuser heizen; ausserdem befinden sich hier die Schlafzimmer und die gemeinsamen Wohnräume für die Gärtner, ferner das Obstzimmer, Saatzimmer, Pack- und Pflanzzimmer, die Räume für die verschiedenen Erdsorten, Töpfe und Geräthschaften. Auch sind hier zwei Abtheilungen der Champignonzucht gewidmet.

Die Treibhäuser selbst bilden eine kleine Welt für sich. Wir zählen sechs Abtheilungen für Trauben, jede elf Meter lang; ferner drei Häuser für Ananas, zwei für Melonen und Gurken, zwei Häuser für Erdbeeren; zwei grosse Warmhäuser für tropische Pflanzen, zwei Orchideenhäuser, vier Kalthäuser für Zierpflanzen, ein Haus für Farren und Eriken; zusammen etwa zwanzig Häuser. Ausserdem ist die Gartenmauer auf einer Länge von hundertundzwanzig Meter mit Glas für die kalte Obstcultur bedeckt. Diese gesammten Anlagen nehmen eine Fläche von vier Morgen ein und die Kosten ihrer Herstellung betrugen über 200,000 Mark.

Wir beobachteten hier mit Interesse die Art und Weise, wie ein solches Gebäude hergestellt wird, an einem noch im Bau befindlichen Weinhause. Es wird zunächt eine Grube von drei Metern Tiefe in der für das Haus beabsichtigten Länge ausgehoben. Ihre Breite beträgt fünf Meter. Zu unterst in diese Grube bringt man eine Lage von Kalk und Steinbrocken, dann eine Schicht Backsteine, hierauf füllt man die Grube aus mit der besten alten Düngererde und mit Soden von abgestochenem Rasen. Dieses Erdmaterial wird nur nach und nach, in vertikalen Schichten, eingesetzt und jeder Schicht Zeit gelassen, sich unter dem Einflusse von Luft und Sonne zu entsäuern. Die ganze Masse ist mit Drains durchzogen. Die äussere Schrägwand des Treibhauses steht über der Mitte der Grube, so dass die Wurzeln der Reben, innen und aussen, je drittehalb Meter Raum finden. Die Lüftung wird durch obere und untere verstellbare Fenster geregelt, die gemeinschaftlich der Drehung eines kleinen Steuerrades leicht gehorchen. Röhren mit kaltem und heissem Wasser laufen im Erdboden und über demselben hin und wieder. Die Knochendüngung wird sehr stark angewendet, wir fanden für eine Abtheilung von zehn Rebstöcken zwanzig Centner zerschlagene Knochen bestimmt. Die Reben und Pfirsichstämme sind, wie schon erwähnt, auf die Mittellinie der Grube gepflanzt und laufen in den Warmhäusern unter dem schrägen Dache hinauf; nur in den ersten Jahren des Betriebes in einem neuen Hause, wenn die definitiven Pflanzen noch klein sind, duldet man ältere interimistische an der geraden Wand; diese werden später beseitigt. Nach der strengen Observanz soll jedes Haus nicht etwa nur eine Gattung von Früchten, sondern sogar nur eine Sorte derselben enthalten, da die richtige Temperatur und der unausgesetzte Kampf mit den Pilzen und Insekten, durch Spritzen und Tabakräuchern, sonst gestört werden. Für die Topferdbeeren wird wol eine Ausnahme zugestanden, denn von ihnen kann man bekanntlich nie genug aufstellen um der Nachfrage völlig zu entsprechen.

Der Erdboden innerhalb und ausserhalb des Hauses wird mit altem Dünger gedeckt, stets nur vorsichtig gelockert, nie gegraben und bepflanzt, um die flach unter der Oberfläche laufenden feinen Wurzeln nicht zu schädigen. Einen eigenthümlichen Anblick gewährt das Gurkenhaus. Auch diese Pflanzen werden an Drähten unter den schrägen Glasfenstern sorgfältig in die Höhe geleitet. Da die getriebenen, vierzig bis fünfzig Centimeter langen Früchte ihrer Reife entgegen gingen, so hingen sie dicht und tief herab und erinnerten unwillkürlich an eine heimatliche mit aufgehängten geräucherten Würsten wohlgefüllte ländliche Vorrathskammer.

An die Treibereien schliessen sich die überglasten Spaliermauern, mit Wein, Pfirsichen, Aprikosen, Kirschen und Pflaumen besetzt.

Dieses ganze System der warmen und kalten Obsthäuser

ist darauf berechnet: den Tisch möglichst zu jeder Jahreszeit mit reichlichem Obste zu versorgen. Es werden geliefert: Trauben das ganze Jahr hindurch, die spätesten dickschaligen erhalten sich, nach dem Blätterfalle, an den Stöcken bis in den Monat März und die frühesten neuen reifen im April; ebenso sind Gurken stets vorhanden, auch Ananas; Erdbeeren von März bis tief in den Juli, Pfirsiche und Melonen vom Anfang des Mai bis in den Oktober. Dazwischen treten vom Mai an Kirschen und Pflaumen, dann die Gartenfrüchte aus dem freien Lande und das Winterobst. Alle Häuser überraschen und erfreuen durch die -Gesundheit sämmtlicher Pflanzen; kein Kräuseln, keine Bleichsucht, keine Ameise und rothe Spinne, kein Schimmel und vor allem keine Blattläuse, diese Pest unserer Obstgärten im Freien. So weit ist man hier zu Lande durch Intelligenz und nachhaltige Energie gelangt, aber auch mit Anwendung von Geldmitteln, die allerdings bei uns nur in den seltensten Ausnahmen zur Verfügung stehen.

Das Betriebspersonal in den Gärten der Dell besteht: aus dem Obergärtner, welcher neben freier Wohnung und Feuerung alle Lebensmittel, ausgenommen Fleisch, und an Gehalt wöchentlich vierzig Mark erhält. Ferner sind fünf Untergärtner vorhanden, die zusammen, neben freier Wohnung und Kost, ebenfalls etwa vierzig Mark für die Woche bekommen; dazu acht Tagelöhner mit etwa hundert Mark wöchentlich und ein Tischler mit dreissig Mark. So stellen sich allein die baaren Löhne des Gartenpersonals auf beinahe elftausend Mark im Jahre.

Wir durchschritten die warmen und kalten Blumenhäuser flüchtig, da hier die Aufstellung durch den Fortgang der noch nicht vollendeten Bauten gestört ist. Bei den Orchideen fiel es auf, dass man sämmtliche Tische mit grossen flachen Blechschüsseln besetzt hatte; sie waren mit Wasser gefüllt, im Wasser standen umgekehrte leere Blumentöpfe und auf diesen kleinen Inseln erst die Töpfe mit den Pflanzen. Die Ursache dieser ungewöhnlichen und mühsamen Vorrichtungen ist eine winzige hellgrüne Ameise, die vor einigen Jahren mit Orchideen aus den Tropen eingeschleppt wurde und bis jetzt noch nicht gänzlich hat vertilgt werden können. Mit der ihrem Geschlechte eigenen Energie versuchen die Thierchen freilich die Wasserfluth zu überspringen; sie gelangen aber doch nur sehr vereinzelt an die Pflanzen und können wenigstens nicht mehr im Grossen vernichtend wirken.

Damit dem ländlichen Idyll der Dell zu seiner Vollendung nichts fehle, schliesst sich an die Obstgärten eine kleine Musterfarm mit etwa zweihundert Morgen Wiesen und Weiden. Die niedrigen Häuschen und Stallungen sind sämmtlich niedlich und kokett, von höchster Sauberkeit und nach den neuesten rationellen Principien hergestellt. Sie beherbergen zwanzig edle, im Heerdbuche verzeichnete Alderneykühe von der Insel Jersey, unvergleichlich im Zucker- und Fettgehalte ihrer Milch und dabei in voller Leistung fünfzehn Liter im Tage liefernd. In der Mitte des Gehöftes wühlen unter langem Stroh schwarze Berkshireschweine von ungewöhnlicher Grösse. Absichtlich ist hier der Stammbaum nicht ganz rein gehalten, um grössere Figuren, weniger Speck und zahlreichere Nachzucht zu gewinnen. Der Hof und seine Umgebung sind von gewählten Hühnerrassen sowie von Gold- und Silberfasanen belebt, alle in wohl umhegten Abtheilungen.

Eine abgeschiedene vornehme Niederlassung für sich bilden die Pferdeställe, deren Giebel wir bei unserer Einfahrt, links hinter dem immergrünen Gebüsche, wahrnahmen. Hier stehen sechs Vollblutpferde für den Hunt, ein Viererzug und mehrere andere Dienstpferde.

Eine Fülle der Anschauungen, wie sie uns heute geboten worden, erschöpft die Kraft und die Zeit einer Tagesarbeit; so waren wir froh, uns beim Untergange der Sonne zum Dinner zu setzen, das, mit dem Luxus reicher Einfachheit ausgestattet, durch die herzlichste Gastfreundschaft einen wohlthuenden familienhaften Charakter gewann. Auch muthete die vorzügliche hamburger Kochkünstlerin die schon seit Wochen mit englischer Hotelkost geprüften Reisenden heimatlich an. Nach Tische betraten wir die uns noch unbekannten Räume der Cottage: einen grossen State Drawingroom und hinter ihm eine kleine Gallerie mit mehreren werthvollen Marmorwerken von Eduard Müller in Rom, unter denen das schlafende Kind, sowie die Unschuld in Gefahr und im Siege besonders ansprechen. Den ersten Platz nimmt hier mit Recht die ähnliche und ausdruckvolle Porträtbüste der Hausfrau ein. Dieser kleine Raum führt in die grosse

Bildergallerie, ein weiter stattlicher mit geblendetem 'Gasober-
lichte erhellter Saal. Durch seine Einrichtung als abendliches
Familien- und Musikzimmer wird er angenehm belebt und zeigt
nichts von der gewöhnlichen Steifheit und Geschäftsmässigkeit
der Gallerien. Eine auserwählte Sammlung neuerer Meister
ist hier mit feinem Geschmacke und echtem Kunstsinne zusammengestellt.

Wir erinnern uns aus den zahlreichen Franzosen vor Allen
an Paul de Laroches Napoleon in Fontainebleau (1814),
Meissonniers Schachspieler, Ary Scheffers Franzeska di Rimini,
an Rosa Bonheurs schottischen Schäfer; diese Meisterwerke
sind auch durch den Stich bekannt geworden. Ihnen schliesst
sich Gallait mit den »letzten Augenblicken Egmonts» an. Unsere
deutsche Kunst ist vertreten durch zwei Bilder von Knaus, darunter der berühmte Orgeldreher, durch zwei Andreas Achen-
bachsche Marinen, Vautiers Jahrmarkt, zwei Schreiers und einen
Pettenkofer. Perlen der Gallerie sind auch vier der jetzt in
England sehr hochgeschätzten Genrebilder von Alma Tadema,
Illustrationen zur antiken Culturgeschichte.

Unter Betrachten und Besprechen dieser Schätze schwanden
die letzten Abendstunden rasch dahin und man trennte sich
mit dem Bedauern, schon am anderen Tage die liebliche Dell
verlassen und nach London, „ein Jeglicher an sein Geschäft"
zurückkehren zu müssen.

Als wir am nächsten Morgen im Esszimmer die Damen
erwarteten und uns an der schönen Täfelung der Wände und
an der reichen Kassettirung der Decke erfreuten, dabei unsere
gestrigen Eindrücke durchsprachen und über vieles, was wir
gesehen und nicht genau eingesehen hatten, um Belehrung baten,
fragte einer der Reisegefährten:

„Weswegen heisst denn dieses kleine Paradies »die Dell?«
Das Wort hat wol eine besondere Bedeutung?"

„Diesen Namen hat dem Platze schon der erste Erbauer
gegeben", erwiderte unser Hausherr, „und dieser war kein ge-
ringerer als König Georg III. Ursprünglich stand hier nur
ein königliches Kaffeehäuschen, später ging dieses in Privat-
besitz über, denn es liegt freilich hart am Parke aber nicht
darin; ich kaufte es im Jahre 1864 und habe das Haus dann

durch verschiedené Anbauten wohl um das Doppelte vergrössert".

„Und den sonderbaren Namen haben Sie beibehalten?"

„Beibehalten, gewiss! Der Name ist zudem uns Niedersachsen nicht ungeläufig, denn eine »Delle« heisst im Plattdeutschen eine Bodensenkung, ein Thal. Das Wort ist auch altenglisch; im modernen Lexikon finden Sie statt seiner »Dale«. Nun aber genug der vergleichenden Grammatik; Sie sollen selber sehen, was der Name meiner Dell bedeutet".

Er öffnete das grosse, nördliche Bogenfenster: „Das bedeutet die Dell!"

Wir sahen hier die alten Bäume des Windsor-Parkes unmittelbar vor uns, nur in der Mitte der Waldwand eine schmale Lichtung oder Schneide. In dieser Lichtung zog sich eine Schlucht, eine »Delle« abwärts, und jenseits dieser Schlucht, weit, weit hinaus stieg im Rahmen der beiden Waldsäume die mächtige Königsburg Windsor Castle vor unseren überraschten und geblendeten Augen im goldenen Morgenlichte riesenhaft empor.

Und deshalb nannte König Georg III. dieses Häuschen über der Delle, welche dem glücklichen Besitzer und seinen bevorzugten Gästen die schönste aller Aussichten auf Schloss Windsor darbietet: die Dell.

IV.

Windsor Castle und die königlichen Hausgärten.

Unser Weg von der Dell nach Windsor führt uns an den rothen, unregelmässigen Gebäuden von Cumberland Lodge vorüber, der Residenz des Forst- und Wildmeisters von Windsor Park, des Prinzen Christian von Holstein, Schwiegersohns der Königin. Wir verweilen hier, um eine der grössten gärtnerischen Sehenswürdigkeiten zu begrüssen, die England aufzuweisen hat, den „Alten Weinstock". Er ist in vielen Beziehungen ein wirkliches Original, ein „selbstgemachter Mann". Er gehört zu keiner der bei seiner Entstehung bekannten Rebsorten, sondern wurde im Jahre 1800 als zufälliger Sämling in einem Gurkentreibbeete gefunden und weiter gezogen. Im Jahre 1850 war seine Ueberdachung schon fünfundvierzig Meter lang und fünf Meter breit. Im Jahre 1859 trug er zweitausend grosse schwarze Trauben. Später ist das Haus nochmals erweitert und jetzt füllt die Pflanze über dreihundert Quadratmeter Glasfläche, welche mit gesundem Blattwerke und reichlichen schönen blauen Trauben ersten Ranges bedeckt war. Der Stamm misst wohl einen Meter im Umfange. Der Weinstock von Cumberland Lodge ist bedeutend grösser als sein dem reisenden Publikum zugänglicherer und dadurch viel weiter bekannt gewordener Rival in Hampton Court.

Noch eine andere berühmt gewordene Grösse erblickte in Cumberland Lodge das Licht der Welt. Hier wurde im Jahre 1764 der Eclypse während einer grossen Sonnenfinsterniss geboren und nach ihr getauft, das beste und rascheste Vollblutpferd, welches je die englische Rennbahn betreten hat. Ein

Stallbediener erkannte die vom Herrn, dem damaligen Herzog von Cumberland, nicht gewürdigten grossen Anlagen des Jährlings und kaufte ihn gemeinschaftlich mit einem Schafhändler auf der Versteigerung für 1500 Mark. Eclypse und sein Ruhm gehören der englischen Geschichte an. Er starb, an Ehren, Siegen und Nachkommen reich, als ein Patriarch von fünfundzwanzig Jahren am 27. Februar 1789.

Die Zeit drängte jetzt zur Abreise und wir eilten den Long Walk hinab dem Städtchen Windsor und dem Bahnhofe zu. Jedoch sollte ich diesen heute nicht erreichen, denn unverhofft begegnete mir vor dem Wirthshause zum „Weissen Hirsch" das Glück in Gestalt der Erlaubniss: heute einen Blick in die dem grossen Publikum streng verschlossenen königlichen Privatgärten von Windsor thun zu dürfen.

Freudig wandte ich meine Schritte und vor mir stiegen die gebieterischen westlichen Mauern der Königsburg steil und ernst zwischen den drei uralten runden Thürmen empor, die wohl noch aus der ersten Gründung des Schlosses durch Wilhelm den Eroberer stammen. Man weiss, dass König Eduard III. sie verschonte, als er, nach der Schlacht bei Crecy, etwa im Jahre 1350 den Umbau der alten Feste damit begann, dass er fast das ganze Schloss niederriss. Der Umbau wurde von dem Lösegelde bestritten, welches des Königs zwei erlauchte Gefangene in Windsor Castle: Johann von Frankreich und David von Schottland, zu erlegen hatten. Auch verwertheten beide hohe Herren hier ihre Musse und ihren Geschmack, indem sie dem Bauherrn guten Rath ertheilten. Eine schroffe unnahbare Felsmauer, nur auf ihrer Höhe belebt durch die einsame rothe Gestalt des schottischen Gardefüsiliers, der, ein unbewegtes Bild, in einer Lücke der Zinnenkrönung auf sein Gewehr lehnt. Wir betreten jetzt den unteren Schlosshof durch das Thor König Heinrichs VIII. und schreiten weiter an der prächtigen St. Georgs Kapelle und an den Mauern des alten Klosters von Windsor vorüber, in denen heute die Chorknaben und die „Armen Ritter von Windsor" (eine Stiftung für verdiente invalide Offiziere) hausen. Dann wird uns durch die Gefälligkeit des Decans von Windsor Mr. Wellesley, eines Verwandten des Eisernen Herzogs, ein Blick in die berühmte Wolsey-Kapelle vergönnt. Sie ist jetzt mit dem höchsten Aufwande von

Geschmack und Pracht nach zehnjähriger Arbeit unter der Leitung des berühmten Baumeisters Sir Gilbert Scott in ein Mausoleum des Prinz-Gemahls verwandelt worden.

Das Ergebniss der langjährigen mühevollen Thätigkeit ist ein Inneres von nie gesehenem Glanze; Fussboden, Wände, Fenster und Wölbung sind sämmtlich im höchsten Grade prachtvoll und grossartig. Das Gewölbe und das westliche blinde Fenster sind mit Glasmosaik aus der berühmten Fabrik von Salviati in Murano bekleidet, deren Leistungen wir auf der Ausstellung in Paris so sehr bewundert haben. Die fünf Fenster in der Apsis enthalten Glasmalereien, Scenen aus der heiligen Schrift darstellend; die übrigen Fenster der Langseite illustriren die Geschlechtsfolge des Prinzen Albert bis hinauf zum Stammvater Wittekind.

Unter den Fenstern sind Marmorreliefs von dem verstorbenen Bildhauer Baron Trinquetti eingelassen; von ihm ist auch die Skulptur am Altar, die Auferstehung darstellend.

Im Mittelpunkte des fast überreich eingelegten, spiegelnden Fussbodens ruht das Marmorbild des Prinzen auf einem hohen, reichgeschmückten Cenotaph, ebenfalls von Trinquetti. Die Kapelle ist, ausser bei grossen Trauerfeiern, nur durch die Wohnräume des geistlichen Herrn zugänglich.

Wir umgehen dann den Runden Thurm und treten durch das enge Norman Gate in den oberen Schlosshof ein. Unwillkürlich bleiben wir hier gefesselt stehen unter der Wirkung des ungeheueren Werkes, das uns umgibt. Wir finden wol kaum eine zweite Schöpfung der Menschenkunst, die so klar und grossartig, so genial den Charakter ihrer Bestimmung ausspricht, wie Windsor Castle. Die Franzosen freilich erzählten sich und uns seit zweihundert Jahren so oft und so siegesgewiss: das Schloss von Versailles sei der erste und vollendetste unter allen Repräsentanten der monarchischen Grösse, dass wir Deutsche, denen Paris von jeher ein beliebter Ausflug, London ein seltenes und ernstes Reiseunternehmen war, ihnen schliesslich auch hierin geglaubt haben.

Versailles ist gross; es ist weitläufig und prunkend; es steht da ohne lebendige Geschichte, das willkürlich gemachte Monument einer, damals schon alternden, jetzt längst abgestorbenen künstlichen, Glanzperiode. Was ist heute Versailles? Ein verödeter Königspalast in einer Todtenstadt, ein „allen (traurigen) Glorien Frankreichs" errichtetes Museum, eine geschichtswidrige Schule der Nationaleitelkeit.

Windsor Castle zeigt uns die Entwickelung der monarchischen nationalen Grösse Englands von ihrem geschichtlichen Ursprunge, der Eroberung, durch achthundert Jahre stetig fortschreitend und wachsend, heute grösser als gestern, altehrwürdig und jugendkräftig. Windsor Castle trägt in seinen Bauwerken Erinnerungen an fast jeden Herrscher Englands, von Wilhelm dem Eroberer beginnend; namentlich liessen Eduard III. und Heinrich VIII. hier bedeutende und dauernde Spuren ihres Wirkens zurück, später Elisabeth und das Haus Hannover. Es kamen auch Zeiten der Vernachlässigung und des Verfalls, besonders unter den Stuarts. König Georg III. restaurirte und schmückte die St. Georgs-Kapelle; Georg IV. ward der Wiedererbauer des Schlosses in allen seinen wesentlichen Theilen so wie es jetzt dasteht, durch den Genius seines grossen Baumeisters Sir Jeffrey Wyatville.

So begleitet hier jeden unserer Schritte nicht etwa eine nebelhafte Erinnerung an ein verschollenes „Es war einmal", sondern die lebendige Vergangenheit, als Mutter der noch grösseren Gegenwart. Im Normannen-Thore sehen wir noch heute die Reste der Fallgatter, mit denen die alten normannischen Barone ihren Burgfrieden wahrten, und oberhalb dieses Thors breitet sich, unter dem Schutze des Runden Thurms, die neuste Entwickelung der Königsburg, der grosse viereckige Obere Hof mit seinen fünfhundert Zimmern vor uns aus in hoheitvoller Ruhe und schwerer, würdiger Pracht. Hier spricht die Majestät der lebendigen Grösse, ohne Prunk und Schnörkel, in einfachen aber riesigen Schriftzügen; sie gebietet Ehrfurcht durch sich selbst, durch ihre erhabene, stolze, festgegliederte Masse. In Versailles spreizt sich der hypertrophische Dünkel des „GrandMonarque" in baroker Unnatur, der sicheren Signatur des beginnenden Verfalls. Windsor steht auf seiner natürlich gegebenen, gewachsenen, festen, beherrschenden Höhe, von der Themse umflossen, mitten in der englischen fruchtbaren Landschaft. Versailles liegt in gesuchter Absonderung und ohne jedes andere Motiv seines Daseins als eine Laune, in der sterilen Sandebene. Dort ist Oede, Künstelei, Verfall; hier Entwickelung, Natur, Leben.

Wir verlassen jetzt die grossartige Terrasse, die an der ganzen nördlichen Front des Schlosses entlang läuft — sie trägt den Namen ihrer Erbauerin, der Königin Elisabeth —, und betreten das Schloss durch den grossen „Staats-Eingang" gegenüber dem Thore König Georgs IV. Wahrhaft überraschend grossartig ist hier das Vestibul und die Staatstreppe. Man könnte sich hier in den Eingang eines majestätischen Tempels versetzt fühlen unter dieser doppelten Reihe von Säulen, auf welche ein gedämpftes Tageslicht fällt.

Indem wir aufwärts schreiten, sehen wir Treppen, Zimmernischen, Tische alle Räume hier in dichter Fülle mit den herrlichsten grünenden und blühenden Gewächsen geziert. Dieser Festschmuck steigert sich bis zum Eingange der grossen Waterloo-Gallerie. Ein mächtiger Raum, der sein Licht von oben durch die in der Mitte erhöhte, von Gurtbögen getragene Decke empfängt. Bis zur Höhe von sieben Metern etwa sind die Wände in Holz getäfelt und auf dieser Bekleidung reihen sich die Portraits der bedeutenderen Persönlichkeiten aus den Befreiungskriegen, fast alle von Sir Thomas Lawrence gemalt. Ein geschäftiges Treiben bewegt sich im Saale. In der Mitte wird eine grosse Tafel von siebzig Gedecken hergerichtet und auf ihr, wie auf den zahlreichen hohen und schweren Schänktischen und Buffets leuchtet schon das berühmte goldene Service von Windsor. Nur in Zwischenräumen langer Jahre verlässt dieser Schatz die Gewölbe der Silberkammer; heute soll er die Anwesenheit der ältesten Tochter des Hauses und ihres Gemahls, unserer deutschen kronprinzlichen Herrschaften, verherrlichen.

Aus der Waterloo-Gallerie gelangen wir in den Ballsaal, dessen Wände mit Vergoldung und Spiegeln vollständig bedeckt sind, und weiter in den Thronsaal. Hier fesselt uns ein merkwürdiges Bild von West: die Stiftung des Hosenbandordens durch Eduard III. in der St. Georgs-Kapelle. Der Bischof von Winchester, des Königs berühmter Kanzler und Oberbaudirector William von Wykeham, celebrirt das Hochamt, der König die Königin Philippa und die Ritter knieen rings um den Altar.

Auf der anderen Seite der Waterloo-Gallerie liegt die St. Georgs-Halle. Diese vier Räume zusammen bilden eine Scene für die Entwickelung königlicher Feste, die wohl in

Europa kaum ihres Gleichen haben dürfte. St. George's Hall hat eine flachgewölbte gothische netzförmige Decke, deren unendliche Winkel mit den Wappen aller Hosenbandritter seit der Stiftung des Ordens geschmückt sind. An der Südseite dieser majestätischen Halle lassen dreizehn riesige gothische Fenster das Licht ein; correspondirende Nischen in der gegenüberliegenden Wand sind ausgefüllt mit den Bildern der dreizehn letzten Souveraine, von Jacob I. bis zu Ihrer jetzt regierenden Majestät.

Kein Fremder wird wohl die St. Georgs-Halle durchmessen, ohne sich der Sage zu erinnern, in welche die jetzt fünfhundertjährige Stiftung des Ordens sich gekleidet hat. Diese Legende ist indessen von verschiedenen zuverlässigen Geschichtsforschern und Historikern des Ordens als dessen unwürdig verworfen worden. Wir dürfen daher wohl über die schöne Gräfin Johanne von Salisbury — ungläubig lächeln, die hier beim Tanze auf dem Hofballe ihr mangelhaft befestigtes Strumpfband verlor, das dann der König Eduard III. aufhob; denn sogar die damaligen Hofherren sollen ja über diese verliebte Demonstration des Monarchen gelächelt haben.

Aber es giebt noch eine andere Legende, die vielleicht nicht so allgemein bekannt ist und die mir wenigstens weit mehr zusagt. Denn sie zeigt uns den König und die ganze Situation in einem weit passenderen und würdigeren Lichte. Nach dieser Ueberlieferung zog sich, gegen den Schluss des Festes, die Königin aus dem Ballsale in ihre Gemächer zurück; der König folgte ihr bald und erblickte in einem Vorzimmer auf dem Fussboden ein blaues Strumpfband, welches er als das Eigenthum seiner Gemahlin zu erkennen glaubte. Einige Herren seines „Cortège" waren über das Band bereits hinweggeschritten, zu vornehm um sich nach einem so unbedeutenden Dinge zu bücken. Der König aber hob es auf und sagte: „Ihr scheint dieses Strumpfband nur gering zu schätzen, aber ich will es zu hohen Ehren unter Euch bringen".

Und, wie die Sage weiter berichtet, sei das Motto des Ordens die Antwort der Königin gewesen, als der König sie fragte: „was die Leute von ihr denken sollten — dass sie ihr Strumpfband so verlöre?" *„Hony soit qui mal y pense".*

Jetzt aber müssen wir vorwärts eilen durch die Säle, Hallen und Gallerien, bis wir eine Terrasse erreichen, die am östlichen, von der Königin bewohnten Flügel des Schlosses entlang läuft und unter dem Victoria-Thurm endigt. Hier liegen die Privatgemächer Ihrer Majestät, die bei Allerhöchster Anwesenheit, selbstverständlich dem Publikum verschlossen sind. Im Vorübergehen werfen wir noch durch eine mächtige gewölbte Thür einen neugierigen Blick in die grosse Küche. In ihren allgemeinen Verhältnissen und namentlich in ihrem hohen hölzernen, rauchgeschwärzten Dachstuhle soll wenig geändert sein seit sie von Eduards III. grossem Baumeister William von Wykeham geschaffen wurde. Die riesigen Herde indessen, an denen früher halbe Ochsen vor offenem Kohlenfeuer brieten, sind jetzt mit modernen Kochapparaten besetzt. Endlich erreichen wir durch ein Labyrinth von Thüren, Treppen und Gängen die östliche Terrasse und betreten den vor dieser Fronte liegenden Blumengarten. Seine Fläche enthält etwa sechs Morgen, sie ist gegen das umgebende Terrain, namentlich gegen die Schlossterrasse, erheblich vertieft und zum grösseren Theile durch eine umlaufende Orangerie abgeschlossen, so dass kein unberufenes Auge eindringen kann. Ein Wasserbassin steht im Mittelpunkte; von dort aus ist der Garten in ziemlich regelmässige Kreisabschnitte zerlegt und mit Rasen bedeckt, in welchen die Blumenbeete in entsprechenden, meist länglich laufenden Formen eingeschnitten sind. Die Anlage stammt zwar schon aus der Zeit König Georgs IV., ihre jetzige Vollendung jedoch verdankt sie, wie so unendlich Vieles, was wir heute in Windsor bewundern, der still schaffenden Thätigkeit und dem hochgebildeten Schönheitssinne des Prinzen Albert. Der bedeutendste und eigenthümliche Schmuck des Gartens besteht in der vollendeten Verbindung des lebenden Blumenflors mit den Meisterwerken der Erzbildnerei, die als schöne Statuen und prächtige Vasen im Garten vertheilt sind. Sie geben ihm den echt italienischen Charakter, dessen Nachahmung diesseit der Alpen kaum je mit solchem meisterlichen Verständnisse durchgeführt ist, ausser etwa in den Gärten von Sanssouci; Dank dem Kunstsinne Friedrichs des Grossen und später des Königs Friedrich Wilhelm IV.

Jenseit dieses Terrassengartens fällt der Schlossberg ab
und wir steigen in den Hauspark hinunter. Dieser sogenannte „kleine Park" enthält auf sieben- bis achthundert Morgen
einen grossen Reichthum an schönen Bäumen, reizenden Cottages
und gewählten künstlerischen Gartenbildern. Ueberall der
herrliche Rasen und alles in musterhafter Pflege. Wir gehen
unter schattigen Ulmenalleen entlang und bewundern, etwas
weiter hin, zwei mächtige immergrüne Eichen, zusammen über
hundert Meter Umkreis haltend. Hier dürfen wir auch die
uns allen befreundete Herne's Eiche suchen, unter welcher der
spukhafte Schlussact der „Lustigen Weiber von Windsor" sich
so oft vor uns entwickelt hat. An die Königin Adelheid,
Gemahlin Wilhelms IV., erinnert eine zierliche, ihren Namen
tragende Cottage, an den Prinzen Albert ein hochgelegenes
Sommerhäuschen; dann gelangen wir an ein niedriges Gebäude
orientalischen Charakters, das uns als „der Königin Frühstücks-
raum" bezeichnet wird. Eine wilde Felspartie mit fallendem
Wasser und entsprechender reicher Vegetation ist in grossen
Verhältnissen dargestellt, und nicht weit von ihr finden wir die
Lutherbuche, ein Ableger des bekannten gleichnamigen Baumes
bei Altenstein in Thüringen, an dem Platze, von welchem der
Doctor Martin im Jahre 1521 als Junker Georg auf die Wart-
burg entführt wurde. Der Baum ist jetzt etwa fünfzig Jahre
alt und ein Zeugniss für die ausserordentliche Wüchsigkeit des
englischen Bodens und Klimas.

Wir haben uns inzwischen einer Gegend der königlichen
Hausgärten genähert, wo lange hohe Mauern die Fernsicht
abschneiden. Durch ein geräumiges Thor treten wir jetzt in
den sogenannten „Küchengarten von Frogmore" ein. Der
Garten leistet jedoch weit mehr als sein Name verspricht, denn
hier ist auf einem durch solide Steinwände eingeschlossenen,
weiten Gebiete die gesammte Obst- und Gemüsezucht für den
königlichen Hofhalt vereinigt. Man darf wohl anerkennen, dass
dieser „Küchengarten" zur Zeit in ganz Europa seines Gleichen
sucht, denn seine Anlage wie seine Leistungen sind in allen
Zweigen gleich unübertrefflich und der allerhöchsten Eigen-
thümerin würdig. Auch dieser Garten ist eine Schöpfung des
Prinzen Albert aus dem Jahre 1848. Vorher war die Erzeugung
des königlichen Bedarfs in sechs älteren Gärten zerstreut,

daher ungleich, ohne System, ohne Controle und auf dem aus-
gebauten, erschöpften Boden ohne befriedigendes Ergebniss.
Alle diese mangelhaften kleinen Betriebe wurden aufgehoben
und dafür Frogmore eingerichtet mit einem Kostenaufwande
von 900,000 Mark.

Sofort bei unserem Eintritte werden wir durch die Grossartigkeit und Weite des Anblickes gefesselt, dann erkennen
wir im Fortgange der Besichtigung die vollendete Zweckmässigkeit der Disposition und den vorzüglichen Culturzustand
aller Abtheilungen. Der gesammte Betrieb deckt fünfundvierzig
Morgen; diese Grundfläche bildet nahezu ein Quadrat. Der
Gartendirector Mr. Jones, dem ich empfohlen war, hatte die
Güte, mich selbst zu führen. Er wies zunächst darauf hin,
dass der Garten durch eine lange Gebäudereihe von Ost
nach West in zwei ungleiche Theile zerlegt wird. In dem
nördlichen kleineren Reviere befinden sich die Pflanz- und
Vorrathshäuser, die Magazine, Stallungen und Schuppen jeder
Art. Die südliche grössere Hälfte ist wiederum durch vielfache
Quermauern zerschnitten. Jede so gebildete Abtheilung trägt
den Namen derjenigen Obstsorte, die ausschliesslich an ihren
Mauern gezogen wird: Kirschen, Pflaumen, Johannisbeeren,
Aprikosen, Birnen u. s. w. Alle Wege sind mit Cordons von
Aepfeln und Birnen eingefasst; hinter diesen breiten sich freie
Spaliere in verschiedenen, jedoch immer ungekünstelten, Formen
an eisernen Gestellen aus. Alle Bäume, alle Beete sind sauber
gehalten und in einem üppigen Stande der Vegetation. Zahlreiche Arbeiter sind mit Reinigen der Wege, Lockern des
Bodens, Giessen, Ausjäten des Unkrautes, Sammeln des Unge-
ziefers u. s. w. beschäftigt; genug: das Ganze muss jedem
gärtnerischen Auge die vollste Befriedigung gewähren.

Dennoch übt die grosse, den Garten durchschneidende
Gebäudereihe eine mächtigere Anziehungskraft und wir werden
ungeduldig, sie zu betreten. Sie besteht aus einem Mittelhause,
einer zweistöckigen Giebelcottage in rothem Backstein, von
allen Seiten grün und bunt bewachsen; namentlich zeichnen
sich auf der Südseite die bis unter das Dach kletternden
Jasmine und die Bignonia grandiflora aus. Hier ist die Wohnung
des Directors; zu jeder ihrer beiden Seiten erstreckt sich eine
Reihe von sieben grossen, in Eisen ausgeführten Glashäusern.

Diese fünfzehn Gebäude haben eine Frontlänge von beinahe vierhundert Metern und jedes Haus ist über sechs Meter tief. Wir durchschreiten sechs Weinhäuser, von denen zwei je vierunddreissig Meter lang sind. Die Reben stehen in Zwischenräumen von 1,30 Metern und eines der beiden Häuser gab im Jahre 1877 im Laufe eines Monates etwa eintausend Stück reife Trauben von Foster Seedling und Black Hamburgh. Ferner zählen wir vier Pfirsichhäuser, zwei Pflaumenhäuser mit Queen Victoria und Golden Drop besetzt, und an jedem Flügel zwei grosse Warmhäuser für Blumen und Zierpflanzen. Die Art des Betriebes in diesen Häusern wollen wir hier nicht nochmals betrachten; sie verläuft im grossen nach denselben Grundsätzen, die wir gestern schon auf der Dell angewendet fanden. Die Gärtnerei von Frogmore ist bereits seit einem Menschenalter ein Vorbild geworden, welches in der Nähe und Ferne als mustergiltig nachgeahmt wird und Schule gemacht hat.

Auf der nördlichen Fronte dieser langen Reihe finden wir die geräumigen Wohnungen der zahlreichen Gärtner und Lehrlinge, denen ein Lesezimmer nebst Bibliothek nicht fehlt; hier liegen die Dampfkessel, Pflanzräume und die Champignonzucht. Uns gegenüber sehen wir jetzt ein ganzes Dorf von hohen und niederen Glashäusern für die grossartigen Treibereien aller möglichen Früchte und Gemüse. Die grösseren Gebäude sind auch hier wieder der Traube und dem Pfirsich gewidmet, eine lange Reihe niederer Häuser enthält die Ananaszucht in reicher Vollendung, sie bringen im Jahre über viertausend Früchte. Die Erdbeere wird hier jährlich in neuntausend Töpfen getrieben, die Häuser lieferten in diesen Tagen, während des höchsten Besuches im Schlosse, täglich fünfundsiebzig Pfund in die Küche. Schnittbohnen und Blumenkohl dürfen das ganze Jahr über nicht ausgehen; drei Monate lang bringt sie der offene Garten, die übrige Zeit müssen die Glashäuser ausfüllen. Zwei grosse Räume sind mit frühen Kirschen in Töpfen besetzt, dann folgen Gurken, Melonen, wieder Trauben und Pfirsiche, endlich ganze Wälder von decorativen Pflanzen und Blumen, wie sie das grosse Schloss für unzählige Räume, für die Tafel und für massenhafte Bouquets täglich frisch bedarf.

Nach einer stundenlangen Fahrt durch dieses Wunderland

4

52.   *Englische Landsitze, Gärten und Gärtner.*

ruhten wir gern in Mr. Jones' freundlichem Wohnzimmer aus; jedoch noch keineswegs zu ermüdet: wir zu fragen, er uns zu belehren.

„Wir dürfen", sprach er, „das Lob, welches Sie unseren Culturen ertheilen, wohl annehmen; wenigstens bemühen wir uns unausgesetzt, in jedem Zweige unserer Gärtnerei nur das Beste zu leisten. Wir setzen unsere Ehre darin, unsere allerhöchste Herrin zu bedienen wie die ersten Marktgärtner von London bei schärfster Concurrenz, jeder in seiner Specialität producirend. Wir fühlen uns gewissermassen an der Spitze der englischen Gärtnerei und also auch unter ihrer allgemeinen Controle. Das schützt uns vor der Erschlaffung, die so oft die Leistungen grosser Administrationen auf die Mittelmässigkeit herabdrückt.

„Die an uns gestellten Ansprüche sind allerdings zuweilen in Beziehung auf Massenhaftigkeit kaum glaublich. Vor einigen Jahren befand sich während acht Tagen ein ziemlich zahlreicher Besuch fremder höchster Herrschaften im Schlosse. Die damals von uns gelieferten jungen Erbsen verzehrten die Ernte von soviel Reihen, dass deren Gesammtlänge beinahe fünf Kilometer betrug. Auch ist unsere Thätigkeit nicht nur auf die Zeit beschränkt, in welcher der Hof hier residirt. Das ganze Jahr hindurch senden wir täglich alles, was die Hofhaltung bedarf, nach Osborne und Balmoral.

„Unsere grosse Maschine muss daher mit militärischer Pünktlichkeit und Genauigkeit arbeiten. Werfen Sie einen Blick in diese Bücher hier. Wir führen darin genaue Verzeichnisse über alles und jedes, was die Gärten producirt haben, sowie darüber: wann und wohin es abgeliefert wurde: zugleich eine Berechnung unserer Erzeugungskosten in jeder Jahreszeit. Verkauft wird gar nichts. Die Resultate früherer Jahre stellen wir dann mit den neuesten zusammen und suchen so, an der Hand vergleichender Erfahrungen, vorwärts zu kommen und stets mehr, besser und billiger zu produciren.

„Diese gesammte umständliche, aber durchaus nothwendige Organisation und Selbstcontrole unserer Verwaltung", fuhr Mr. Jones fort, als er sah, wie eifrig wir ihm zuhörten, „fand ich bereits vor, als ich meine hiesige Stellung im Jahre 1872 antrat. Ihre Schöpfung ist das Verdienst meines ausgezeichneten

66

Vorgängers, Mr. Thomas Ingram. Ich hatte nichts zu thun als in seinen Spuren weiter zu gehen. Nur nicht selbstgefällig stehen bleiben; das führt zum Schlendrian und Rückschritt. Auch tragen wir uns mit neuen grossen Ideen. Zur Sicherung und Vereinfachung unserer Frühculturen habe ich den Plan ausgearbeitet: eine ganze Abtheilung, wie Sie solche in den Gemüsegärten gesehen haben, von Mauer zu Mauer mit Glas zu decken. Im Principe ist mein Project genehmigt worden; die Ausführung stösst sich bis jetzt noch an den Kostenpunkt, denn mein Anschlag beläuft sich allerdings auf hundertachtzigtausend Mark. Aber ich hoffe bestimmt, das Geld wird sich nächstens finden".

Unser Rückweg nach Windsor führte uns an der Musterfarm von Frogmore und an der Dairy (Milchwirthschaft) vorüber. Auch hier durften wir eintreten. Die Farm, nebst drei anderen im Windsor-Parke, ist ebenfalls vom Prinzen Albert erbaut und eingerichtet. Sie zeigt im grossen dieselbe Vollendung, die wir gestern in ihrer verkleinerten Nachahmung auf der Dell bewunderten. Neben den zierlichen Alderneys sind hier prächtige Exemplare der Shorthorns und zu Züchtungsversuchen auch hochedle Schweizer aufgestellt.

Der Milchkeller der Dairy ist nicht allein ein Muster von grossartiger, rationeller Einrichtung, sondern auch durch die reiche decorative Ausstattung seines Innern ausgezeichnet. Seine schönste Zierde bilden die umlaufenden, künstlerisch höchst werthvollen Friese aus bunter Majolika, in der berühmten Fabrik von Minton für diesen Raum und Zweck besonders entworfen und in der bekannten Vollendung ausgeführt.

Als wir uns jetzt auf dem Heimwege den Privatgärten der königlichen Cottage Frogmore näherten, begegnete uns ein zierliches einspänniges Wägelchen, begleitet von einem Reitknechte auf hochedlem Schimmel. Eine einzelne Dame, in tiefes Schwarz gekleidet, führte darin nach guter englischer Sitte selbst die Zügel. Wir blieben stehen und verbeugten uns tief und ehrfurchtsvoll vor der erhabenen Herrin von Windsor Castle, die heute, wie schon seit langen leidvollen Jahren, in den einsamen Weg zu dem königlichen Mausoleum einbog, in welchem ihr bestes irdisches Glück ruht.

V.

Die botanischen Gärten in Kew.

Ein langentbehrter sonniger Junimorgen weckte uns zu
früher Stunde und lockte, Londons Museen den Rücken zu
kehren und hinaus in's freie Land zu fliehen. Die weltberühmten botanischen Gärten von Kew waren schon seit
Wochen eines der auswärtigen Ziele unserer Sehnsucht gewesen, aber englischer Nebel und allgemein europäischer Regen
verboten seither, die Flügel zu entfalten. Heute galt es, die
Göttin Gelegenheit beim Schopfe zu erwischen. Wir verliessen
die Eisenbahn in den lieblichen vereinigten Villendörfern
Surbiton-Kingston. Hier, zwischen den dichtbelaubten Gärten,
in denen die sauberen, bescheidenen, etwas altmodischen Cottages
wie in einem grünen Neste liegen, erwachten in mir Erinnerungen aus der Kindheit, die manches Jahr geschlummert
hatten. In längst vergangene Zeiten, als es noch keine Eisenbahn von London nach allen Punkten der Ost- und Südküste
gab, da war das nähere Surbiton ein fashionabler Sommer-
aufenthalt und derzeit lebte hier auch mein Grossvater, der
damalige hannoversche Cabinetsminister, um auf den Befehl
des hannoverschen Königs Wilhelm IV., der in Windsor Castle
residirte, stets zur Hand zu sein. Heute klingt uns diese
seltsame Verbindung und Wirkung in die Ferne wie ein
Märchen, aber ich habe sie noch selbst mit erlebt, als kleiner
Knabe in Surbiton.

Doch jetzt zurück in die Gegenwart. Dieser schöne, freie
Tag soll zunächst einer Wanderung durch das „Land der
königlichen Parks" gewidmet sein.

Zuerst Hampton Court; heute jedoch wenden wir dem stolzen Palaste des Cardinals Wolsey den Rücken und durchstreifen nur die feierlichen, strahlenförmig laufenden Alleen und das berühmte Labyrinth von geschorenen Hecken um den alten, jetzt verlassenen Königssitz. Von hier betreten wir den gegenüber liegenden ehrwürdigen und melancholischen Bushy Park, dessen prachtvolle, berühmte uralte Kastanienalleen zwischen den grünen Weiden des königlichen Gestütes unabsehbar und vereinsamt verlaufen. Dann durchwandern wir Richmond Park, 3400 Morgen gross, in seiner ganzen Ausdehnung von Süden nach Norden. Das alte Stuartschloss wurde durch den Hass des Protectors Cromwell dem Erdboden gleich gemacht, aber der Park blieb ewig jung und grün. Er ist dem von Windsor nicht unebenbürtig, jedoch wilder und waldähnlicher. Von dem hohen Hügelrücken, an dem wir entlang wandern, öffnen sich weite herrliche Blicke auf die niedrigere, hügelige Baumlandschaft im Westen.

Am nördlichen Parkthore nimmt uns der „Star and Garter" auf, ein durch Leistungen, Preise und englisch-gothischen Hotelstyl gleich ausgezeichnetes vornehmes Wirthshaus. Von seiner Terrasse blicken wir unter uns auf die Windungen der Themse und weit hinaus in die üppige, grüne Landschaft. Wir werden hier an die berühmte Terrasse von St. Germain erinnert, mit ihrem nicht minder berühmten Restaurant. Gegenüber liegt das gartenreiche Twickenham. Dort hat sich, in einem der schönsten alten Parks, früher der Zufluchtsort eines vertriebenen fürstlichen Geschlechtes, unter gleichem Namen der Orleansclub niedergelassen. Seine Mitglieder sind grösstentheils die beneidenswerthen Besitzer der berühmten Londoner „Four-in-hands" der „Coaching Club". Eigenhändig fahren diese Herren sich und ihre bevorzugten Gäste an schönen Sommertagen auf ihren hocheleganten vierspännigen Coaches von London hierher zu klassischen Lunches. Auch mir wollte eines Tages das Schicksal wohl und setzte mich auf eine der schönsten dieser Coaches, derjenigen unseres Landmannes, des Herrn Adolf Deichmann aus Cöln, zu einem der berühmten Clubmeetings in Hydepark. Wir musterten an jenem Tage fünfunddreissig dieser hochveredelten, höchst originellen Postkutschen, sämmtlich von den Mitgliedern des Clubs in ihrer

Clubuniform unter der Leitung ihres Präsidenten, des Herzogs von Beaufort, eigenhändig gefahren. Die klare Maisonne glänzte auf dem saftigen Grün des Parkes, auf den bunten Blumenbeeten und den frischen heiteren Frühjahrstoiletten der schönen und der vornehmen Welt. Hunderte von eleganten Zweispännern, Hunderte von Reiterinnen mit Gefolge waren am „Magazin" und am nördlichen Ufer des Serpentine versammelt. Der Zudrang der Fussgänger, die ganze Fahrt entlang, war zahllos, die Ordnung und namentlich die Ruhe bei Menschen und Pferden tadellos. Ein wirklich grossartiges, in der übrigen Welt unbekanntes Schauspiel. Jede Coach nebst vier Pferden und allem Undsoweiter kostet, nach der Berechnung eines erfahrenen Praktikers, dreissig bis sechs und dreissigtausend Mark. —

Heute aber fahren wir im allerbescheidensten Einspänner von Richmond nach Kew und halten am nordöstlichen reichverzierten eisernen Gitterthore der Gärten, das auf Kew Green, einen weiten Viehanger, umgeben von Wirthshäusern und allerlei bescheidenen Cottages, mündet. Freundschaftliche Vermittelung hatte uns einem der Oberbeamten, Mr. J., empfohlen. Wir stellten uns ihm als botanisch ungebildete Gartenfreunde vor und mit dem offenen, warmen Entgegenkommen, welches jeden gut empfohlenen Fremden in England so wohlthuend empfängt, erklärte er sich bereit, uns zu zeigen, was uns interessiren möge.

„Und", fügten wir hinzu, „was wir begreifen können; denn oft möchten wir hier den Wald vor lauter fremden Bäumen nicht erkennen".

Der Garten war schon von Menschen belebt und noch mehr strömten mit uns zu. „Sie sehen", bemerkte Mr. J., auf die umherziehenden kinderreichen Familien weisend, es sind nicht alle, die uns hier besuchen, Botaniker oder Gärtner. Nach unserer Bestimmung und unserem Namen sind wir kein Vergnügungsort; auch sind Picknicks und Tabak — das heisst: brennender — aus dem Garten verbannt, und dennoch hatten wir im vorigen Jahre gegen siebenhundert tausend Besucher. So gross ist das Interesse am Pflanzenreiche und an der Gärtnerei, wie sie sich hier darstellen. Allerdings haben wir den Laien einige Concessionen gemacht. Es erschien billig und zweckmässig,

dem englischen Steuerzahler auch etwas zu zeigen. Sie werden
es schon selber herausfinden. Aber hauptsächlich soll in unseren Gärten ein grosser Unterrichtsstoff, ein lebendiges Buch
zum Lesen und Nachschlagen geboten werden: für den
Botaniker, den Gärtner, den Forstmann, den Landschaftsmaler
und in unseren Museen auch für den Industriellen und den
Kaufmann.

„Sie sehen daher bei uns keine für die Ausstellung
dressirten, blendenden Pflanzen, sondern eine gleichmässig zahlreiche Sammlung in einer durchschnittlich guten Entwickelung
und Haltung. Nur diejenigen grossen Pflanzen, die über die
Räumlichkeiten des Privatmannes hinauswachsen, wie die
Palmen und Cykaden, diese finden Sie hier in möglichster
Vollzähligkeit.

„Im Allgemeinen ist unser Garten, in den Häusern wie im
Freien nach geographischen und botanischen Gruppen geordnet.
Wenigstens streben wir danach, soweit die Pflanzen selbst, der
historisch überkommene Zustand des erst seit dem Jahre 1841
aus einem königlichen Privatbesitze wissenschaftlich entwickelten
Gartens und unser sehr armer sandiger Boden mit kiesigem
Untergrunde es erlauben. Wir machen keine eleganten
Decorationsgruppen und keine gekünstelten Teppichbeete.
Nur eine Art von studirter Gruppirung finden Sie, aber auch
diese hat einen lehrhaften Zweck. Wir versuchen in solchen
Gruppen von zumeist örtlich zusammenlebenden Pflanzen das-
jenige nachahmend darzustellen, was Ihr grosser Landsmann
Humboldt ‚Ansichten der Natur‘ nennt.

„Hier vor uns sehen Sie das Schloss. Es ist jetzt dem
Publikum nicht zugänglich; auch meine Vermittelung würde
Ihnen keinen Einlass verschaffen, da es von der verwittweten
Frau Herzogin von Cambridge bewohnt wird. Lassen Sie uns
also aufbrechen und diesen breiten Hauptweg vor uns verfolgen. Er durchschneidet die Gärten von Norden nach Süden
in einer Länge von fünfhundert Metern und endet am See
neben dem Palmenhause. Zu seinen beiden Seiten werden wir
nach und nach die Gewächshäuser finden. Rechts, unserem
Hauptwege entlang, haben wir den Park oder Vergnügungs-
garten die „Pleasure Grounds" bis zur Themse hinab, und links
in's Land hinein ziehen sich die botanischen Gärten".

Wir betraten zuerst ein grosses Haus, welches in dem
Winkel steht, den der nordöstliche Eingangsweg von Kew Green
her mit unserem Hauptwege bildet.' „Sie bemerken wohl",
sagte unser Führer, „die stattliche Ausführung dieses Gebäudes
in künstlerisch behauenen Werksteinen und Glas. Wir sind
sonst nicht so luxuriös, aber dieses Haus stand ursprünglich
im Garten von Buckingham Palace. Wegen seiner architektonischen Ansprüche hat man es hier an den Eingang gestellt.
Es ist eines von unseren „Show Houses". Sein Name ist
„Aroideenhaus", jedoch enthält es ausser den Kolbenblüthlern,
den Philodendren, Monsteren und den Anthurien auch andere
Warmhauspflanzen. Bemerken Sie jene Farre in der Mitte,
ihr Schaft misst gegen neun Meter, sie ist umgeben von Palmen,
dem nützlichen Drachenblut - Kalmus und dem Kanonen-
baum geräuschvollen Namens. Mit der Aufzählung der
anderen Bewohner will ich Sie nicht ermüden, da Sie keine
Botaniker sind. Sie finden sie alle in unseres Professors Oliver:
„Führer durch die Gärten von Kew". Der Zweck dieses Hauses
ist wesentlich: malerische Gruppirung schöner Pflanzen für die
„Steuerzahler".

Mr. J. liess uns alsdann einen Blick in das Kalt-
haus für die zahlreiche Familie der Farren und in das daneben-
stehende Warmhaus für die tropischen Mitglieder dieses Geschlechtes werfen. Es waren dichte Wälder. „Die Sammlung
ist leider sehr vollständig", bemerkte er, „und dadurch
stehen sie zu gedrängt, trotzdem jedes Haus achtundvierzig
Meter lang und zehn Meter breit ist".

Weiter verfolgten wir den Hauptweg, den auf beiden Seiten
grosse Deodaren begleiten. Unter diesen wechseln Gruppen
blühender Rhododendren mit frisch besetzten Beeten von
Sommerblumen ab und unterbrechen bescheiden die schönen
Grasplätze. Aehnliche weite grüne Flächen umgeben alle
folgenden Häuser, sie sind mit stattlichen, seltenen Bäumen
aller Gattungen besetzt; Prachtexemplare, deren Grösse, Ueppig-
keit und vollendete Form sich auch dem unkundigsten Auge
unvergänglich einprägt.

Wir betreten jetzt ein Haus, welches, dem ersten „Show
House" dem Aroideenhause entsprechend, als ein Wintergarten für
Kalthauspflanzen eingerichtet und wesentlich auf die Unterhaltung

des Publikums berechnet ist. Hier winden sich blühende Kletter- und Schlingflanzen: Bignonien, Jasmine, Clematiden und Mimosen, bis unter das Glasdach hinauf. Jedoch werden sie eingeschränkt, um genügendes Licht auf zwei grosse Beete fallen zu lassen, in denen Camelien als Sträucher und Bäume ihr dunkles Grün entfalten. Daneben prangen die Azaleen in voller Blüthe. Alle Pflanzen hier sind kräftig und interessant und immer ist etwas Buntes vorhanden.

Das nächste Haus der saftreichen (succulent) Pflanzen hat in leichter Eisen- und Glasconstruction die bedeutende Aus- dehnung von siebzig auf zehn Meter. Trotzdem ist es dicht gefüllt mit Agaven, Aloes, Yuccas, Dracänen und vor allem mit dem reichen und grotesken Typus der Cacteen. Ein Wald von riesenhaften mehrseitigen Säulen strebt neben- und durch- einander empor; dazwischen melonenartige und igelähnliche Erscheinungen. Am' Gewölbe kriechen schlangengleiche Cereus mit kugel- und scheibenförmigen Gliedern.

„Sehen Sie dort" bemerkte Mr. Jones „den baroken Cereus, dessen oberes Stammende langes, drahtiges, graues Haar ver- hüllt; jedoch trägt er es nur in seiner Jugend und daher ist sein Name: „Alter Mann" eigentlich nicht ganz zutreffend".

„Ueberhaupt" fuhr er fort, „wohnt in diesem Hause eine sonderbare Gesellschaft; es giebt hier allerlei Ueberraschungen. Sehen Sie hier diese fette, gichtisch geschwollene Weinrebe, der unsere Reben gleichen wie die Eidechse dem Elephanten. Hier steht ein Pelargonium mit einem Stengel so dick wie eine mässige Futterrübe. Daraus folgt, dass die Familienähnlichkeit nicht immer nothwendig für die Verwandtschaft ist. Boden und Klima verändern Thiere und Pflanzen, namentlich, wenn man in verschiedenen Welttheilen lebt. Alle diese seltsamen Gäste hier bewohnen heisse trockene Länder mit wenig Regen, starker Verdunstung und sehr bedeutender Wärmestrahlung bei Nacht. Dagegen schützt diese Wüsten- und Felsenkinder ein sehr „dickes Fell" und ein ausserordentlicher Wasservorrath, den sie in ihren Geweben für sich und die animalischen Mitbewohner ihrer Heimat ansammeln.

„Lassen Sie uns", schlug Mr J. vor, als wir wieder in's Freie traten, „das nächste Haus, nach seinem Grundrisse das T-Haus genannt, rasch durchschreiten. Es enthält eine reichhaltige Vereinigung von Bigonien, Eriken, Caphaiden und ausserdem eine ziemlich vollständige Sammlung von wirthschaftlich nützlichen Bäumen: den indischen Butterbaum, den Brotbaum, den Kapernbusch, den Cacaobaum, den Citronenbaum, den Kaffeebaum, die Baumwollenstaude, die Nux vomica, das Patchouli u. s. w. In der Mitte die Ihnen wohlbekannte Victoria regia; dann folgen die Orchideen, über eintausend Varietäten, und die Fleischfresser, diese weit interessanteren Antipoden der auch in Deutschland gedeihenden Secte der Vegetarianer, die wir fleischessende Spötter hier „Gemüseheilige" nennen. Jedoch sehen Sie alle jene Pflanzen bequemer bei den Specialisten und in den Ausstellungen. Folgen Sie mir lieber in die beiden gegenüberliegenden Häuser, sie enthalten unsere Museen I. und II."

Wir traten in eine Reihe grosser Räume, in denen Glasschränke und Kästen zwischen den Fenstern entlang standen, während in der Mitte ein freier Gang gelassen war. Endlich hielten wir in einer grossen Halle an, mit Oberlicht und einer umlaufenden Gallerie.

„Hier", sprach Mr. J., auf die zahlreichen Behälter ringsum zeigend, „hier können der Kaufmann und der Industrielle die in ihr Fach schlagenden Erzeugnisse des Pflanzenreichs studiren. Sie finden hier alles übersichtlich geordnet und auf den beiliegenden Täfelchen erklärt; ich will indessen für heute nur einiges hervorheben. Vielleicht kommen Sie wieder und vertiefen sich dann in das Studium der unendlichen Einzelheiten. Noch eines! Am Ausgange des Parkes steht ein drittes Museum; es enthält alle Holzarten, die in England und seinen Colonien wachsen. Dort sehen Sie polirtes Palmenholz, Bretter und Querschnitte von Libanoncedern und von einem Drachenbaum aus Teneriffa, der dort schon im Anfange des fünfzehnten Jahrhunderts als ein sehr alter Baum berühmt war. Gehen Sie ja hinein und wenn Sie einen reiselustigen Freund haben, der Forstmann oder Drechsler ist, so schicken Sie ihn mir. Die Sammlung hat wohl in der Welt nicht ihres Gleichen". — „Hier also", fuhr er fort, mit uns an einen der unzähligen breiten und tiefen Glaskästen tretend, „stehen wir vor dem bedenklichen Producte des Mohns: dem Opium und dem Processe seiner Herstellung. Diese Köpfe sind vielfach eingeritzt, ein weisslicher

Saft fliesst aus den Wunden hinab in diese eisernen kleinen Schaufeln, aus ihnen wird er in diese Schüsseln gesammelt; er verliert darin einen Theil seiner Feuchtigkeit, wird durch anhaltendes Rühren eingedickt und endlich zu Kugeln geballt. Letztere werden in den irdenen Formen, die Sie sehen, gepresst und schliesslich in die daneben liegenden getrockneten Mohnblätter verpackt. — In diesem hohen Glaskasten haben Sie alle Sorten des Cacao in seinen Stadien von der Bohne in der Schale bis zum gerösteten Pulver. — Hier ist die Jute, jetzt ein wichtiger Rohstoff für die Weberei, durch den die Stadt Dundee reich geworden ist; — hier der Thee; — dort die Leguminosen für die Nahrung und Färberei; — hier die harzigen und öligen Producte des Eukalyptus; — weiter die wohlthätige Ipecacuanha und — das Beste zuletzt — der Kaffee und der Tabak". —

Als wir diese grossartige Schaustellung von Gegenständen verliessen, die uns im Leben alltäglich begegnen und dennoch in ihren Einzelheiten uns fremd und neu erschienen, standen wir am See, auf dessen entgegengesetztem Ufer das Palmenhaus über einer breit gelagerten Terrasse mächtig emporstrebt. Indem wir vorwärts schritten, sagte Mr. J.: „Wir wenden nun zwei höchst interessanten Abtheilungen der Gärten unbesehen den Rücken. Dort, hinter den Museen, ist der Garten unserer heimatlichen Haushaltpflanzungen, nützlich zum Unterrichte für Schule und Küche, und daneben ist das Reich der krautartigen Gewächse. Letztere sind nach ihrer natürlichen botanischen Ordnung in streng geschiedene lange rechteckige Beete eingetheilt, der Anblick ist daher nicht gerade decorativ. Einmal belauschte ich hier einen unwissenden Spötter, der behauptete, das Ganze gleiche einem ungeheuren Bratroste. Kein wissenschaftlicher Mann und kein „gelernter" Gärtner wird versäumen, diese Sammlung zu besehen, indessen ich denke", schloss er, wohlwollend lächelnd, „wir gehen vorwärts".

Wir stimmten ihm ehrlich bei, umschritten den schönen See, in dessen stiller, durch Inselchen von Wasserpflanzen unterbrochener Fläche sich prächtige alte Bäume spiegeln, und betraten am jenseitigen Ufer die grosse mit geschnörkelten Blumenbeeten ausgelegte Terrasse, in deren Mitte das grosse Palmenhaus steht. Das Gebäude ist einhundertdreissig Meter lang, im Mittelschiffe

dreissig Meter breit und vierundzwanzig Meter hoch; die beiden
Seitenschiffe sind siebzehn Meter breit und zehn Meter hoch.
Zur Heizung dienen zehn verschiedene Kessel, welche ein
System von etwa sieben Kilometer Röhren speisen. Das
Wasser fällt aus Sammelteichen auf den Höhen von Richmond
Park hieher. Das Glas des Daches ist durch Kupferoxyd leicht
grün gefärbt, und wirft dadurch einen Theil der Wärme- und
Lichtstrahlen zurück. Dieser ungeheure Raum ist ausgefüllt
mit der vollständigsten Sammlung aller Palmen und mit unzähligen anderen, ihnen verwandten oder in der Heimat benachbarten Pflanzen, Musen, Cykaden und Dracänen. Wir durchwandern still und staunend die vielfach verschlungenen Pfade
in diesem seltenen, tropischen Walde, dann besteigen wir
die ringsum laufende Gallerie und tauchen in andächtiger
Bewunderung unsere Blicke in das unbeschreibliche Blätter-
meer!

Damit verlassen wir die botanischen Gärten und betreten
die „Pleasure Grounds". Sie erstrecken sich, in der Verlängerung des grossen Hauptweges, jenseit des Sees bis an
das südliche Ausgangsthor nach Richmond zu; ausserdem
nehmen sie den ganzen westlichen Theil der Gärten ein.
Dieses weite Revier, zusammen etwa vierhundert Morgen, ist
zum Theil mit Gruppen von Verwandten besetzt, zum grösseren
Theil jedoch ist es ganz als Forst und Wald behandelt. Es
gehört zu dem Schönsten unter allem, was England an
schönen Parks aufzuweisen hat. Ein breiter Grasplatz, oder
wie der Engländer sagt: Graspfad, läuft vom Palmenhause zum indischen Pagodenthurme am südlichen Ausgange. Die ebene, reine, grüne Fläche liegt in der Mitte
auf etwa zwanzig Meter Breite frei, an beiden Seiten ist sie
mit einer sehr vornehmen Allee von Deodaren eingefasst,
hinter der sich auf beiden Seiten einzelstehende Prachtexemplare von Cedern und schottische Fichten, gemischt mit
Linden, Ahorn und anderen Laubbäumen in tiefer Aufstellung
gruppiren. Wir Fremde fanden in· dem ungestörten sanften
Gehen auf dem nach allen Seiten weit erstreckten, von keinem
Kieswege durchschnittenen Rasen einen seltenen Genuss, der
hier überall in Parks und Gärten frei gewährt wird; nur die
vorspringenden Winkel des Rasens an den Kreuzwegen sind

gegen die Unart des Vertretens durch kleine eiserne Gitter geschützt.

Indem wir uns durch diese ideale Waldlichtung westwärts schlagen, nimmt uns ein Rosengarten auf, dessen zahlreiche Beete unter riesigen Blutbuchen und immergrünen Eichen in den Rasen eingeschnitten sind. Er geleitet uns bis an den letzten der Glaspaläste, das „Temperate House", also das Haus für Pflanzen der gemässigten Klimate. Ein grosses stattliches Gebäude von Eisen und Glas, das Dach ist zum Abdecken im Sommer eingerichtet. Jedoch vergisst man die Ueberdachung vollständig, sobald man eingetreten ist. Die normale trockene Atmosphäre, die uns erfrischend umgiebt und frei zu athmen gestattet, trägt hierzu wesentlich bei.

„Hier, meine Herren", begann Mr. J. wieder, „ist eine Gesellschaft von Pflanzen vereinigt, die weiter nichts verlangen als einen Stand, der sie vor Frost und Sonnenbrand schützt. Diesen sichert ihnen die grünliche Glasbedeckung und die Wasserheizung; übrigens stehen und wachsen sie hier wie im Freien. Kein Topf oder Kübel engt sie ein und dadurch erreichen wir die völlige Gesundheit und Natürlichkeit der Entwickelung, die jedem Besucher dieses bedeckten kleinen Parkes einen so besonders einladenden und behaglichen Eindruck hinterlässt. Die Pflanzen hier sind Bewohner von Südeuropa, von Neuholland, Japan, China, dem Cap und den tropischen Bergzonen. Sie sind nach den Ländern ihrer Herkunft gesondert, so dass wir, den breiten Hauptweg entlang schreitend, rechts und links alle fünf Welttheile im Fluge durchmustern. Ich nenne Ihnen, damit nicht der Belehrung zuviel werde, heute nur folgende: hier die Akazien aus Australien, die Rhododendren vom Himalaya, chinesische Kamelien, Araucarien von der Norfolkinsel, die wilde Theestaude aus den Djungeln von Assam, die jetzt mit Erfolg in Indien cultivirt wird und dem himmlischen Reiche hoffentlich bald scharfe Concurrenz machen wird. Hier sehen Sie auch den fiebervertreibenden Eucalyptus globulus und den mottenvertreibenden Kampherbaum: dort neben der Pinie steht der, einer alten Weide gleichende Oelbaum aus Griechenland. Auch bemerken Sie hier Baumfarren, die das gemässigte Klima vorzüglich vertragen und nicht so getrieben und schlaff erscheinen

als in ihren gewöhnlichen Warmhäusern. Vor Allem betrachten
Sie sich die seltenen und selten schönen Araucarien. Die Imbricata,
deren schuppige Nadeln wie Dachziegel gestellt sind, kennen
Sie schon aus den Parks; hier haben Sie eine Bidwillii mit
blätterartigen, breiten, flachen Nadeln. Sie ist neun Meter
hoch und ihre stärksten Zweige lagern, wie Sie sehen, auf dem
Boden, wo sie einen Kreis von sieben Metern Durchmesser
bedecken; ihre Fruchtzapfen dort oben haben die Stärke eines
Kinderkopfes. Dort steht die Excelsa mit feinen, hellgrünen
Nadeln; der ganze Zweig gleicht einer Straussenfeder; sie misst
jetzt vierzehn Meter bis zur Spitze. Diese hier, die Araucaria
Cuninghamii von Queensland trägt von allen die kleinsten und
feinsten Nadeln an ihren seltsam gewundenen, dünnen weisslichen
Zweigen".

„Ich freue mich, Ihnen dieses Haus gerade jetzt zeigen zu
können; denn die überall vertheilten blühenden Azaleen, Fuchsien,
Rhododendren geben dem Bilde einen seltenen Reichthum an
heiteren Farben. Später im Jahre ist der durchgängige grüne
Ton des Ganzen ernst und fast dunkel. In ihm schliesst sich
indessen das Haus harmonisch seiner Umgebung an, dem Forste,
durch welchen ich Sie jetzt noch führen will".

Wir schritten durch ein Gitterthor, welches hier die
Pleasure‾Grounds mit dem botanischen Garten verbindet, und
näherten uns dem Forste auf einem langen, schnurgraden
Wege, der mit schönen Coniferen und den glänzenden Stechpalmen eingefasst ist, die in England so sehr für die immergrünen Gärten geschätzt werden und von denen man bereits
hundertvierundvierzig Arten und Spielarten kennt. In der Nähe
befindet sich eine Cottage, nicht zugänglich, da sie von
der Königin zur Privatbenutzung vorbehalten ist. Wir vertiefen
uns weiter in die Gründe des Waldes, dessen herrliche Baumgruppen keine andere pflegende Hand verrathen als die des
Forstmannes, und dennoch sind sie sämmtlich geographisch
oder botanisch geordnet. Der Boden wird bewegter und ver-
räth durch Hügel und Thal die Nähe der Themse. An Baum-
schulen vorbei und einem Maschinenhause für die Bewässerung,
gelangen wir an einen grossen Teich, in welchem die Wasserpflanzen versammelt sind. Sein Uferrand ist mit Weiden eingefasst, das südliche höhere Ufer ist mit einer vollständigen

Zusammenstellung aller Species und Varietäten des Geschlechtes Pinus bestanden, unter denen die schöne dunkle Douglas-Fichte aus den Felsengebirgen sich auszeichnet. Am anderen nördlichen Ufer nimmt uns nochmals eine reiche Sammlung von Eichen auf und durch diese steigen wir hinab in ein tiefes Thal; es ist gegen den nahen Fluss durch einen hohen Damm geschützt und mit blühenden Rhododendren ·rings eingefasst. In der Mitte steht eine Rosskastanie, nicht ungewöhnlich hoch, aber von mächtiger Ausbreitung der Zweige, die auf dem Boden Wurzeln geschlagen und neue Schösslinge getrieben haben. Der Stamm hat in Brusthöhe einen Umfang von nahezu sechs Metern und beim Umschreiten der Zweige zählen wir siebenundneunzig Schritte.

Wir erklettern jetzt den Damm und stehen an der Themse. Vom jenseitigen Ufer winkt das schöne Sion-House, Landsitz des Herzogs von Northumberland, zum Besuche seiner berühmten Gärten.

Auf ein anderes Mal! heute wandern wir den Strom hinab, der Brücke vorbei, dem schon sichtbaren Dampfboote zu.

VI.

Gärtnerei
für die armen und für die reichen Leute.

Es war jetzt Zeit geworden, uns mit wärmstem Danke von unserem nachsichtigen und unermüdlichen Führer durch die Gärten von Kew zu verabschieden.

„Da Sie", so entliess er uns, unsern Händedruck erwidernd, an der Landungsbrücke, „da Sie, wenn auch nicht Botaniker und kaum Gärtner, dennoch recht fleissige Hospitanten in meiner Vorlesung waren, so möchte ich Ihnen noch einen Wegweiser geben, damit Sie auch Ihre Rückfahrt nützlich verwenden können. Sie haben hier vieles gesehen und glauben vielleicht, so ziemlich alles gesehen zu haben, was die englische hohe Gärtnerei bietet. Es fehlt aber doch noch einiges".

„Und was fehlt? Wo gibt es noch Reicheres und Vollkommneres, als bei Ihnen?"

„Nun, meine Herren, erinnern Sie sich nur, was ich Ihnen schon im Beginne unserer Wanderung bemerkte. Die botanischen Gärten von Kew sollen ein möglichst vollständiges Gesammtbild der cultivirten Pflanzenwelt und der Art und Weise ihrer Cultur geben. Wir überlassen daneben die Ausbildung einzelner interessanter Gruppen und Familien, sowie die Durchführung einzelner besonderer Zweige der Gärtnerei den Specialisten".

„Den Specialisten? Natürlich müssen wir sie kennen lernen, aber wo sie finden? Bitte, weisen Sie uns zu ihnen, Mr. J., wenigstens zu einigen, dann gehen wir nicht fehl und erhalten auch leichter Einlass".

„Sie finden zwei ihrer grössten Leistungen, und zwar in
ganz entgegengesetzten Richtungen, auf Ihrem heutigen Rück-
wege zur Stadt. Wollen Sie die Bekanntschaft machen, so
verlassen Sie Ihr Schiff am Landungsplatze von Battersea oder
Chelsea; dann haben Sie rechts der Themse den grössten
Gärtner in der Specialität für die kleinen und armen
Leute. Ihm gegenüber auf dem linken Ufer sitzt der grösste
Handelsgärtner für die Reichen".

„Und die Namen? Wie heisst die Firma des Armen-
gärtners?"

„Nun, der ist leidlich bekannt in den drei Königreichen
und wol noch weiter. Den Namen des anderen schreibe ich
auf diese Karte. Sehen Sie sich nur um und — leben Sie
wohl". —

Diese geheimnissvolle Weisung spannt unsere Erwartung,
so dass wir stromabwärts dem gartenberühmten Chiswik und
den lieblichen Villencolonien von Putney und Fulham vorbei-
eilen und unser Schiff erst in Battersea verlassen. Wir landen
hier an einer der neuen Vorstädte Londons, auf dem rechten
Ufer der Themse und nur von einer ärmeren, arbeitenden
Bevölkerung bewohnt. Nach den ersten Schritten am Ufer
aufwärts erscheinen hinter dem Quai starke Bäume, deren
Reihen uud Gruppen sich, je mehr wir uns nähern, desto ferner
nach beiden Seiten hinausziehen. Hinter ihnen öffnet sich der
Blick auf weite Grasflächen, die durch mehrere bewegte
Gruppen von Fussball- und Cricketspielern, umlagert von theil-
nehmenden Zuschauern, belebt sind. Alle diese fröhlichen
Menschen gehören, nach der äusseren Erscheinung, den unbe-
mittelten hart arbeitenden Klassen an. Wir treten von da
durch eine Gitterthür in den Battersea-Park ein und gelangen
bald auf einen freien Platz, mit Buschwerk und Bäumen eingefasst, in ihrem Schatten zahlreiche Ruhesitze. Nach drei Seiten
gehen von hier breite Wege aus. Wir folgen dem nach rechts
laufenden, sauber gehaltenen Kiespfade und gelangen nach
längerer Wanderung durch stets wechselnde Parkbilder an eine
bedeutende, in bewegten Windungen ausgelegte Wasserfläche.
Ihre mit grünem festen Rasen eingefassten Ufer umgehen wir,
bis eine Felswand unsere Schritte hemmt; wir ersteigen sie und
befinden uns auf einem schmalen künstlichen Hügelrücken, der

5*

sich in unregelmässigem Bogen nach beiden Seiten hinzieht. Sein jenseitiger Abhang ist mit Coniferen und immergrünen Sträuchern dicht bepflanzt. Wir steigen hinab und betreten den „subtropischen Garten". Seine Fläche enthält gegen sieben Morgen, ringsum ist er durch den Höhenzug und den Baummantel geschützt und unter diesem Schutze konnte der Gärtner ein seltenes Bild entwickeln, das den „subtropischen" Namen völlig rechtfertigt. Der Gegensatz zwischen der nordischen äusseren und der subtropischen inneren Vegetation ist von wahrhaft überraschender Wirkung. Auf der einen Seite einheimische ausgewählte Laub- und Nadelbäume mit Felsgewächsen und hohen Farren unterpflanzt, auf der anderen Seite die Palme und die Musa des Paradieses, abwechselnd mit Gruppen von Cannas, Aralien, edlem Lorbeer, Oleander und ähnlichen halbsüdlichen Gewächsen. Dieses Gartenbild trägt in seiner Fremdartigkeit den ausgeprägten Charakter des Gewählten und Verfeinerten. Die Mitte des subtropischen Eilandes wird von Teppichbeeten eingenommen die theils selbstständig von Wegen eingeschlossen, und in grösseren Mustern angelegt, theils als kleine Ornamente in die sorgfältig gepflegte, reine Rasenfläche eingelassen sind. In den Mittelpunkten der verschiedenen Figuren breiten sich schön entwickelte Agaven und Yuccas mit den scharfbewehrten Blattspitzen. Wohl nirgends in einem Garten Englands finden wir die Industrie der botanischen Teppichweberei so gepflegt und entwickelt, wie gerade hier, und gerade hier lassen wir diese einigermassen zopfigen Künsteleien vorzugsweise gern gelten, da ihre mühevolle Vorbereitung, Pflanzung und Unterhaltung einen besonderen Beweis für die unausgesetzte und kostspielige Pflege dieses Gartens der armen Leute giebt.

Nachdem das subtropische Thal durchmessen ist, gehen wir nochmals an verschiedenen kleinen, in bewegten Figuren gezeichneten Wasserflächen hin und langen nach einer Wanderung von etwa zwei Stunden wiederum am Ufer der Themse an.

 Der Park von Battersea umfasst eine Grundfläche von nahezu dreihundert Morgen, er ist also etwa dreimal so gross als der bekannte und einst in Deutschland mit Recht bewunderte Park zu Biebrich. Vor dem Jahre 1852 befand sich hier eine öde, schattenlose und prosaische Fläche, Weide und Acker. Da fasste ein Mann, dessen hervorragendem Geiste, warmem Herzen und stiller, stetiger Thätigkeit England so viel Schönes und Grosses verdankt, der in seinem Leben viel verkannt und erst nach seinem frühen Tode von England und der Welt in seinem ganzen Werthe erkannt wurde: der Prinz Albert, Gemahl der Königin, fasste die hochherzige Idee: hier eine neue Specialität der Gärtnerei, einen „Park der armen Leute" in's Leben zu rufen. Er stellte sich an die Spitze dieses riesenhaften Unternehmens, welches unter der technischen Leitung von Mr. John Gibson in sechs Jahren vollendet wurde und 6 Millionen Mark kostete. Daneben muss noch ein bedeutender Fond vorhanden sein, aus welchem die jährlichen Mittel für die tadellos sorgfältige Unterhaltung des Parkes fliessen.

Mit Bewunderung und Wehmuth scheiden wir von dem Denkmale, welches der grosse Armengärtner sich hier selbst errichtet hat. Wahrlich, nicht minder eindringlich und nachhaltig spricht diese grossartige Wohlthat, diese milde Stiftung für frische ländliche Luft zu den Herzen eines dankbaren Volkes als das prächtige Monument, welches die englische Nation ihrem verstorbenen besten Freunde im Hydepark errichtet hat.

Eine leichte, elegante Hängebrücke führt uns über die Themse nach dem gegenüberliegenden Chelsea. Wir biegen in eine lange Vorstadtstrasse ein, den Kings Road, an welcher ländliche Gärten mit den vordringenden städtischen Wohnhäusern, Fabriken und Geschäftsgebäuden abwechseln. Gegenüber etwa den bekannten und nicht sehr fein berufenen Cremorne Gardens — ein vergröbertes Mabille — wandern wir eine hohe Mauer entlang, die endlich durch ein niedriges cottageartiges Wohngebäude unterbrochen wird. Ueber dem Eingange steht zu lesen: „James Veitch & Sons". Der Name ist nicht in England geboren, so auch nicht sein Träger Herr Jakob Veitch, der als junger Mann Deutschland verliess und in England die gegenwärtig grossartigste Handelsgärtnerei gründete. In diese treten wir jetzt ein. Die uns von Mr. J. in Kew ausgestellte Empfehlung sichert uns eine wohlwollende Aufnahme. Unter der Führung eines älteren Obergärtners gelangen wir in den inneren Garten und sehen, jenseit eines freien mit Pflanzen geschmückten Platzes, eine kleine Welt von Glashäusern vor uns, getheilt durch breite gerade Wege, auf denen Menschen und Karren geschäftig hin und her eilen. Zunächst zu unserer Rechten der Packraum, ein weiter, mit Glas bedeckter Hof; dann folgen eine Reihe von Gebäuden, welche die Magazine für die verschiedenen Erdsorten und die Blumentöpfe, sowie die Anstalten für das Ein- und Umpflanzen enthalten. Nun beginnt die Wanderung durch die unendlichen Warm- und Kalthäuser, von denen stets mehrere für dieselbe Pflanzenfamilie in getrennten grossen Abtheilungen, je nach dem heimatlichen Klima und den Stadien der Entwickelung der einzelnen Individuen, bestimmt ist.

Wir baten unseren Führer um einige allgemeine Anhaltspunkte über unsere Umgebung. Wir würden uns sonst unfehlbar in diesem Labyrinthe von Pflanzen und Häusern verlieren. Er war hiezu gern bereit. Was er uns während unserer mehrstündigen Wanderung durch die Glashäuser mittheilte, war jedoch so neu und reichhaltig, dass nur folgende wenige Einzelheiten im Gedächtnisse und Notizbuche gehaftet haben.

„Der Raum, auf dem unsere hiesige Niederlassung steht", so begann sein durch unsere Fragen stetig fortgesponnener Vortrag, unser Ariadnefaden — „beträgt etwa zehn Morgen. Sie finden fast alle Luxusgewächse bei uns vertreten, aber in verschiedenem Grade. Das Hauptgewicht in unserem Betriebe legen wir in die Versorgung der zahlreichen Glashäuser und Wintergärten auf den zahllosen grösseren und kleineren reichen Landsitzen in England mit schönen Exemplaren der selteneren neueren und der gesuchtesten älteren Treibhauspflanzen. Bemerken Sie über dieser Thür die Nummer 105; es ist eine unserer neuesten, daher höchst nummerirten Abtheilungen. Jedes Haus hat deren drei, macht also dreissig bis vierzig Treibhäuser. Für die Wasserheizung und den Druck, der das heisse und kalte Wasser in den Röhren circuliren macht, sind sechzehn Wasser- und Dampfkessel in Thätigkeit. Hier in Chelsea ist ein Personal von sechzig Ober- und Untergärtnern beschäftigt, dazu noch zwölf bis zwanzig Tagelöhner, je nach Bedürfniss.

„Sie stehen gerade jetzt vor den Eriken. Die Sammlung ist durch die zahlreichen Ausländer, namentlich die Caphaiden, auf etwa hundert Varietäten angewachsen. Bei unserem Collegen, Mr. William Cutbush und Söhne in Highgate, finden Sie sogar hundertundfünfzig Nummern. Ihre Preise schwanken sehr; diese Erica gracilis kostet 75 Pfennige, aus jener Gruppe der Cavendishiana können Sie das Stück für 1,50 Mark bis zu 105 Mark kaufen; jene Erica depressa bewegt sich zwischen 2 und 210 Mark.

„Unsere Azaleen nummeriren jetzt schon bis zu einhundertzwanzig. Von Camelien führen wir sechzig Nummern, ihre Preise bewegen sich von 30 Mark für das Dutzend bis zu 400 Mark für das Stück. Von Rhododendren haben wir nur einen bescheidenen Bestand, etwa dreissig Nummern. Wir sind hierin keine Specialisten. Versäumen Sie aber ja nicht, Mr. Waterer in Woking zu besuchen; dort finden Sie eine grosse Gärtnerei, die sich ausschliesslich mit Rhododendren beschäftigt.

„Coniferen führen wir eigentlich nicht, Diese Specialität bearbeitet unser College, Mr. Thomas Jackson und Söhne in Kingston. Sie finden dort über einhundertunddreissig verschiedene Arten.

„Dagegen", fuhr unser Führer fort, „sind wir stark in den Farren. Sie finden sie in der Reihe von Häusern, die wir jetzt betreten. —

„Sehen Sie hier diese baumhohe Alsophila Australis mit drei Fuss langen Wedeln; unter ihr steht eine Sammlung der kleinsten Adianthen, das fälschlich sogenannte Frauenhaar. Die Preise schwanken dem entsprechend von 1,50 Mark bis zu 63 Mark für das Stück. Wir zählen jetzt gegen dreihundert Nummern, wovon die Hälfte Warmhauspflanzen.

„Von den Palmen haben wir zweiundfünfzig Arten, vom Epheu zweiundsechzig, nebst einhundertundzwanzig anderen Kletterpflanzen. Die Kletterer sind bei uns in den verschiedensten Klimaten zerstreut, vom Warmhause bis zur nördlichen Mauer im Freien.

„Aber", setzte der Obergärtner bescheiden hinzu, „alle diese Gruppen sind nicht unsere eigentliche Specialität. Aehnliche und reichere Sortimente treffen Sie bei unseren Collegen ebenfalls an. Jeder legt sich auf eine Besonderheit: Charles Turner in Slough bei Windsor bevorzugt die hochstämmigen Rosen und Rosenbäume, welche Sie allernächstens auf den Blumenausstellungen in Regent's Park und South-Kensington bewundern werden; nebenbei nehmen in seinem Kataloge die Pelargonien vierzehn Seiten ein. William Cutbush ist besonders stark in den Eriken, Thomas Jackson hat die schönsten Coniferen u. s. w. „Unsere Specialität sind die Orchideen und in neuerer Zeit die fleischfressenden Pflanzen. Seit Mr. Darwin die Welt auf diese interessanten Mörder aufmerksam gemacht hat, machen wir Jagd auf sie in allen Welttheilen".

„Wie so, in allen Welttheilen? Haben Sie denn überall gefällige Freunde, die für Sie sammeln?"

„Damit würden wir nicht weit kommen; wir betreiben die Sache rein geschäftsmässig. Wir halten sechs Gärtner, die jahraus jahrein für James Veitch & Sons die Länder in den Tropen und im Innern von Asien und Südamerika durchstreifen und dort in den Djungeln und Sümpfen, in den Wäldern der Ebene, bis hoch in den Himalaya hinauf und in den Anden von Peru, Jagd auf alles Neue und Interessante machen.

„Sie stehen hier in der Abtheilung, in welcher die Fremdlinge zuerst Aufnahme finden. Hier werden sie ausgepackt, gepflegt, zu neuem Leben erweckt, beobachtet, bestimmt und müssen auch Quarantaine halten. Denn mit ihnen kommen, wie Sie wol wissen, oft ihre gefährlichsten Feinde als Eier und Larven zu uns. Auch diesen lassen wir Zeit, sich hier in der Abgeschiedenheit zu erholen und zu entwickeln, um sie dann sofort zu vertilgen, ehe sie sich verbreiten, vermehren und unermessliches Unheil anrichten. So kam vor einigen Jahren mit der Nepenthes eine kleine grünliche, beinahe durchsichtige Ameise zu uns, die sich stark vermehrte, beflügelte, allem Räuchern und Spritzen widerstand und heute noch nicht ganz vernichtet ist". — Es war unsere Bekannte von der Dell.

„Lassen Sie uns also jetzt", fuhr der Obergärtner fort, „noch die Häuser der Orchideen durchwandern, der ausländischen Vettern unseres heimatlichen Knabenkrautes. Wir haben deren drei verschiedene Klassen: Kalthäuser für einheimische und andere harte Orchideen, wie z. B. verschiedene Arten des Odontoglossum; hier befinden wir uns in der zweiten

Klasse, den Catleyahäusern, mit einer angenehm gemässigten Temperatur von 20—25 Graden Reaumur. Sie finden hier einige der grössten und prächtigsten Blumen, die an seltsamer Originalität des Baues und brennendem Farbenschmelze nicht ihres Gleichen in der gesammten Pflanzenwelt haben; — mit den Namen will ich Sie nicht plagen.

„Hier im Warmhause finden Sie ebenfalls eine Reihe schöner, interessanter Wunder unter den Laelias und Vandas. Betrachten Sie einmal die Farbenpracht und die extravaganten, aber stets graziösen Formen: diese rothviolette Masdevilla gleicht einem Herzen, jene weisse einem Damenpantoffel; diese weisse hier mit dem breiten Purpurstreif sieht aus wie ein feenhafter Schmetterling, der gerade davon fliegen will. Und dann der wunderbare, feine narkotische Geruch! Sie sind geradezu raffinirt schön! —

„Wir haben von den Orchideen zweihundertacht und siebzig Arten, zum Preise von 7,50 Mark bis zu 168 Mark für das Stück. Die Sammlung stammt aus aller Herren Ländern. Jch beklage nur, dass auch hier, wie aus allen unseren Häusern, heute die schönsten Exemplare fehlen. Doch Sie werden dieselben ja in den beiden grossen Blumenausstellungen antreffen“.

Wir durchschritten staunend und bewundernd die lange Reihe dieser Häuser, deren tropische feuchte Luft, verbunden mit dem feinen stark gewürzten Dufte und den seltsamen Erscheinungen der Pflanzen, nebst ihren nicht minder fremdartigen Namen, uns betäubend und beklemmend umgab. So stimmten wir denn auch aufrichtig in den sachverständigen Enthusiasmus unseres Führers ein.

Am Schlusse gelangten wir endlich zu den berühmten Fleischfressern. Ihre Zahl ist durch die Jagderfolge der sechs reisenden Herren schon recht stattlich herangewachsen. Am anziehendsten wirkten, zunächst durch ihr schönes Aeussere, die Nepenthes carnivora und sanguinea. Es sind Verwandte der bekannteren Nepenthes phillamphora, die an einer rankenartigen, benachbarte Gegenstände spiralisch umschlingenden, Verlängerung des Blattes einen Schlauch trägt, ähnlich einer schmalen Kanne. Das Gefäss ist oben an seiner Mündung mit einem beweglichen Deckel versehen, wie ein Bierseidel. An der inneren Seite des Schlauches stehen Warzen, die eine wasserähnliche Flüssigkeit ausscheiden, eine Labung für Vögel und kleinere Thiere. Unsere Nepenthes entbehren, wie schon ihr Name anzeigt, dieses gemeinnützigen Charakters leider vollständig. Die unsrigen scheiden an dem verdickten Rande des Kelches und an der unteren Seite des Deckels Honig aus, der auf dem Boden des Gefässes sich ansammelt. Die hierdurch angelockten Insekten werden in der klebrigen Feuchtigkeit festgehalten und ausgesogen, wie eine Stachelbeere. Auf dem Tische unter den Kelchen lag eine grosse Anzahl armer, ausgepresster und vertrockneter Fliegenskelette! Weit unscheinbarer stellt sich Dionea muscipula dar, die bekannte Venus-Fliegenfalle. Ihr Blatt besteht aus zwei Klappen, ähnlich den Schalen der kleinen, geöffneten Muscheln. Am äusseren Rande befinden sich Haare, die in einander greifen und einen festen Verschluss bilden. In der Tiefe des Blattes bemerkt man auf der Spitze vieler rother Drüsen winzige Tröpfchen einer honigsüssen Flüssigkeit; sie sind bestimmt das Opfer anzulocken. Durch das sich aufsetzende Thier entsteht eine Reizung, die beiden Blatthälften schlagen zusammen, die Haare an den Rändern greifen in einander und das Insekt ist rettungslos zerquetscht. —

Wir wünschten sehr, die seltsame Carnivore in der Arbeit zu sehen. Da keine Fliege zur Hand war, berührte der Gärtner das Innere des Blatttrichters mit der Spitze eines Stäbchens. Sofort setzten sich beide Klappen in Bewegung und binnen vier Secunden etwa war die Falle geschlossen. Aber auch diese kurze Spanne Zeit ist der armen Fliege im Jnnern nicht zum Rückzuge freigelassen. Denn beide innere Flächen des Blattes sind ebenfalls mit Haaren besetzt, deren Richtung gegen die Mitte wol den Eintritt gestattet, die sich aber durch die Reizung aufrichten, wie ein Wald von Pallisaden den Rückzug versperren und das gefangene Opfer aufspiessen. Eine andere dieser Mörderinnen, die Drosera capensis, eine vornehme Verwandte des auf unseren europäischen Torfmooren lebenden, ebenfalls fleischfressenden, rundblätterigen Sonnenthaues, lockt die Insekten herein, indem sie ihren honigartigen Saft an der Spitze jedes der kleinen Stacheln im Innern der Blüthe ausscheidet. Der Anblick dieser winzigen hellen Tröpfchen, wenn die Blume, so zu sagen geladen ist, gewährt grosses Interesse. Wir betrachteten die gefährliche Schönheit genau und es gelang uns auch, den Honig zu kosten, indem wir vorsichtig und rasch mit dem Finger über die Stacheln hinstrichen.

„Man muss billig sein", bemerkte mein jüngerer Begleiter nach eingehender Prüfung, „der zarte, süsse, aromatische Geschmack der Venusfalle, wahrscheinlich mit einem für uns nicht wahrnehmbaren pikanten Dufte verbunden, ist für eine etwas leichtsinnige Fliege immer schon einer kleinen Sünde werth".

„Leider fehlt nur", erwiderte der lebenserfahrene, ältere Gefährte, „die Zeit zur Busse und Umkehr. — Eigentlich aber benehmen sich diese armen Fliegen genau so wie die Menschen in gleicher Versuchung. Sie sind ganz in derselben Lage wie etwa eine durstige Mannesseele, welche ihr Weg durch eine Strasse führt, die auf beiden Seiten mit gut renommirten Trinklokalen besetzt ist. Sie wird einkehren und sich sehr leicht „festkneipen".

„Oder", ergänzte mein Begleiter, „wie eine junge Frau in einer Gasse von Putzläden, die sämmtlich die reizendsten neuen Hüte ausstellen".

„O ja!" erwiderte ich „und dazu ohne einen Gemahl, der hinterher über die Rechnungen brummt. — Alle wir armen Sterblichen haben doch ein jeder einen schwachen Punkt, wo es uns »gelüstet« und wir »hineinfallen«. Das ist der Lauf der Welt!"

„Uebrigens", bemerkte der Obergärtner, „ist es nicht nur Bosheit oder Reizbarkeit, welche die Fleischfresser bewegt; sie handeln durchaus zweckmässig, denn sie bedürfen der thierischen Nahrung für ihren Kampf um's Dasein. Diese Frage hat kürzlich Mr. Francis Darwin, der Sohn, durch einen höchst sinnreichen und gelungenen Versuch entschieden. Er setzte 200 Pflanzen unseres kleinen, rundblättrigen Sonnenthaues in verschiedene, grössere Kasten, und theilte jeden dieser letzteren durch eine Holzwand in der Mitte ab. Um die Insekten abzuhalten, wurden Drahtglocken über die Kasten gestellt. Nun fütterte Darwin in jedem Kasten die eine Abtheilung, also die eine Hälfte der Pflanzen, mit ganz kleinen Schnittchen gebratenen Fleisches, während die andere Hälfte fastete. Dieses Experiment wurde durchgeführt vom Juni bis zum September. Dann wog man die sämmtlichen gefütterten und die sämmtlichen ungefütterten Pflanzen. Erstere hatten das doppelte Gewicht. Sie trugen ausserdem fast noch einmal so viel Samenkapseln und ihr Samen hatte insgesammt das vierfache Gewicht des Samens der unfreiwilligen Asceten".

So belehrt und gewarnt, verlassen wir diesen neuen Venusberg und treten mit unserem Führer wieder hinaus in die frische englische Luft. Zum Schlusse bitten wir, nach all' den ausländischen Bekanntschaften, auch unserer heimathlichen Blumenkönigin huldigen zu dürfen.

„Bedauere sehr", erwiderte unser Obergärtner, „aber die Rose gedeiht in der Luft von London nicht. Wir haben unsere Rosenschulen auf dem Lande, die eine in Coombe Wood für Pflanzen in Töpfen, die andere bei Putney Vale für ausgepflanzte Stöcke".

„Und Ihre Obsttreibereien?"

„Befinden sich ebenfalls in Putney Vale. Dann haben wir noch eine Niederlassung bei Fulham, die zu Versuchen mit Sämereien bestimmt ist. Dort werden die Kreuzungen unserer Pflanzen durch künstliche Befruchtungen bearbeitet. Aus dem hiervon entwickelten Samen ziehen wir die neuen Varietäten. Es ist das ein mühevolles Geschäft, eine Art von Lotteriespiel. Oft gewinnen wir aus tausend Pflanzen nur eine einzige schöne und constante neue Spielart. Deren Preis ist dann natürlich entsprechend hoch. Auch mit Verbesserung aller Gemüse befassen wir uns dort eifrig. Dabei muss man aber sehr vorsichtig sein. Oft geräth die neue Sorte bei uns im milden Sandboden vorzüglich und würde hernach bei den Käufern zurückschlagen. Wir versenden sie daher zunächst an Vertrauensmänner in Yorkshire und anderen Gegenden, wo sie auf Kalk-, Lehm- und Thonboden im Grossen angebaut und geprüft wird. Ohne Zweifel haben Sie schon mit einigen unserer bewährtesten Züchtungen, zum Beispiel: »Veitch's Herbst-Riesen-Blumenkohl« und Veitch's »Sich selbst schützenden Blumenkohl« Bekanntschaft gemacht.

Ohne Zweifel kannten wir beide, ihre Grösse, Schönheit, Zartheit und ihre vorzügliche Widerstandsfähigkeit gegen Herbstfröste; es ist mit einem Worte: »Alles was man verlangen kann!« —

Inzwischen waren wir den breiten Hauptpfad hinabgegangen, der den ganzen Garten vom Wohnhause her durchschneidet.

Wir hatten nun die Region der Gewächshäuser verlassen und es umgaben uns zu beiden Seiten Blumenbeete und harte Gartenpflanzen.

„Es ist nichts bedeutendes", bemerkte unser Führer halb entschuldigend, „aber man muss doch von allem etwas haben".

Unser Weg mündet in ein geräumiges Glashaus, das den hinteren Eingang der Gärten, von Fulham Road her, bildet. Eine Ausstellung von Dracänen, blühenden Rhododendren, Fuchsien und Azaleen, die uns bei unserem Abschiede das Geleit giebt, berechtigt keineswegs zu der Wahrnehmung, dass die besten Exemplare augenblicklich fehlen und nur „zweite Güte" hier zurückgeblieben ist.

VII.

Woburn Abbey.

An der Eisenbahn, die von Oxford über Bedford nach Cambridge führt, liegt die kleine Station Woburn in einem grünen wohlgepflegten Thale. Die Felder und Wiesen sind hier vielfach mit Hecken eingefasst und mit Bäumen bepflanzt. Sie würden Gärten gleichen, wäre nicht so viel Bewegung in den Linien ihrer Grenzen, mögen diese auch nur aus Gebüsch oder kleinen gewundenen Wasserläufen bestehen, soviel sanfte Bogenschwingung in den Fahrwegen und natürliche Unregelmässigkeit in der Stellung der Bäume, sodass 'die Monotonie unserer deutschen begradigten und geregelten rechteckigen Flurbilder hier nirgends den Wanderer ermüdet. Die Vermeidung der graden Linien in der Anordnung der nahen landschaftlichen Gegenstände wie in den Fernsichten, die Schonung aller schönen alten Bäume, auch wo sie wirthschaftlich zum
. Schaden stehen, und die überwiegende Benutzung des Bodens als Wiese und Weide, also die Herrschaft der grünen Farbe: alle diese Eigenthümlichkeiten bilden charakteristische Grundzüge in der ruhigen und heiteren, hochcultivirten und doch natürlichen englischen Landschaft. Die Fahrwege tragen nicht minder zu dem gartenhaften Eindrucke bei. Sie sind meistens vorzüglich angelegt und sorgsam unterhalten. Als Baumaterialien werden nur harter Kies und Schlagsteine benutzt. Der Weg ist nie breiter als erforderlich und kaum merklich gewölbt, so dass er fast eben erscheint. Sehr häufig giebt man der ganzen Fahrbahn eine leichte Abdachung, abwechelnd

nach der einen oder anderen Seite. Statt der bei uns üblichen Einfassung durch offene Gräben, läuft vielfach auf beiden Seiten ein vertiefter Streifen, durchlässig mit Bruchsteinen und Steinschlag gefüllt. Ausserdem wird das Wasser durch schmale Rinnen abgeführt, die sich im schiefen Winkel in das anliegende Grundstück verlieren und dort entleeren.

Der kleine Ort Woburn wird das Auge jedes Reisenden durch seine Sauberkeit und Ordnung, durch ein unverkennbares Gepräge veredelter Ländlichkeit erfreuen. Zu beiden Seiten der Strasse liegen zierliche Arbeiterhäuser und grössere Cottages, alle nach denselben Rücksichten der Zweckmässigkeit eingetheilt, aber fast alle verschieden in ihrer äusseren Erscheinung. Einige sind alt, wie das verwitterte, den grauen Gipsbewurf unterbrechende dunkle Eichenholz ihres Fachwerks zeigt, aber sie machen einen rüstigen, wohlerhaltenen Eindruck. Die jüngeren sind aus rothen Backsteinen; die Inschriften über ihrer Thür, welche das B unter der Herzogskrone umgeben, zeigen ein Alter von zwanzig bis dreissig Jahren. Diese neueren Gebäude geben uns wahre Modelle einer englischen Cottage. Der architektonischen Schönheit und dem Stile ist durch gefällige Giebeldächer, geräumige Hausthüren, gegitterte Rautenfenster entsprochen, sowie durch Büschel sechseckiger, hoher Schonsteine, welche die englischen Häuser so ganz besonders zieren und ihnen gewissermassen eine Krone aufsetzen. Aber neben dem malerischen Typus der Vorzeit hat man den modernen Anforderungen an Luft, Licht, Wärme und Trockenheit zu genügen verstanden. Jedes Häuschen steht in einem sauberen Gärtchen, in welchem jetzt, im Juni, gefüllte Levkojen, Stiefmütterchen und Rosen blühen. Hinter oder neben dem Hause erstreckt sich ein kleiner, üppig wachsender und reinlich gehaltener Gemüsegarten mit allerlei Obstbäumen besetzt.

Im Mittelpunkte des Städtchens, auf dem Markte, prangt, frisch angestrichen, das Wirthshaus mit dem Wappen der Russells, dem rothen steigenden Löwen und den drei Muscheln über der gastlichen Hausthür. Umgeben ist es von bürgerlichen, sauber bemalten Fachwerkhäusern, dazwischen die Schule und etwas abseits, in würdiger Zurückgezogenheit, die ungewöhnlich stattliche Kirche, für deren Bau im vorigen Jahrhunderte der damalige grosse Grundherr, auf dessen Familiensitze wir uns befinden, der vierte Herzog von Bedford — wie man erzählt — vierzigtausend Pfund Sterling (achthunderttausend Mark) ausgab.

Jenseit des Oertchens zieht sich der Weg die Höhe hinan, die das Thal in langem gleichmässigem Zuge überragt. Bald tauchen wir in einen Hohlweg ein, der zu beiden Seiten mit Nadelholz und immergrünen Blattpflanzen eingefasst ist. Er führt auf die Hochebene und an das nächstliegende Thor des Parkes von Woburn Abbey, eines Parkes, dessen drei Meter hohe Umfassungsmauer eine Länge von vier deutschen Meilen hat.

Nachdem wir das Thor durchschritten, nimmt uns der „Evergreen Drive" auf, ein Weg, der zwischen breiten Grasstreifen hinführt, deren jeder auf seiner anderen Seite durch Gebüsch abgeschlossen ist. Dieses besteht nur aus immergrünen Gewächsen. Den Hintergrund bilden hohe Nadelbäume, vor ihnen drängen sich grüne und scheckige Stechpalmen, kräftiger Laurustinus und hochgewachsener Evonymus, mit dunklen Cypressen und helleren Lärchen untermischt. Des Weges grösster Schmuck jedoch besteht in den herrlichen alten Cedern, die unter die schönsten in ganz England gezählt werden. Der vordere untere Rand des Busches ist sorgfältig mit wildem Rhododendron . ausgepflanzt, das gerade jetzt die Pracht seiner lilafarbigen Blüthen trägt. In sanft geschwungenen Wellenlinien, hie und da durch kurze Lücken unterbrochen, begleitet dieses wunderbare Gebüsch unseren Weg eine lange Strecke, bis derselbe in den offnen Park mündet. Man sieht auf Weideland und Bäume, einzeln und in Gruppen; den Hintergrund schliessen überall dichtere oder doch perspectivisch so erscheinende Bestände ab. Zu unseren beiden Seiten zeigen sich stattliche Cottages, von hohen Eichen und Ulmen beschattet, mit blühenden Glycinien und dunklem Epheu bewachsen, von niedlichen Gärtchen eingefasst. Es sind die Wohnungen der herzoglichen Beamten. Dann tritt rechts der grosse Wirthschaftshof der „Home Farm" hervor, links die Meierei, die „Dairy". Hinter diesen Gehöften biegt der Weg vor einer weiten, von Geflügel belebten Wasserfläche nach rechts aus und vor uns sehen wir das Schloss.

Woburn Abbey ist um die Mitte des vorigen Jahrhunderts im italienischen Geschmacke einfach und edel aufgeführt. Das Schloss bildet ein regelmässiges Viereck um einen inneren Hof. Nicht erhöht gegen die Umgebung, erscheint es durch die langen Linien seiner Seitenflügel auf den ersten Anblick etwas gedrückt. Die uns jetzt zugewendete hintere Front trägt in ihrer Mitte einen von vier ionischen Säulen gestützten mächtigen Giebel, das Erdgeschoss ist von unbehauenen Steinen. Der Park tritt auf dieser Seite unmittelbar an das Schloss heran ohne die Vermittlung gartenmässig behandelter Zwischenstücke. So bewegen sich denn auch die verschiedenen Gruppen des Weideviehs und des zahmen Damwildes in nächster Nähe der herrschaftlichen Wohnung. Diese unmittelbare Nachbarschaft giebt der Umgebung des Hauses eine natürliche Einfachheit und vornehme Ruhe, Eigenschaften, die namentlich bei den grossen Herrensitzen eine bedeutende Wirkung erzielen.

Wir wenden uns nur zögernd ab von diesem wohlthuenden Bilde ländlichen Genügens und treten durch die weite Glasthür unmittelbar in die grosse Speisehalle, ein beinahe quadratischer, von Säulen getragener Raum, dessen Wände mit figurenreichen, wohlerhaltenen Gobelins mythologischen Gegenstandes geziert sind. Eine Treppe führt uns hinauf in den ersten Stock. Hier läuft ein breiter Corridor an der inneren Seite des Schlosses durch sämmtliche vier Flügel. Diese zweckmässige Anlage dient, da überall Wasserheizung besteht, im Winter als Spaziergang und man verweilt um so lieber darin, als sie uns zugleich die Geschichte des grossen Hauses Russell in einer Reihe von Portraits und Büsten der besten Meister vorführt. Holbein, Van Dyck, Sir Joshua Reynolds, Gainsborough, Sir Thomas Lawrence haben nacheinander dazu mitgewirkt, der Erinnerung an diese zum nicht geringen Theile bedeutenden Männer und Frauen, von denen viele einen dauernden Platz in der Geschichte Englands einnehmen, auch eine hohe künstlerische Weihe zu verleihen.

Die Russells, bis dahin einfache wohlhabende Landedelleute, treten zuerst im Anfange des sechzehnten Jahrhunderts in die politische Oeffentlichkeit. Mit diesem Zeitpunkte beginnt auch die Gallerie der Portraits. Wir sehen hier, im schwarzen

Ompteda, L. v., Bilder. 6

Sammtgewande des Staatsmanns, John Russell, den ersten Earl of Bedford. Er wohnte der Schlacht von Pavia bei und hinterliess einen der besten Berichte über diesen merkwürdigen Sieg. Er war auch Zeuge bei der Vermählung Heinrich VIII. mit Anna Boleyn und schrieb darüber: „sie ist eine so liebenswürdige „gentille" Dame, als ich eine kenne und ebensoviel Königin als irgend eine in der Christenheit". Nachher war er, gewiss zu seinem Bedauern, auch einer ihrer Richter. Der Eindruck, den ihre Liebenswürdigkeit auf Russell gemacht hatte, wirkte, wie es scheint, dabei noch fort, denn die arme Königin, welche sich von ihren Richtern, namentlich von ihrem Verwandten, dem Herzoge von Norfolk, grausam behandelt fühlte, nahm davon Russell aus, der sich als „echter Edelmann (a very gentleman)" gezeigt habe. Durch verschiedene königliche Schenkungen erwarb er die unermesslichen Besitzungen, meistens eingezogenes geistliches Gut, welche — nebst den Stadtvierteln in London, in der Gegend von Coventgarden, Longacre, und um Bedford-, Russel- und Tavistock-Square über zweitausend Häuser einschliessend — noch jetzt den Reichthum des Familienhauptes ausmachen. Die jährliche Einnahme des Herzogs von Bedford bewegt sich, nach allgemeiner Schätzung, zwischen drei bis vierhunderttausend L. (sechs bis acht Millionen Mark). — Im Jahre 1550 wurde John Russell vom Könige Eduard VI. zum ersten Earl von Bedford erhoben.

Sein Sohn, der zweite Earl, zeichnete sich in der Schlacht von St. Quentin aus. Trotz dieser Verdienste aber wurde er, als standhafter Protestant von der Königin Mary in's Gefängniss geworfen. Er war jedoch ein Mann ohne Furcht und Tadel und wankte nicht. Freigelassen zog er sich nach Genf zurück bis zum Tode der Königin (1558). Dann wurde er einer der vertrauten Rathgeber der Königin Elisabeth, welche ihn der, zu allen Zeiten seltenen und hochgeschätzten Ehre eines Besuches auf seiner Besitzung Chenies würdigte. Indessen scheint diese Gnadenbezeugung zu jener Zeit etwas kostspielig gewesen zu sein, denn als ihre Wiederholung in Woburn in Aussicht stand, bat Russell den Minister Cecil: „er möge doch dahin wirken, dass der Besuch möglichst kurz ausfalle". —

Wir gehen weiter zum Bilde des vierten Earl, Francis, wohl einer der bedeutendsten Männer dieses befähigten Hauses.

Er gab demselben zuerst die ausgesprochene politische Ge-
sinnung und Richtung, die es seitdem mit Auszeichnung und
Ehre verfolgt hat. Nachdem er in Grays Inn die Rechte
studirt, wurde er einer der besten Kenner des Verfassungs-
rechtes und der Praxis des Parlamentes, und einer der Vor-
kämpfer der Volkspartei gegen die beiden ersten Stuarts.
Nachhaltiger noch hat er gewirkt als der Unternehmer einer
nicht nur für jene Zeit, grossartigen landwirthschaftlichen,
Melioration, mit welcher sein Name immer verbunden bleiben
wird. Eines seiner Güter, Thorney Abbey, lag in der Nachbarschaft eines ungeheuern Sumpfes welcher, etwa 600,000
Morgen gross, sich über verschiedene Theile der Grafschaften
Norfolk, Suffolk und Huntingdon erstreckte. Das Land war
ursprünglich trocken gewesen, aber im Laufe der Zeit durch
Nachlässigkeit und Ueberschwemmung ein unnahbarer Morast
geworden. Nach vielseitigen verunglückten Versuchen unter-
nahm Bedford im Jahre 1631 mit einigen anderen grösseren
Grundbesitzern das Riesenwerk gegen die Zusicherung von
etwa 140,000 Morgen aus dem zu gewinnenden Lande. Als
die Arbeit nach fünf Jahren fertig war, suchte der König
Karl I. durch einen Gewaltakt deren Früchte an sich zu reissen;
Bedford verlor seine Auslagen und die Entschädigung. Im
Jahre 1641 starb „der kluge (the wise) Earl", wie ihn seine
Zeitgenossen nannten. Erst im Jahre 1649, nach des Königs
Tode, wurde des Unternehmers Sohn, der fünfte Earl, mit seinen
Genossen in alle Rechte seines Vaters an der „Bedford-Ebene"
wieder eingesetzt und gelangte in den eigenthümlichen Besitz
von etwa 120,000 Morgen. Das Werk hatte den Unternehmern
ungefähr 400,000 L. (8 Millionen Mark) gekostet und viele von
ihnen waren durch den so lange vorenthaltenen Genuss der
Entschädigung ruinirt. Aber der grösste Lord hatte es ausge-
halten und durchgeführt.

Auch diese Neigung für landwirthschaftlichen Fortschritt
ist in der Familie vererbt worden und wird uns heute wohl
noch wieder begegnen.

Auf den glücklichen Landvermehrer folgt in der Gallerie
ein Paar, welchem in der Geschichte Englands wie in dessen
Kunst und Literatur ein unsterblicher Name und ein Andenken
bewundernden Mitleids bewahrt ist. Es sind des fünften Earls

6*

Sohn, Lord William Russell und seine Gemahlin, Lady Rahel Wriothesley. Sie war eine an Geist und Herz hervorragend begabte Frau, deren Einfluss aus dem jungen und, wie es scheint, geistig gerade nicht ausgezeichnet befähigten Lebemanne Russell einen ernsten, politischen Character und frommen, standhaften Christen entwickelte. Seine Stellung als einer der Führer der Volkspartei im Unterhause und seine festen Ansichten über die englische Verfassung und Kirche missfielen dem Könige Karl II. im höchsten Grade. Als Russell im Jahre 1680 seine Entlassung als Mitglied des Geheimen Raths einreichte, wurde die Bewilligung in der „Gazette" mit dem allerhöchsten, sonst durchaus nicht gebräuchlichen, besonderen Zusatze veröffentlicht: „With all my heart". Eine Aufrichtigkeit, die, ihrer Seltenheit wegen, immerhin Anerkennung verdient! Zwei Jahre darauf wurde Lord William in die sogenannte Rye-House Verschwörung verwickelt und nach einem kurzen unregelmässigen Verfahren ohne jeden gesetzlichen Beweis des Hochverrathes und beabsichtigten Königsmordes schuldig erkannt. Ein neueres Bild von Hayter, in einem der grossen Empfangzimmer zu Woburn Abbey, zeigt uns die Gerichtssitzung in der Old Bailey. Links die Richter, unter denen Lord Jeffreys blutigen Andenkens gebührend hervortritt. Rechts steht Russell, zu ihnen sprechend. In der Mitte sitzt zu ihres Gatten Füssen Lady Rahel an einem Tische mit Papieren, den ausdrucksvollen Kopf halb zurück gegen den Angeklagten und uns zugewandt. Der Künstler hat in sehr gelungener Weise ihre lieblich-ernsten, geistvollen Züge gegen den streng-todesmuthigen Ausdruck ihres Gatten gesetzt. Sie erscheint nicht allein als Sekretair, sondern auch als Beistand thätig. Nach dem Urtheile warf sie sich dem Könige zu Füssen und flehte seine Gnade an. Vergebens! Dann überwand sie jede berechtigte weibliche Schwäche und stärkte sich im Gefühle der Pflicht: durch ihr Beispiel des Unglücklichen Kraft zu unterstützen. Ihr Abschied von ihm ist, unter den grossen Momenten der englischen Geschichte, im Westminster Palaste durch ein ergreifendes Wandgemälde verewigt. Russell ging mit Fassung und, wie es scheint, mit einer gewissen christlichen Heiterkeit zum Blocke. Am Tage vor der Hinrichtung befiel ihn ein starkes Nasenbluten. Der Arzt wollte

ihm dagegen zur Ader lassen. „Lassen wir es heute gut sein",
wehrte Russell ab, „morgen bekomme ich ja einen ausreichenden
Aderlass". Ehe die Sheriffs ihn auf das Blutgerüst in Lincoln's
Inn Fields geleiteten, versicherte er ihnen nochmals feierlich:
dass er niemals auf des Königs Tod gesonnen habe, dass er
jedoch weitere Aufklärungen zu seiner Vertheidigung nicht
habe geben können, ohne Freunde blosszustellen. Dann zog er
seine Taschenuhr auf, mit den Worten: „Nun habe ich mit
der Zeit abgeschlossen und darf nur noch an die Ewigkeit
denken". Mit fester Haltung legte er sein Haupt auf den
Block und durch zwei Hiebe wurde es vom Körper getrennt.

Wenige Jahre darauf stand Jakob II., dessen Einflusse
auf seinen Bruder, den König Karl II., die Zeitgenossen einen
grossen Theil des damals so reichlich vergossenen unschuldigen
Blutes auf's Gewissen legten, selbst am Rande des Abgrundes.
Nun, „zu spät" ging er auch den Earl von Bedford um Rath
und Hilfe an. Doch der alte Mann soll dem Könige nur ge-
antwortet haben: „Ich hatte einst einen Sohn, welcher Euer
Majestät in Ihrer jetzigen Lage von grossem Nutzen gewesen
sein würde". —

Unzweifelhaft war es wesentlich dem Einflusse des grossen
Hauses Russell zu verdanken, dass die Mehrheit der Engländer
damals, wo man noch an die Göttlichkeit des Erbrechts
glaubte, sich dem jüngern protestantischen Zweige der Stuarts
und Wilhelm III. zuwandte.

Im Jahre 1694 wurde dem Hause die Herzogskrone
verliehen.

Die nun folgenden beiden Häupter der Familie aus dem
vorigen Jahrhundert, der zweite und dritte Herzog, die
directen Nachkommen der Lady Rahel, zogen das stille
Leben grosser Landedelleute zu Woburn Abbey den
öffentlichen Geschäften vor. Jedoch vergassen sie und der
vierte Herzog, wieder ein Staatsmann, niemals ihren historischen
Beruf als Kämpfer für politische Freiheit und religiöse
Duldsamkeit. Eben dieser vierte Herzog erbaute Woburn
Abbey in seiner jetzigen Gestalt und legte die schönen
Pflanzungen in Garten und Park an. Er schuf auch den
Evergreen Drive, durch den wir in den Park eintraten; jedoch
hatte er sich in seinen Neuerungen nicht immer des Ein-

verständnisses seines conservativen Obergärtners zu erfreuen.
Eines Tages protestirte dieser gegen gewisse Räumungen und
Lichtungen im Waldbestande, als dem Garten und dem Rufe
des Gärtners schädlich. Der Herzog antwortete: „Thut Ihr
was ich wünsche, und ich will Euern Ruf vertreten". Als
alles fertig war, setzte der Herzog an den „Immergrünen
Weg" folgende Inschrift: „Diese Pflanzung ist gelichtet von
John Herzog von Bedford gegen den Rath und die Ansicht
seines Gärtners".

Sein Enkel und Nachfolger, der fünfte Herzog, im Costüm
aus der Wende des vorigen Jahrhunderts und mit sehr
energischem Ausdrucke in den kräftigen Zügen, war einer
der treuesten Anhänger von Charles Fox und der beständigste
Gegner des Ministeriums Pitt. Unablässig bekämpfte er im
Oberhause dessen Kriegspolitik. Als aber 1796 Pitt eine vom
Parlamente bewilligte Kriegsanleihe von 18 Millionen L.
öffentlich auflegte, zeichnete der patriotische Bedford allein
100,000 L.

Nach seinem frühen Tode folgte ihm sein Nachbar in der
Gallerie, sein Bruder, als sechster Herzog. Er fügte den
Schätzen Woburns die bedeutende Sammlung italienischer
Bildhauerwerke hinzu, baute die grosse Markthalle von
Coventgarden in London, welche 800,000 Mark kostete, und
die Kirche in Woburn, an welcher wir heute Morgen vorüber-
fuhren. Nach zuverlässigen Mittheilungen giebt der Markt
von Coventgarden eine jährliche Pachtrente von 5000 L.
100,000 M.). In dem königlichen Verleihungsbriefe über
Coventgarden war dem Herzoge die Verpflichtung auferlegt,
dass er dort frische Erbsen, das „Peck" zu 4 d (33,3 Pf.) verkaufen lasse; augenscheinlich um dadurch, im Interesse der
Käufer, die Preise zu regeln. Und bis auf den heutigen Tag
wird dort in der Erbsenzeit ein Peck einmal im Jahre zu 4 d
verkauft, gemäss dem Wortlaute, wenn auch vielleicht nicht
ganz dem Sinne des „Charter" entsprechend.

Ausserdem begann dieser sechste Herzog den Um- und
Neubau der Cottages für die Arbeiter, deren Proben an
unserem Wege standen. Ein grosses Werk: „denn" bemerkte
der jetzige Herzog, als wir die Häuschen lobten, „eintausend

Cottages haben wir jetzt freilich umgebaut, aber ebensoviel
alte stehen noch da". —

Am Schlusse der langen Reihe tritt uns nochmals einer
der bedeutendsten Sprösslinge dieser begabten Familie entgegen, im Bilde als junger, in einer gelungenen Portraitbüste
als älterer Mann. Earl Russell of Kingston-Russell, der Welt
bekannter als Lord John Russell. Mit um so grösserem Antheile
betrachten wir die letzten beiden Darstellungen als erst wenige
Tage zuvor der dreiundachtzigjährige bedeutende Staatsmann,
dessen die Königin Victoria in den eben erschienenen „Aufzeich-
nungen aus dem Leben des Prinzen Albert" oft in dankbarer Anerkennung gedenkt, lebensmüde seine lange Laufbahn vollendet
hatte und in der Kirche zu Chenies neben seinem ihm voran-
gegangenen ältesten Sohne und seinem Enkel beigesetzt war.
Er wollte lieber hier in der Stille mit sechzig anderen Russells
und ihren Frauen ruhen als in der geräuschvollen Westminster-
Abtey. —

Wir haben jetzt in der Gallerie das Schloss rings
durchwandert, und stehen vor dem letzten Bilde, das uns an
hervorragender Stelle in Hoheitsglanz und Jugendschönheit
entgegentritt. Es ist das Portrait der regierenden Königin,
ein Geschenk zur Erinnerung an einen königlichen Besuch
zu Woburn Abbey im Jahre 1841.

Nun betreten wir die Empfangsräume (State. Drawing
Rooms), eine Reihe grosser stattlicher Säle und Zimmer.
Decken und Thüren sind aus weissem Stuck mit Vergoldung
oder aus seltenem geschnitzten Holzwerke. Ebenso sind die
Wände in Stuck oder mit schweren Stofftapeten überzogen.
Die Kamine sind in vergoldetem Metall mit hohen kunstreich
gearbeiteten Marmormänteln. Die Möbel entsprechen dem
Stile des Hauses, schwer und gediegen, mit reichen Stoffen.
Majoliken, Porzellan, alte Bronzen und Emaillen fehlen nicht
auf den Schränken, Tischen und an den Wänden. Ueberall
herrscht Pracht und Reichthum, aber auch überall reiner,
guter Geschmack; nirgends stören die geleckten modernen
Erzeugnisse des französischen Kunstgewerbes, der schwächliche sogenannte »Stil Ludwigs XVI.« Den schönsten Schmuck
jedoch aller dieser Gemächer bilden die werthvollen Gemälde.
Wir nennen hier nur die Namen der besten Meister, die in

unzweifelhaft echten Werken vertreten sind: Rubens, Van Dyck, Velasquez, Ruysdael, Wouvermans, Teniers, Cuyp, Poussin, Claude Lorrain, Philipp de Champagne, Salvator Rosa und eine Madonna mit dem Kinde von Murillo. Vor allem fesselte unser Auge ein Portrait des schönen und unglücklichen Grafen Essex, des letzten Geliebten der alternden Elisabeth. Eine tadellos gewachsene sehr schlanke Gestalt, ein reiches, sehr knapp anschliessendes Wamms, das Gesicht unbedeutend, kleine Züge, wenig Ausdruck, kleine Augen, dunkles Haar und rother Bart. Der schöne Essex macht entschieden den Eindruck eines sehr eleganten und um seine äussere Erscheinung ängstlich bemühten und besorgten jungen Herrn, eines »Swell«, wie jetzt die Engländer sagen würden.

Wir ruhen eine kurze Weile im sogenannten kleinen Speisezimmer und bewundern hier die schönen Van Dyks, vor Allem das lebensgrosse Portrait von Francis Earl Russell, dem glücklichen Landvermehrer; das Bild ist herrlich erhalten und sicher in seiner ganzen Ausdehnung vom Meister selbst gemalt. Im anstossenden grossen Drawingroom tritt ganz besonders hervor das schöne, auch durch den Stich bekannte Portrait der Lady Tavistock, Hofdame der Königin Caroline, von Sir Joshua Reynolds.

Den Schluss dieser glänzenden Zimmerreihe bildet die Bibliothek. Sie umfasst zwei Räume, deren zweiter, das Eckzimmer, vierundzwanzig Veduten aus Venedig enthält, von Canaletti für Bedford House in London gemalt. Aus der Bibliothek führen Glasthüren in die Blumengärten. Man tritt zuerst unter die breite Arkade, welche hier ununterbrochen an der Gartenseite des Schlosses entlang läuft. Dieser Gang ist, in steter Abwechselung, mit Rosen und anderen Schlinggewächsen überzogen; von Zeit zu Zeit unterbricht eine Blumengruppe, ein Springbrunnen, ein Marmorwerk oder eine der kolossalen Majolikavasen von Minton die Einförmigkeit des langen Weges. Ueber dem Gange befinden sich Wohnräume neben Gewächshäusern für einzelne Blumengattungen. Von dieser Arkade aus erstrecken sich die Blumengärten nach den verschiedensten Richtungen. Auch in ihnen wiegt der, von nur wenigen Hauptwegen

durchschnittene, dichte, kurze, reine Rasen vor. Kleine
Wasserflächen, besetzt mit Goldorffen und Goldschleien,
beleben ihn und kleine verstreute Blumenbeete, einfach in
Zeichnung und Auswahl der Pflanzen, wirken, in bescheide-
ner Unterordnung, die bunten Farben in den grünen Teppich.
Gruppen von Rhododendren und pontischen Azaleen weichen
etwas zurück und hinter diesen bilden immergrüne Strauch-
gewächse den Uebergang zu den grösseren baumreichen
Theilen des Gartens. An einer etwas erhöhten Stelle tritt
uns ein lebensgrosses Standbild der jetzigen Herzogin entgegen aus vergoldetem Kupfer, vom Bildhauer Böhm. Auch
durch die weiteren Gärten führen nur wenige sanft gewundene
Wege. Wo ein Baumgang oder eine andere gradlinige
Anlage der Vorzeit zu verwerthen war, hat man sie mit
Rasen umgeben und dadurch die Steifheit des Kiesweges
vermieden. Einen seltenen Anblick gewährt dem Festländer eine lange Allee grosser, üppig wachsender Araucarien
(imbricata). Mit ihren dunklen Zweigen langgestreckt auf
dem Hellgrün des Rasens lagernd, rufen sie einen ungewöhnlich ernsten Contrast hervor. Die Gärten zieren viele
mehrhundertjährige Eichen von sehr starker und gesunder
Entwickelung, zwischen ihnen auf Felsgruppen fröhlich ge-
deihende Alpenrosen, Edelweiss und verwandte Bergbewohner.
Näher am Schlosse stehen einige junge Eichbäume an ge-
sicherter Stelle. Einer schönen alten Sitte folgend, pflanzte
sie die Prinzess Royal von England, Deutschlands Kronprinzessin, zur dauernden Erinnerung an einen Besuch des
Ortes im Jahre 1874 mit eigener Hand. Ueberall bildet der
immergrüne Busch den Abschluss.

Dass einem so grossen Landsitze ein reichbesetzter Wintergarten nicht fehlt, ist selbstverständlich. Hier wirkt er um so
anziehender als er in unmittelbarer Verbindung mit der
Statuengalerie steht, einer Sammlung werthvoller italienischer
und anderer Arbeiten. An jedem Ende der Gallerie befindet
sich ein kleiner Tempel, links der Freiheit gewidmet, mit Büsten
von Fox und Canning, rechts den Grazien geweiht, mit einer
reizenden Gruppe der drei Charitinnen von Canova. —

Die Wanderung durch Woburn Abbey und alle seine
Herrlichkeiten hatte bereits einige Stunden in Anspruch

genommen; Augen und Füsse fühlten das Bedürfniss nach Ausruhen und so folgten wir willig unserem gastfreien Hausherrn zum Lunch in die uns bekannte grosse Speisehalle. Dort hatte sich inzwischen eine zahlreiche Gesellschaft von Herren zusammengefunden, meistens Gutsbesitzer aus der Nachbarschaft. Jedoch auch diese nur als Nebenfiguren um eine interessante und gelehrte aus London angekommene Mittelgruppe, deren Thätigkeit uns am Nachmittage belehren und erfreuen sollte.

Die Vereinigung zum Lunch ist eine der angenehmsten englischen Institutionen, da sie gesellige Zwanglosigkeit, frischen Appetit und gute Kost verbindet. Es waren zwei runde grosse Tische gedeckt, an deren einem man sich um den Hausherrn, am andern um dessen ältesten Sohn, den Marquis von Tavistock, nach Gefallen niederliess. In den grossen und guten englischen Häusern ist — jedenfalls zum Heile der Fremden — die nationale englische Küche ein überwundener Standpunkt, und eine gebildetere Verbindung der französischen Kochkunst mit dem vortrefflichen englischen Rohmateriale entspricht unserm heutigen Geschmacke in wohlthuender Weise.

Die nur in Wasser gekochten oder im eigenen Fette ohne ausreichende Würze gebratenen, für unsere Zunge einigermassen unfertigen Speisen, sowie die oft etwas eigenthümlichen süssen Schüsseln Altenglands sind hier verschwunden. Auch wird weder des Hausherrn noch des Gastes Kunstfertigkeit und Arbeitskraft durch Vorschneiden und Vorlegen in Anspruch genommen. Man servirt à la Russe; ein stattlicher Haushofmeister in schwarzen Kniehosen, unterstützt von gepuderten Bedienten in reicher Livree, nennt die verschiedenen auf Schänktischen und Buffets aufgestellten Gerichte und bringt, was wir gewählt haben.

Ein ebenso aufmerksamer Kellermeister schänkt dem Gaste Bordeaux, Portwein oder Sherry und bietet natürliches kohlensaures Wasser an, von welchem jetzt die Apollinaris-Quelle zu Remagen und das „Taunuswasser", vermuthlich ein collectiver Handelsname, besonders geschätzt werden. Gegen das Ende des Mahles wechselt man wohl den Platz, um ausgezeichneten oder sonstwie anziehenden Persönlichkeiten näher zu treten, und so vergeht die Zeit in behaglicher Thätigkeit und Ruhe — — bis die anfahrenden herzoglichen Wagen uns zu neuen Bildern entführen.

Wir halten zunächst bei der Home-Farm an, demjenigen Hofe, welchen der Gutsherr selbst zu bewirthschaften pflegt und der sich daher meistens durch einen gewissen Luxus in Gebäuden und Maschinen, in den Viehständen und in allerlei landwirthschaftlichen Versuchen auszuzeichnen pflegt. Hier finden wir fünfunddreissig schöne hirschköpfige Alderneykühe aufgestellt, von der Insel Jersey stammend und wegen der Zierlichkeit und Regelmässigkeit in Figur und Farbe, sowie wegen des reichen Fettgehaltes ihrer Milch jetzt als Park- und Luxusvieh am meisten geschätzt. Der Hof enthält geräumige Werkstätten für Schmied und Schreiner, welche hier, mit Unterstützung einer Locomobile, die Reparaturen für alle die grossen und kleinen Gebäude des weiten Gutscomplexes von Woburn herstellen. Wir besuchen von da aus die an der anderen Seite des grossen Fahrwegs belegene Dairy, den Milchkeller. Der innere Raum ist mit bunten Kacheln bekleidet, zwischen denen Friese von Majolika umlaufen, welche Allegorien der Jahreszeiten und Bilder aus der milchwirthschaftlichen Thätigkeit darstellen. Ein Springbrunnen regelt den nöthigen Feuchtigkeitsgehalt und eine Wasserheizung die Temperatur der Luft. Die Milchgefässe sind hier aus Glas, anderswo auch aus Porzellan oder emaillirtem Eisen, je nach dem wissenschaftlichen Standpunkte der herrschenden Meierin hinsichtlich ihrer vorzüglicheren Eigenschaften für das Ausrahmen der Milch. Schöne alte chinesische und japanische Schüsseln sind an passenden Plätzen als homogene Verzierung des Ortes aufgestellt.

Nachdem wir dieses, Kühle und Sauberkeit athmende Heiligthum nur ungern verlassen, führt unser Weg uns durch ein nahe gelegenes Parkthor hinaus in das freie Feld, zugleich in das Feld für die Thätigkeit der gelehrten Londoner Herren, deren vorläufige Bekanntschaft wir beim Lunch gemacht haben.

Während der Fahrt gelang es mir, mein Gegenüber im Brake, einen Gutsbesitzer aus dem benachbarten Warwickshire mittheilsam zu machen, indem ich zunächst die uns umgebende und alsdann die englische Landschaft und Landwirthschaft im allgemeinen lobte.

„Sie waren vermuthlich niemals in Holstein?" fragte ich, „dort finden Sie ganz ähnliche Hecken wie wir sie hier sehen; namentlich auch diese hohen Baumhecken auf breitem Erdrücken, mit einzelnen überragenden Hochstämmen; man nennt sie dort: Knicke; nur innerhalb der Koppeln duldet man dort keine Bäume, man hält sie für schädlich".

„Dieser Hecken- und Baumreichthum in unseren Feldern", erwiderte der Squire, „mag immerhin ein Stück alter angelsächsischer Gewohnheit sein, gehegt durch das ähnliche feuchte Klima, das beide Länder auf Viehzucht hinweist und durch den Wind. Ich war nicht im alten Angeln, aber ich kenne Frankreich, Belgien und Deutschland. Ich leugne nicht, trotz der Berge kommt uns in jenen Ländern die Gegend vielfach recht flach und unerfreulich vor". —

„Uebrigens", fuhr er fort, „erscheint unsere englische Landschaft dem durchreisenden Fremden immer etwas grüner und laubreicher, als sie es im durchschnittlichen Ganzen ist; denn in der Nähe der grossen Städte und längs der Eisenbahnlinien wiegt die Milchwirthschaft und die Viehmästung vor, das weidende Vieh aber bedarf der Hecken und Bäume zum Schutze und zur Hut, es bedarf auch der vielen kleinen Wasserläufe".

„Indessen haben Sie deswegen noch keine Campagna um London zu befürchten", bemerkte ich, „wie einst im alten Italien als der Pflug sich von Rom zurückzog; dafür sorgen, unsere heutigen Führer, die Herren Agriculturchemiker". —

„O nein!" bestätigte mein Squire vertrauensvoll, „aber Landrente und Arbeitslöhne sind um die Verkehrscentren sehr hoch, und Halmfrüchte, namentlich Weizen sind hier zu Lande nie so sicher als in den neuen grossen Exportländern; das beweisen unsere häufigen Fehlernten in unseren ebenfalls häufigen nassen Jahren; und dabei" — seufzte er — „d i e trostlosen Kornpreise!"

„Um Ihnen jedoch ein möglichst vollständiges Bild zu geben", hob er wieder an, „muss ich noch hinzufügen, dass auch hier die Ansichten über diese Frage getheilt sind. Noch kürzlich ist in der „Königlichen Ackerbaugesellschaft" ein „Paper" verlesen, in welchem ernstlich darauf hingewiesen wurde, dass

wir zuviel Bäume, Hecken, Feldwege und Wasserläufe haben.
Namentlich, so wurde ausgeführt, sind die isolirt stehenden hohen
Bäume ein schädlicher Luxus; sie halten um ihren Standort
die überflüssige Feuchtigkeit fest, wehren die Sonne ab, nutzen
den Boden stark aus und geben selbst kein gutes Nutzholz. In
ihrer Gesammtheit begünstigen die Bäume entschieden die
Feuchtigkeit unseres Klimas. Die unregelmässigen Koppeln
erfordern eine Menge von Wegen; die Hecken sind nicht einmal wirklich malerisch.

„Auf einer Feldmark von 4500 Morgen wurden in jenem
Vertrage berechnet: 45 Kilometer Feldwege und 3000 Kilometer Hecken, von denen die meisten hohe Knicke sind. Es
ergebe sich daraus im Ganzen immerhin ein Verlust von zehn
Procent des ertragsfähigen Landes!

„Doch hier müssen wir aussteigen". — Sämmtliche Gäste
verliessen die Wagen und sammelten sich um unseren
gelehrten Mittelpunkt. Was ich dort hörte und sah, will ich
versuchen, in nachstehender Skizze möglichst kurz wiederzugeben:

Im Jahre 1875 beauftragte die Königliche Landwirthschafts-
gesellschaft von England ihre chemische Abtheilung: durch eine
längere Reihe praktischer Versuche den verhältnissmässigen
Werth des Stalldüngers und verschiedener käuflicher künstlicher Düngerarten festzustellen.

Die Frage war praktisch geworden durch die neuere
englische Gesetzgebung, die dem abziehenden Pächter eine
Entschädigung zuspricht für die im Boden aufgesammelte,
von ihm selbst nicht mehr ausgenutzte Dungkraft (Gail und
Gaare) aus solchen Stoffen, die der Pächter zum Vortheile
der Wirthschaft aus seiner eigenen Tasche zugekauft hatte.
Die Ziele dieser Versuche und die Wege dahin waren von
den Gelehrten rasch gefunden, leider aber mussten sie den
Acker für die Ausführung lange vergebens suchen, denn
man sah ein, dass es zu keinem sicheren, brauchbaren
Ergebnisse führen würde, derartige Versuche vereinzelt an
verschiedenen Orten von verschiedenen praktischen Land-
wirthen anstellen zu lassen. Da erklärte der Herzog von
Bedford: er wünsche, dass diese Versuche auf seine Kosten
gemacht würden. Er überwies dem chemischen Ausschusse

eine Fläche von etwa 150 Morgen und einen seiner Pacht-
höfe mit dem nöthigen lebenden und todten Inventare zur
Wohnung für den örtlichen Leiter der Arbeiten und zur
Aufstellung des beneidenswerthen Viehes, an welchem die
Fütterungsversuche nach wissenschaftlichen Recepten gemacht
werden sollten. Für dieses richtete der Herzog acht Boxes
mit beweglichen Krippen ein, so dass mit der erhöhten
Stellung des Thieres bei fortschreitender Ansammlung des
Düngers unter ihm, im Verlaufe der Versuchsperiode, auch
die Krippe entsprechend erhöht wird.

Nachdem wir die Räume der Versuchstation, der Crawly
Mill Farm, durchwandert haben, betreten wir jetzt die Ver-
suchsfelder selbst, unter der Führung der Gelehrten, an deren
Spitze der Professor der Chemie, Dr. Völker, steht, ein
Frankfurter von Geburt, jedoch schon so lange Jahre in
England ansässig, dass es ihm nicht mehr ganz geläufig war,
seine wohlwollenden Gesinnungen für den Landsmann in
der Muttersprache vollkommen rein auszudrücken.

Das Versuchsfeld vor uns, sehen wir in regelmässige
Vierecke von etwa je einem Viertelmorgen eingetheilt, die
von Wegen begränzt sind. Die Versuche selbst laufen in
verschiedenen Richtungen. Ihr Zweck ist, wie gesagt, den
relativen Nutzwerth von Stalldünger. und künstlichem Dünger
zu ermitteln. Zur Erbauung meiner landwirthschaftlichen
Leser will ich mir einige möglichst sparsame Andeutungen
über die Ausführung dieser Versuche gestatten, da dieselben
immerhin interessante Vergleichungspunkte mit unseren
gleichartigen Bestrebungen bieten möchten. Verschiedene
Versuchsreihen waren gebildet, im Allgemeinen mit der
Fruchtfolge: Weizen, Turnips, Gerste, Klee. Mit je einer
dieser Früchte war eine zusammenliegende Reihe von
Blöcken bestellt, jeder einzelne Block aber hatte seine
besondere Düngung. Allen war animalischer Stalldünger
gegeben, das Product der Verfütterung von Gewächsen
(Wicken, Turnips, Klee), die im Vorjahre auf demselben
Viertelmorgen geerntet waren. Diesem selbst gewonnenen
Stalldünger waren nun die verschiedensten gekauften Zu-
sätze beigefügt, dem einen Blocke Rapskuchen, dem zweiten
Baumwollenkuchen, dem dritten Maisschrot, welche Stoffe,

mit jenen Gewächsen gemischt, verfüttert waren. Gegenüber diesen letzteren Zusätzen an Kraftfutter waren den anderen Blöcken chemisch gleichwerthe mineralische Düngersorten (Guano, Phosphate und Sulphate) eingestreut. Endlich hatte man auch berechnete Mischungen beider Gruppen nach den mannigfachsten verwickelten Recepten verwendet.

Eine andere Rotation war in der Weise behandelt, dass man denselben Blöcken Jahr auf Jahr dieselbe chemisch gleichwerthige Dungmenge zuführt, und zwar dem einen Theile von ihnen ausschliesslich als Stalldung, dem anderen ausschliesslich in der Gestalt verschiedener mineralischer Düngerarten. Endlich bestellt man eine Reihe von Viertelmorgen Jahr für Jahr mit Weizen, eine andere ebenso mit Gerste, beide theils ohne jeden Dünger, theils nach verschiedenen complicirten Recepten gedüngt.

Der Boden der Versuchsfelder besteht bis zu etwa 30 Ctm. Tiefe in einem schwach lehmigen Sande, unter diesem steht reiner Grünsand. Man kann sich also leicht vergegenwärtigen, in welchem bedauerlichen Zustande der Erschöpfung, in verschiedenen Stadien, diese natürlich armen, jetzt nachhaltig ohne alle oder doch ohne richtige Düngung und ohne Fruchtwechsel bestellten Felder dem landwirthschaftlichen Auge sich blossstellten. Um so grösser war selbstverständlich die Genugthuung der Herren Chemiker und ihr Eifer — auf diesem Wege fortzufahren. Es konnte nicht wohl zweifelhaft sein, dass am Schlusse der, auf sechs bis sieben Jahre berechneten Versuchsreihen, das ganze Feld „in Grund und Boden" ruinirt und auf lange Zeit für die wirthschaftliche Benutzung unbrauchbar sein wird. Der Herzog, der neben mir still den Erklärungen des Professors Völker gefolgt war, sah sich dieses Schachbrett von wenigen guten, meistens sogar höchst mangelhaften Beständen mit kopfschüttelndem Lächeln an. „Sehr interessant", meinte er; „für mich ist zwar die Frage nicht so praktisch, denn meine Pächter haben sämmtlich langjährige feste Contracte; ich bin indessen wirklich neugierig, was dabei herauskommen wird. Aber das sehen Sie, wenn wir so etwas hier machen, ein deutscher Professor muss stets dabei sein".

Man wusste nicht ganz genau, wie die letzten Worte gemeint waren. Dass der Herzog jedoch die „deutschen Professoren" hochstellt, dafür spricht wohl seine langjährige Erziehung in Deutschland, seine völlige Beherrschung unserer Sprache und kenntnissreiche Vorliebe für unsere Literatur. Diesen Bildungsgang theilte mit ihm sein jüngerer Bruder, Lord Odo Russell, welcher dadurch ohne Zweifel einen nicht geringen Theil der hervorragenden Eigenschaften entwickelt hat, die ihn dazu beriefen, England mit so hoher Auszeichnung schon seit einer Reihe von Jahren als Botschafter in Berlin zu vertreten.

Noch deutlicher aber hat der Herzog seine Anerkennung der deutschen Wissenschaft eben dadurch bethätigt, dass er dem „deutschen Professor" auf eine Reihe von Jahren einen Pachthof mit 150 Morgen Land und die gesammten Geldmittel für eine kostspielige Versuchswirthschaft zur freien Verfügung stellte. — *)

Von dieser hochwissenschaftlichen Farm aus wandte sich unsere Fahrt nach dem Parke zurück, der jetzt nochmals in bedeutender Ausdehnung durchmessen wurde. Sein Umfang von vier deutschen Meilen enthält selbstverständlich sehr verschieden behandelte Abtheilungen, nicht allein Weidegrund mit Bäumen, wir fahren auch durch weite, forstmässig gepflegte Flächen. Ein besonders eingezäumter Bezirk, The Thornery (die Dörnerei), genannt, zeigt sich als ein wilder mit Dornen und Gestrüpp bewachsener Waldplatz. In seiner Mitte steht ein Häuschen von einem Blumengärtchen umgeben. Wir könnten unsere Prinzessin Dornröschen hier suchen, wenn nicht mehrere offene Wege ungehindert hinein und hindurch führten. In diesen entfernten dichten Waldbeständen des Parkes steht das Rothwild so zahlreich, dass jährlich vierzig Stück abgeschossen werden. Die dem Walddickicht sich anschliessenden freieren Flächen, Blössen mit einzelnen Baumriesen über hohen Farren, bilden den Aufenthalt der Kaninchen und Fasanen — des Wilddiebs Reineke Jagdbezirk. Jetzt

---

*) Für das laufende Jahr 1879/80 ist der Herzog von Bedford, als Nachfolger des Prinzen von Wales, zum Präsidenten der „Royal Agricultural Society" gewählt worden.

nahen die grünen Weideflächen wieder heran, von den mächtig aufstrebenden und breitästigen Gestalten einzelstehender Eichen, Ulmen, Buchen und Tannen unterbrochen. Diese Bäume, · die niemals durch gedrängten Stand in die Höhe getrieben und in der Bewurzelung gehindert waren, breiten ihre untersten und mächtigsten Zweige auf dem grünen Grunde aus. Es sind Baumtypen von seltener Schönheit der natürlichen Entwickelung, unserem festländischen Auge ungewohnt. Zugleich aber unterbrechen diese mächtigen Stämme die Fernsichten und umrahmen einzelne Ausschnitte des weiten Bildes. Man vermeidet hier die langen, schmalen, ununterbrochenen Aussichten über ebenen Rasen, welche die Ferne künstlich näher rücken, immer schimmert die Entfernung, von Bäumen halbverdeckt, nur ungewiss durch. Es giebt nur wenige grosse Wege, man geht, reitet und fährt auf der Grasnarbe. Belebte Wasserflächen sind durch Abdämmungen des abfallenden vertieften Grundes an seiner Thalseite geschaffen, dann wieder durch Ueberfälle verbunden. Die Ufer liegen offen in Rasen, nur mit vereinzelten Trauerweiden und anderen Freunden des feuchten Untergrundes besetzt. Eine sehr schöne Wirkung rufen einzelne sorgfältig zusammengestellte Gruppen von gleichartigen blühenden Bäumen, Roth- oder Weissdorn, hervor, oder Gewächse helleren Grünes, die sich um eine riesige Blutbuche drängen. So ist man überall bemüht, durch harmonische Zusammenstellung in Form und Farbe, veredelte natürliche Bilder zu schaffen. Die leichten Drahtgitter, welche diese Pflanzungen gegen das Weidevieh und Damwild schützen, stören das Auge nicht. Ebenso werden die geschlossenen Weiden der Pferde durch einen unsichtbaren Drahtzaun umhegt. In unmittelbarster Nähe des Hauses erstreckt sich nun die Lawn, ein grosser freier, ebener, besonders gepflegter Rasenplatz, auf welchem Foot Ball, Cricket, das allmälig aus der Mode verschwindende Croquet und das alte, jetzt wieder beliebte Lawn Tennis von Damen und Herren geübt werden.

Die grosse Kunst der Parkgärtnerei in England — so belehren uns die wechselnden Musterstücke, die heute an uns vorüberzogen — strebt also dahin: jede Erinnerung an künstliche Anlage zu verwischen und nur die veredelte natürliche Land-

Ompteda, L. v., Bilder.   7

schaft darzustellen, sehr verschieden von dem, was man auf dem Continente so vielfach unter „Park" versteht und, namentlich früher, missverstand. Nur in der Nähe will man einen farbigen Blumengarten, von bunten Wegen durchzogen und mit zierenden Vasen geschmückt, einem Teppiche ähnlich, der sich um das Haus legt. Nirgendwo sieht man die Umfassungsmauer des Parkes, sie verbirgt sich hinter einer dichten hohen Wand von Tannen und Lärchen. Alle die kleinen Wohn- und Wirthschaftsgebäude der Thorwächter und Parkhüter stellen die veredelte Hütte, nicht aber die carrikirte Miniatur eines gothischen Schlosses, oder eine ähnliche Geschmacksverirrung dar. Licht, Schatten und Luft sind in der Landschaft weise vertheilt. Einzelschönheiten und Massenwirkungen wechseln ab und überall waltet eine grossartige, wohlthätige, frische, grüne Ruhe. Der englische Park ist die veredelte englische Landschaft und die englische Landschaft strebt, sich dem Parke nachzubilden.

Unter solchen Betrachtungen waren wir wieder in den schönen Evergreen Drive eingebogen und näherten uns dem Thore, das sich uns heute Morgen zu so grossartiger Gastfreundschaft geöffnet hatte. Im Scheiden suchte ich nach den unverzeihlichen Lücken, die der eigenwillige Herzog John hier in den Bestand hatte hauen lassen, und nach der Ehrenrettung seines Gärtners vor Mit- und Nachwelt. Beide waren verschwunden. Die alles versöhnende und ausgleichende Zeit hatte auch diese schmerzhaften Wunden längst geheilt.

VIII.
Die Blumenausstellungen.

Die allgemeine Neigung für Gärtnerei und Blumenzucht in Stadt und Land sowie der, zum nationalen Bedürfnisse entwickelte, massenhafte Verbrauch von Blumen und Zierpflanzen im geselligen und häuslichen Leben haben in England zahlreiche Vereine und Gesellschaften in's Leben gerufen, die, unter den verschiedenartigsten Modificationen in ihren besonderen Richtungen und Zwecken, sämmtlich diesen nationalen Bedürfnissen dienen.

Die beiden bedeutendsten dieser Gesellschaften sind: die „Royal Botanic Society" die königliche botanische Gesellschaft und die „Royal Horticultural Society" die königliche Gartenbaugesellschaft, beide in London domicilirt.

Die erstere besitzt den botanischen Garten in Regent's Park und veranstaltet dort in jedem Frühlinge und Sommer mehrere grosse gärtnerische Ausstellungen.

Ihre friedliche Concurrentin, die Gartenbaugesellschaft, besitzt schon seit 1804 ihren etwa fünfzig Morgen enthaltenden Garten zu Chiswik, am linken Ufer der Themse zwischen London und Kew. Ausserdem hat sie im Jahre 1851 einen zweiten etwa dreissig Morgen grossen, reich und geschmackvoll geschmückten Garten in London selbst neben dem South Kensington Museum angelegt. Auch hierzu ist die Initiative dem Prinzen Albert zu verdanken, der selbst die Pläne der Anlage zeichnete. Hier hält sie ihre grossen Ausstellungen, die „Flowershows".

Beide Gesellschaften sind sehr zahlreich und bilden für ganz England die Mittelpunkte aller Thätigkeit auf diesem Felde;

7*

113

beide verfügen über sehr bedeutende Geldmittel. Die Gartenbaugesellschaft hat etwa fünftausend Mitglieder, ihre jährliche
Einnahme aus Beiträgen beläuft sich auf mehr als 160,000 Mark.
Dem allen entsprechend sind auch die grossen Blumen-
schauen ausgestattet. Ein Blick auf die Preise, welche dabei
vertheilt werden, mag hiervon Zeugniss ablegen.

Für die Ausstellungen im diesjährigen Frühlinge hatten
beide Gesellschaften, mit unwesentlichen Abweichungen, etwa
folgende Preise ausgesetzt:

für neun grösste Rosen in Töpfen und für zwölf Warm- und
Kalthauspflanzen: je drei Preise von 400, 240, 160 Mark;
für zwölf Pelargonien und zwölf Orchideen: je drei
Preise von 240, 160, 80 Mark;
für die halbe Zahl dieser Blumen: je drei Preise zum
halben Betrage;

also im Ganzen ausschliesslich für diese vier Klassen: beinahe 4000 Mark.

Daneben besondere entsprechende Preise, in Geld oder
goldenen und silbernen Medaillen, für bestimmte Stückzahlen
von: Azaleen, Eriken, Farren, Rhododendren, schönen Blattpflanzen, Fuchsien; für Stiefmütterchen und Maiblumen; für
abgeschnittene Rosen u. s. w.

Sodann waren beträchtliche Preise ausgelobt: für die
effectvollste Gruppirung gemischter Pflanzen, ohne Rücksicht
auf die Qualität der Individuen; daneben für Obst und Gemüse;
endlich erhalten die grossen Handelsgärtner Diplome für neu
gezüchtete oder neu eingeführte ausgezeichnete Pflanzen. —

Diese Preise sprechen schon hinlänglich für die bedeutenden
Mittel der Gesellschaft, für die Wichtigkeit, welche in den
leitenden gärtnerischen Kreisen diesen Ausstellungen beigelegt
wird, endlich auch für die Mannigfaltigkeit und hohe Entwickelung der gärtnerischen Production in England.

Noch schlagender jedoch erscheinen mir folgende Be-
sonderheiten, indem sie die grossartige Ausbildung der Arbeitstheilung — das sichere Zeichen einer hohen Culturstufe —
auch auf diesem Felde in einem auf dem ganzen Continente
nicht bloss in Deutschland, unerreichten und kaum bekannten
Grade darthun.

Für fast alle diese Preisklassen existiren zwei parallele

Abtheilungen, also fast alle Preise sind doppelt ausgesetzt: einmal für Handelsgärtner und gewerbsmässige Pflanzenzüchter (nurserymen); daneben laufen Preise für Liebhaber der Gärtnerei (amateurs).

In letzterer Abtheilung treten die grossen Gartenbesitzer mit ihren Obergärtnern, zugleich aber auch kleine, selbst arbeitende Gartenfreunde auf.

Ferner erscheinen, bei den Ausstellungen im Sommer, Preise für die Gemüsegärtner (market gardeners), die im freien Lande wirthschaften.

Auch hat man, um junge Anfänger aufkommen zu lassen, besondere Prämien für solche Bewerber ausgelobt, die noch keinen ersten Preis errungen hatten. Im Laufe der Zeit waren nämlich einzelne übermächtige, so zu sagen: gewerbsmässige Aussteller emporgekommen, die während einiger Jahre überall sämmtliche grösste Preise davontrugen.

Zu diesen Prämien der Gesellschaften treten noch eine Reihe interessanter und charakteristischer, besonderer Belohnungen, die von reichen Mitgliedern und Gönnern ausgesetzt sind,

Opferwillige Gemüsefreunde geben bedeutende Geldpreise für Erbsen, Gurken und andere Vegetabilien des allgemeinen Verbrauchs.

Grosse Handelsgärtner setzen, zur Aufmunterung ihrer eigenen Kunden, Preise aus, bestehend in silbernen Pokalen, seltenen Pflanzen oder auch in Geld, für schöne Pflanzen, sowie für Früchte und Gemüse, in solchen Varietäten, die vom Geber selbst, während der letzten Jahre in den Handel gebracht sind, also von ihm bezogen sein müssen. So eröffnet Mr. James Carter, königliche Hof-Samenhandlung, jährlich eine Bewerbung um den „Carter Pokal" zum Werthe von 1000 Mark nebst 600 Mark in Geldpreisen, für die beste Auswahl von Gemüsen, vierundzwanzig verschiedene Sorten, von denen neun Sorten solche sein müssen die er selbst gezogen hat. Mr. James Veitch, den wir als den grössten Blumenzüchter kennen lernten, macht nicht einmal Einschränkungen zu gunsten seiner eigenen Züchtungen, sondern giebt eine Reihe von Preisen, im Gesammt-betrage von 2220 Mark, für Obst.

Erhebliche Preise bestehen für den mit den besten Früchten

geschmackvoll gezierten Frühstückstisch; andere für den mit
schönsten Blumenschmuck grösserer und kleinerer Mittagstafeln.

Endlich hat eine wohlthätige Dame, um eine schmerzlich
empfundene Leere auszufüllen, einen Preis von 200 Mark ausgesetzt: für das eleganteste neue Knopflochsträusschen (button
hole), eine dem vollendeten männlichen Abendanzuge in
diesem so betrübend ordensarmen Lande unbedingt nothwendige Zier.

Mit solchen Mitteln arbeitet man in den reichen Central-
stellen. Die Gartenbaugesellschaft, die zudem noch mit einer
schweren Schuldenlast von beinahe einer Million Mark zu
kämpfen hat, giebt etwa 60,000 Mark jährlich für Preise aus;
die Botanische wohl noch mehr.

Hören wir, zum Vergleiche, wie dieselben Ziele in den
kleinen Verhältnissen der Provinz verfolgt werden.

Die Gartenbaugesellschaft zu Richmond, Kew und Twickenham hatte im Jahre 1877 eine Einnahme von: 9840 Mark.

Ihre Ausgabe betrug:

    für 300 Preise.........................4940 Mark
    für die Kosten ihrer Ausstellung ....2640 =
    daneben für Papier, Druck und Porto etwa 1700 =

Die 300 Preise werden auf 136 verschiedene Klassen von
Gegenständen vertheilt; sie sinken von 100 Mark bis auf
4 Mark. Diese kleinsten Prämien sind sehr zahlreich, sie sind
wesentlich auf die Cottagers im Vereinsbezirke berechnet d. h.
auf die sogenannten kleinen Leute, die mit eigener Hand ein
Gärtchen bearbeiten; z. B. für 12 Zwiebeln, 4 Salatköpfe
60 Schoten Erbsen.

Von diesen 136 Klassenpreisen giebt die Gesellschaft 88;
es geben Privatpersonen 48 Preise, nämlich 1340 Mark an
baarem Gelde, silberne Pokale, verschiedene Medaillen, seltene
Treibhauspflanzen.

Auch hier begegnen wir sechs verschiedenen Prämien für
Tafeldecorationen und einer für den Schmuck des Knopfloches.
Um diese Preise können nur Damen aus dem Vereinsbezirke
kämpfen, welche die Gärtnerei nicht geschäftsmässig betreiben.

Endlich finden wir vier Preise für Pflanzengruppen zum
Schmuck der äusseren Fensterbretter, eine hübsche und durch
ganz England in Palästen und Hütten, in Stadt und Land ver-

breitete Sitte. Diese letzteren Preise sind nun wiederum nur zugänglich für Arbeiter, Handwerker und Bahnwärter, nicht einmal für Hausbediente.

Wir dürfen wohl in dieser Anordnung der Preise ein sehr lehrreiches Beispiel der Entwicklung durch Arbeitstheilung erkennen; zugleich auch eine praktische Uebertragung des, auf der Rennbahn entstandenen Systems des sogenannten „Handicappens", welches den Schwächern gegen die „freie" Concurrenz des Stärkeren schützt.

Die Blumenschau in Regent's Park.

Kehren wir jetzt wieder nach London zurück und treten in die beiden grossen Ausstellungen ein, welche beide Gesellschaften gewöhnlich zu Ende des Mai veranstalten.

Die Anordnung ist in beiden „Flowershows" verschieden. Die Gartenbaugesellschaft in South Kensington begnügt sich mit mehreren langen Zelten, die wieder durch bedeckte Gänge verbunden sind. Die Pflanzen stehen hier, in etwas marktmässiger Einfachheit, auf anspruchslosen langen Tischen oder auf dem natürlichen Erdboden, ohne jede Rücksicht auf Gesammteffect durch Gruppirung.

Die botanische Gesellschaft in Regent's Park legt dagegen ein wesentliches Gewicht auf die Anordnung und den Gesammteindruck ihrer Ausstellung. Ein ausgedehnter beinahe kreisrunder Raum ist mit einem hohen Zelte bedeckt. Unter diesem ist der Erdboden nach der Mitte zu trichterförmig flach vertieft. Am tiefsten Punkte, also im Centrum, finden wir eine Fontaine, mit einer Vorrichtung für die Bespritzung aller Theile des Zeltes verbunden. Sie ist mit Felsgestein gefasst, das durch entsprechende Pflanzen belebt wird. Um diese centrale Gruppe führt ein ringförmiger Weg. Die äussere Seite dieses Weges wird durch eine erhöhte, nach innen sanft abgedachte, ebenfalls ringförmige Böschung eingefasst, an welcher zahlreiche Gruppen kleinerer Pflanzen ausgestellt sind. Um die äussere höhere Seite dieser Böschung läuft wiederum ein breiterer ringförmiger Weg. Von dieser Hauptstrasse strahlen, in Form eines rechtwinkligen Kreuzes, vier Wege aus, die zu den Ein- und Ausgängen führen. Diese gekreuzten Wege theilen den grossen,

breitesten, äusseren Kreisring der ganzen Grundfläche in vier
Abschnitte, deren jeder in sanftem, in sich wiederum mehrfach
geschwungenen Bogen nach der Mitte zu vortritt. Auch diese
vier grossen Abschnitte steigen in allmäliger Erhöhung zur
äusseren Zeltwand hinan. Diese Anordnung des Raumes
gewährt von fast allen Punkten aus einen umfassenden Ueberblick, sowohl nach der Peripherie hinauf, als in den Mittelpunkt
hinab; sie gestattet eine bequeme Bewegung und Zugänglichkeit
und sie bietet an den convexen, mit vorspringenden Zungen
versehenen inneren Rändern der vier grossen äussersten Abtheilungen möglichst viel Raum für zahlreiche Beschauer.

Letztere waren heute bereits vollzählig eingetroffen obgleich
der Eintritt an diesem ersten Tage der Ausstellung 7,50 Mark
kostete. Viele unter den anwesenden Pflanzenfreunden widmeten
immerhin den grösseren Theil ihrer Thätigkeit dem Ausruhen
auf den schönen Rasenflächen vor dem Zelte und erfreuten
sich der musikalischen Leistungen, welche die Kapellen zweier
Garderegimenter abwechselnd vorführten. Dennoch enthielt
auch das Zelt selbst eine dichte Menge die mit ernstem
Interesse und mit der echten Sachkunde, welche nur durch eigene
Praxis erworben wird, sich der Besichtigung und Beurtheilung
des Bekannten und des Neuen unterzog.

Zu diesen Eingeweihten durfte auch ich mich heute aus-
nahmsweise rechnen, gedeckt durch die Führung, unter deren
Flagge und Schutz ich diese Räume betrat. Beim Lunch, in
einem befreundeten Hause in Hanover-Square, hatte ich die
Bekanntschaft eines liebenswürdigen Ehepaars gemacht; das
Gespräch fiel bald auf die grosse Nummer der heutigen Tagesordnung, den Flowershow in Regent's Park und es ergab sich,
dass Mr. und Mrs. F., vorzugsweise zu diesem Zwecke aus ihrer
ländlichen Einsamkeit auf der Insel Wight, in die heisse, volle,
lärmende Stadt gekommen waren.

„Ich rathe Ihnen sehr", sagte mein Gastfreund, „sich meinem
Vetter F. anzuschliessen. Er ist der Schöpfer und Eigenthümer
eines der schönsten Landsitze bei Sandownava, ein durchgebildeter
Gärtner und nebenbei ein gescheiter origineller Kauz. Mrs. F.
ergänzt ihren Gatten sehr glücklich; sie ist, trotz ihrer mittleren
Jahre, immer noch die warme und leichtherzige Irländerin, voll
Enthusiasmus für alles „Gute und Schöne"; nebenbei etwas

Blaustrumpf, es werden ihr sogar gedruckte Verse nachgesagt. Sie würden also Gelegenheit haben, nicht nur zu sehen, sondern auch einen doppelten Commentar über alles, was Sie sehen, zu hören".

Meiner Bitte, mich anschliessen zu dürfen, kam Mr. F. mit einer freundlichen Aufforderung zuvor und so — waren wir hier.

„Sehr gut gemacht", sagte Mr. F., nachdem wir einen allgemeinen Ueberblick gewonnen hatten, „der Gesammteffect ist wirklich sehr gut, man darf zunächst die Herren Directoren, wegen i h r e s Antheils an den Leistungen hier, beglückwünschen. Die Bekleidung aller Wände mit dichtem Grün ist neu und die hohen Palmen und Dracänen mildern und heben die Farben der Blumenmassen".

War nun schon bei dem einheimischen, des Anblicks gewohnten Publikum, die Anerkennung vorherrschend, so musste der Fremde umsomehr von Bewunderung der meisterhaften Leistungen erfüllt werden, die hier in der Blumenzucht vorgeführt wurden.

Mrs. F. war so liebenswürdig meinem Enthusiasmus Worte zu leihen:

„Meinen Sie nicht, dass das schon allein eine Reise werth ist? Wo wäre sonst Gelegenheit so etwas zu sehen? Hier finden Sie die Wunder des Pflanzenreichs und die schönsten Blumen jedes Erdtheils versammelt, die seltsam schönen Orchideen aus den Wäldern von Brasilien, die Rhododendren und Azaleen des Himalayas, die schlanken Palmen aus den Ländern der Sonne, die Wasserwunder aus den Teichen von Madagaskar" — —!

„Liebe", unterbrach sie der Gatte, „verzeihe, wenn ich den Flug Deiner Empfindungen einen Augenblick anhalte, aber erinnere Dich doch des Palmenhauses in Frankfurt und des Flors von Camelien und Azaleen, die wir dort im vorigen März sahen; das war doch auch nicht so ganz übel".

Es wäre unritterlich gewesen, meiner Gönnerin nicht zu Hilfe zu kommen.

„Frankfurt und auch die Flora in Köln", bemerkte ich bescheiden, „können sich allerdings in diesen Punkten wohl sehen lassen; aber im allgemeinen müssen wir der englischen Blumenzucht als Kunst weit den Vorrang, nicht nur vor der deutschen, sondern vor der gesammten Continentalen zuerkennen".

„Ist das Ihr Ernst?" fragte Mrs. F., mich halb befriedigt
halb noch zweifelhaft ansehend.

„»Mit Ladies soll man sich nie unterstehen zu scherzen
sagt eine bekannte hohe Persönlichkeit«", beeilte ich mich zu
betheuern. „Wir waren ja so ziemlich alle im vorigen Jahre
in Paris; die Ausstellung der Blumen und Pflanzen, die sich
dort dem linken Ufer der Seine entlang zog, war gewiss ausgedehnt und auch inhaltreich, aber sie kann doch nicht im
allerentferntesten einen Vergleich mit diesem Schauspiele vor
uns bestehen; wahrhaftig nicht!"

„Für den Anfang", erklärte Mr. F. „kann meine Frau wohl
zufrieden mit Ihnen sein; sehen wir uns jetzt einmal die
einzelnen Klassen an, hoffentlich bestätigen sie den günstigen
ersten Eindruck".

In Worten ein vollständiges Bild der gesammten Schaustellung zu geben dürfte schwierig und würde ermüdend sein.
Wir werden uns daher begnügen müssen, bei den Erscheinungen
die unter allem durchgängig vorzüglichen, ganz besonders
hervorragen, einige kurze Augenblicke zu verweilen..

Zuerst die riesenhaften Rosenstöcke, welche Mr. Charles
Turner, der grosse Handelsgärtner in Slough bei Windsor,
ausstellt. Wunder von Leistungen! Eine Gruppe von neun
Pflanzen in schweren Kübeln, die starken Stämme etwa einen
Meter hoch, darüber eine Krone, deren Durchmesser in der
Breite etwa zwei, in der Höhe etwa anderthalb Meter ausmacht.
Die ganze Form ist flach gedrückt und nähert sich einer Halb-
kugel. Die gutbelaubten, gerade gestreckten Zweige streben
strahlenförmig nach allen Richtungen hinaus, sie sind innerhalb
des ganzen mit grosser Gleichmässigkeit vertheilt. Schon
dadurch erhält die Pflanze für das, an den natürlichen winkeligen
Wuchs unsrer hochstämmigen Rosen gewöhnte Auge etwas
imponirend Fremdartiges. Die Bäume sehen etwa einem in
Kugelform gezogenen Lorbeer ähnlich oder, noch besser, den
Phantasiebildern der Rosen- und Apfelbäume wie wir sie in
den Bilderbüchern unserer Kinder finden. Richtung und
Streckung erhalten die Zweige durch sehr dünne schwarze
Stäbchen, denen entlang sie geführt sind. Augenscheinlich
wurden aber bei der Jugenderziehung der Pflanzen noch
andere Mittel angewendet, um jeden Zweig, durch Feststellen

mittelst Fäden, in die ihm angewiesene Lage zu gewöhnen. Auf der Oberfläche der Pflanzen jedoch, an welche man unmittelbar herantreten konnte, waren diese letzteren Unterstützungen nicht mehr sichtbar. Die, an sich schon ausgezeichneten, trotz ihrer beträchtlichen Anzahl sehr gleichmässigen neun Rosenbäume waren bedeckt mit einer überraschenden Fülle der grössten, schönsten, vollkommensten, frisch erblühten Rosen. Ich zählte auf der, meinem unverrückten Auge zugewandten Hälfte der Oberfläche siebzig volle aufgeblühte Rosen und etwa dreissig in der Entfaltung begriffene Knospen!

„Das wären zweihundert Stück" berechnete Mrs, F. „aber das ist durchaus noch nicht Mr. Turners grösste Leistung. Im vorigen Jahre stellte er einen Charles Lawson aus, dessen Krone über zwei Meter Durchmesser hatte und der dreihundert aufgeblühte Rosen trug. Ihm gegenüber stand eine Céline Forestier von ähnlicher Grösse, auf der mehr als dreihundert Blumen in voller Blüthe prangten".

An den neun Rosenbäumen vor uns waren alle Farben vertreten: dunkelroth, rosa, weiss und feuriges gelb. Man hatte die Gruppe so geschickt an die leicht erhöhte Böschung gelehnt, dass jede einzelne Pflanze für sich hervortrat und zugleich alle sich zu dem wirkungsvollsten Ganzen vereinigten. Hiezu trug auch die Färbung der Kübel wirksam bei. Diese waren nämlich nicht, wie bei uns allgemein üblich — einfach aber gedankenlos, — grün gestrichen sondern ahmten dunkles kräftig gemasertes Eichenholz nach, auf dem die schweren Eisenbeschläge schwarz abgesetzt waren.

„Das ist wirklich sehr wunderbar und grossartig", erwiederte ich „und mir, als wissbegierigem Reisenden, liegt dabei die Frage ganz besonders nahe: wie wird es gemacht?"

Mr. F. lächelte bedeutsam. „Wir haben es auch versucht, denn meine Frau träumte einige Zeit nur von »Riesenrosen«. — Von ihr können Sie daher ganz genau erfahren wie die Sache — nicht geht".

„Ja", gestand Mrs. F. aufrichtig, „wir kauften vier solcher junger Pflanzen und thaten unser bestes an ihnen; ich sah schon erste Preise auf unseren Obergärtner herabregnen — er selbst sah allerdings keine — und richtig: es mislang

vollständig! Zu dieser Vollkommenheit, so behauptet mein
Gärtner, gelange man nur durch langjährige, unendlich
detaillirte Mühe und Arbeit. Die Anzucht der Individuen, ihre
Behandlung mit Wärme, Licht, Wasser und Dünger, das Versetzen, der Schutz, die Entwickelung der Holzaugen, die mehr-
jährige Unterdrückung der Blüthen, endlich das Antreiben zum
gleichzeitigen Blühen am bestimmten Tage der Ausstellung:
das alles erfordere alte, traditionelle Erfahrungen, unausgesetzte
Sorgfalt und weite Räumlichkeiten. — Ueber alle diese
Voraussetzungen zusammen hat auch der grösste Privatgarten
nicht zu verfügen. Aber Turners Rosen", so schloss Mrs. F.
mit Emphase, „sind und bleiben der Triumph unsrer Gärtnerei".
„O ja!" setzte der Gatte kaltblütig hinzu, „es sind kapitale
Kunststücke. Man sieht daran, was die Natur sich abnöthigen
lässt. Eine schöne, hochstämmige Gloire de Dijon in meinem
Rosengarten bringt es nicht über dreissig Blumen und auf-
hlühende Knospen zu gleicher Zeit". —
Nach den Rosen fesselten die Azaleen unsere Aufmerksamkeit. Diese Klasse war sehr zahlreich beschickt, aus
Handels- wie aus Privatgärten. Auch hier standen wir vor
Wundern der gärtnerischen Kunst. Bei dieser Blume ist es
nicht so schwierig, der Vorstellung des Lesers zu Hilfe zu
kommen, da die Azalee auch auf unseren heimischen Ausstellungen häufig in einzelnen ausgezeichneten, künstlich gezogenen Exemplaren zu sehen ist. Hier aber treten grosse
Gruppen auf, in den prächtigsten Farben: dunkelroth, orange,
lachsfarbig, rosa, scheckig, weiss. Die kreisförmige Pyramide
wiegt vor, vollendet regelmässig und ausschliesslich mit Blumen
bedeckt, eine geschlossene dichte Oberfläche, kein Blatt
sichtbar. Dutzende von kegelförmigen Pflanzen stehen auf dem
grünen Rasen vor uns, etwa 1,50 Meter hoch und 0,75 Meter
im Durchmesser der Grundfläche. Daneben breitet sich eine
Gruppe von sechs Pflanzen, die wie ein flacher Sonnenschirm
gezogen sind, der Bogen über die Oberfläche misst 1,60
Meter. Auch hier ist das Kunststück des gleichzeitigen Auf-
blühens überall vollständig gelungen.
„Sind sie nicht herrlich, diese Wunder der veredelten
Natur?" fragte mich Mrs. F. strahlend, „mich entzücken sie
stets von neuem; welchen Eindruck müssen diese Prachtstücke

nun gar auf einen Fremden machen, der sie zum ersten Male sieht".

„Allerdings", bestätigte ich, „es sind grossartige Kunstleistungen, die man bei uns eigentlich nicht kennt".

„Da sind Sie glücklich!" platzte Mr. F. heraus. „Ich sehe jetzt dieselbe Collection bereits seit Jahren auf jeder Ausztellung; Blumenscheiben und farbige Bälle, Sonnenschirme von hypertrophischen Pelargonien', Pyramiden von Azaleen: Zopf! Zopf! keine einzige natürliche Pflanze!"

„Ich gebe zu", stimmte ich ein, „sie erinnern etwas an Lenôtre's geschnittene Taxusburgen und an die holländischen Schiffe und Gänse von Buchsbaum".

„Wollte sie mir Jemand schenken", fuhr Mr. F. geringschätzig fort, „ich würde mich schön dafür bedanken; denn ein halbes Dutzend würde meinen Wintergarten vollständig ausfüllen".

„Ich weiss, Du würdest anbauen, — mir zu Liebe", versicherte die Gattin.

„Nun, ich frage Sie" wandte sich Mr. F. zu mir „ob diese Verstümmelung schön ist?"

„Im frankfurter Palmengarten", erwiderte ich, „lässt man die Azaleen als freie Büsche wachsen".

„Und hier", fuhr er fort, „nicht ein einziges Blatt am ganzen Baum, als ob Blätter eine Unvollkommenheit der Natur wären".

„Aber lieber George", erwiderte die optimistische Irländerin ganz ernsthaft, „die Blätter sind ja durch die Veredlung in Blüthen verwandelt".

Ich blieb ganz ernsthaft.

„Die Dinger sehen aus", erklärte jetzt ziemlich energisch Mr. F., um die Diskussion wirksam abzuschliessen, da ihm diese letzte physiologische Ansicht seiner Gattin offenbar bedenklich wurde, „sie sehen gerade aus wie eine schöne Frau, die — kahlköpfig ist. Glauben Sie, dass der Lovelace Paris einer solchen Venus den Apfel gereicht hätte?"

„Oh, schäme Dich, George", rief jetzt Mrs. F., sich anstandsvoll abwendend, „schäme Dich!" —

„Lassen Sie uns zu den Pelargonien gehen", bat ich um die Besichtigung wieder in Fluss zu bringen. „Ich las häufig

in Gardener's Chronicle, zu welch hoher Vollendung man sie
hier entwickelt hat". —

Die dreimal zwölf Exemplare welche die oben erwähnten
grossen Preise von 240, 160 und 80 Mark erhielten, waren
gezogen und gebunden wie flache Schirme, der Bogen über
den Scheitelpunkt 1,30 Meter messend, bedeckt mit Blumen in
voller Entfaltung.

„Die nennt man Ausstellungs-Pelargonien (Show pelargoniums)"
sagte der unerbittliche Mr. F. ziemlich verächtlich. „Betrachten
Sie lieber hier das alte echte Zonale und dort die sogenannten
Phantasie-Pelargonien; es ist eine reiche Auswahl buntge-
färbter Spielarten, erzeugt durch unendliche Kreuzungen
mittelst künstlicher Bestäubung; diese Gruppe hier durchläuft
von links nach rechts alle Schattirungen, vom dunkelsten
Braunroth bis fast zum reinen Weiss".

In der Klasse der Eriken begegnen wir mächtigen Pflanzen
mit grossen, lebhaft gefärbten Blüthen. Sie stammen vom
Cap der guten Hoffnung. Daneben erfreuen uns unsere ein-
facheren kleinen europäischen Haiden. Alle Pflanzen sind mit
feinen schwarzen Fäden aufgebunden, so dass die Zweige locker
und gleichmässig nach allen Richtungen hin auseinander
streben.

Verweilen wir jetzt noch kurz bei den Orchideen, diesen
interessantesten aller Warmhauspflanzen. Wir begegneten
ihnen schon in Kew, in den Handels- und in den Privatgärten;
ein Orchideenhaus fehlt heut zu Tage in England auf keinem
grösseren Landsitze. Ist es nicht Selbstzweck, als Sammlung
oder für das Studium, so dienen doch diese, durch Form, Farbe
und Geruch so seltsamen schönen Kinder der tropischen Sonne
als Zierde der Blumentische und der geschmückten Mittags-
tafel, wo sie dann allerdings in der ihnen tödtlichen trocknen
Atmosphäre nur ein kuzes Dasein führen.

„Bitte, sehen Sie", rief mich Mrs. F. heran, „hier in dieser
reichen Gruppe, diese Cattleya Leopoldi mit acht Trieben und
diese Laelia purpurata mit neun wunderbaren grossen Blumen.
Sie kennen den Eigenthümer jedenfalls — vom Ansehen?"

„Nein, ich hatte noch nicht die Ehre".

„Haben Sie nie Nachmittags um 6 Uhr die Satge Coach
von Brighton an Hyde Park Corner vorüber fahren und in

Piccadilly vor dem alten Ausspannhause, dem „White Horse
Cellar" anhalten sehen, mit dem fröhlichen Hornbläser auf dem
hinteren Decksitze? Der lange Gentleman mit dem mächtigen
rothen Bart, der sie so kunstgerecht führt, ist Lord Londesborough,
der Eigenthümer dieser herrlichen Orchideen. — Das wundert
Sie? — Was wollen Sie? — es ist nun einmal sein Beruf —
ich meine die Coach — nicht: die Orchideen. Sie sollten doch
an einem schönen Tage mitfahren nach Brighton, dabei sehen
und erleben Sie noch — ein Stück Altengland" — —

„Allen Respekt", unterbrach uns hier Mr. F., „vor diesem
Odontoglossum vexillarium mit 26 Blumenstielen und 160 wohl-
gezählte Blumen daran; der Aussteller ist natürlich der
Baron Rothschild. Das ist einmal eine, dieses Eigenthümers
würdige, Abundantia; gewöhnliche Sterbliche bringen dieses
Odontoglossum kaum höher als auf 30 bis 40 Blumen".

Die gemischten Pflanzengruppen boten eine Reihe fesselnder
kleiner „Ansichten der Natur". Die Kunst strebt hier dahin,
sich selber vergessen zu machen und möglichst eine ideale
Natürlichkeit darzustellen. Einer jeden von diesen grossen
Gruppen ist ein Raum von etwa 30 Quadratmetern angewiesen.
Womit dieser Platz ausgefüllt wird, möge folgender Blick auf
diejenige Gruppe zeigen, die den ersten Preis erhielt:

Palmen, Dracänen und hochstämmige Farren sind in
flachem offenen Bogen weit gesetzt; die Zwischenräume sind
ausgefüllt mit hohen mittleren und niedrigen blühenden Fuchsien,
Azaleen, Pelargonien, Spiräen, dem feurigen Anthurium
Scherzerianum und Lilium auratum. Das ganze zeigt eine
wohl abgemessene Harmonie in den allgemeinen Conturen
und grosse Abwechslung in den einzelnen Gliedern der Gruppe.
Von brillanter malerischer Wirkung sind die lebhaften Farben
der bunten Blüthen auf dem dunklen Grün der Palmen,
Dracänen und Baumfarren. Ganz allmählich senkt sich diese
wellenförmig bewegte Oberfläche leise zum Vordergrunde
herab.

Ich wartete auf Mr. F's. Kritik.

„Das ist nicht übel", bemerkte er, „ein wenig gedrängt
und das Bunte etwas unruhig. Uebrigens sind diese Gruppen
von sechs auf fünf Meter Grundfläche ziemlich unpraktisch.
In keinem englischen Hause von durchschnittlicher Grösse

kann man für diesen Zweck einen Raum von auch nur
annäherndem Inhalte anweisen. Für unsere Wohnungen und
Wintergärten sollte man das System der kleinen Gruppen
mehr cultiviren: sehr sparsam sein mit den grossen Pflanzen;
ein dichter Hintergrund von grünem Blattwerke; davor kein
Gedränge, hübsch locker; ja nicht zu vielerlei buntscheckige
Farben; reichliche Verwendung niedriger und kleiner Gewächse;
alle Töpfe verstecken und die vordere Grundlinie mit Lycopo-
dium überziehen. So lasse ich es bei mir machen und mein
Gärtner gewinnt, so oft er will, den ersten Preis auf der
Blumenschau in Ventnor".

„Sie wenden ein weises Wort an, Mr. F.", erwiderte ich,
„ohne es vielleicht je gehört oder gelesen zu haben: „In der
Beschränkung zeigt sich der Meister". —

Die Blumenschau in South Kensington.

Mr. F.'s unterhaltende und belehrende Führung regte
natürlich in mir den Wunsch an, auch die Ausstellung der
Gartenbaugesellschaft, einige Tage später, unter seiner Leitung
zu besuchen. Wir fanden uns zur guten Stunde am Hyde
Park Corner und schritten dem Garten von South Kensington zu.

„Heute", begann Mr. F. „will ich Ihnen allerlei zeigen, was
mir gefällt und mich interessirt. Zunächst aber muss ich Ihnen
von einigem erzählen, was Sie heute nicht sehen werden. Die
heutige Schau ist nur beschickt und besucht von den Vornehmen
und Reichen. Es giebt aber auch Ausstellungen für die Geringen
und Armen und das ist eine wirklich erfreuliche Seite der
Sache, mit der ich gerade einen Fremden gern bekannt machen
möchte".

„Ganz in der Nähe von hier, in Brompton in der Pfarrei
von Holy Trinity, wird alljährlich eine Schau gehalten, auf der
nur Kinder aus der arbeitenden Bevölkerung ausstellen. Es
sind zwei Klassen gebildet, die eine von solchen Blumen,
welche seit zwei Monaten in des kleinen Ausstellers Besitz sind,
die andere von solchen Pflanzen, welche schon im vorigen Jahre
in der ersten Klasse erschienen waren und inzwischen ein
Jahr lang in der Pflege desselben Kindes sich befunden haben.

Die Pflanzen der ersten Klasse werden den Kindern geliefert und die Identität wird von einem Damencomité festgestellt, welches die Kinder in ihren Wohnungen aufsucht und die Töpfe mit einem Siegel versieht. Jedes auszustellende Loos enthält drei Pflanzen. Fuchsien, Pelargonien, Balsaminen blühendes Immergrün und Lysimachia Mummularia, das Pfennigkraut, sind die hauptsächlichsten Arten. Sie glauben nicht, welche schöne, kräftige, gut gehaltene Pflanzen oft in einem Jahre in den kleinen dürftigen, sonnenarmen Wohnungen gezogen werden. Noch erfreulicher aber sind die erwartungsvollen, leuchtenden Gesichter der Kinder, der Jubel der Preisgewinner und schliesslich die Fröhlichkeit aller, wenn sie nach der Preisvertheilung von den Damen bewirthet werden. Die Preise bestehen in Büchern und hübschen nützlichen Gegenständen für den Gebrauch der Kinder selbst; nicht in Geld, das würde leicht in die elterliche Tasche und von da in den — „Barroom" wandern. Es ist ein Sonnentag im Leben dieser Kleinen, dessen Abglanz, denke ich, bei vielen so bald nicht erlischt.

„Im Osten von London besteht eine Blumenausstellung nur für Arbeiter, und zwar für solche, die innerhalb der Stadt wohnen. Dadurch erklären sich folgende Preise: für die beste Gruppe von Pflanzen, gezogen in London innerhalb eines Radius von drei (englischen) Meilen vom Generalpostamt (nahe der St. Paul's Kathedrale); oder bei ausgedehnterem Wettbewerb: für Pflanzen, gezogen innerhalb acht Meilen von Charing Cross.

„Und innerhalb dieses Radius erhalten auch die Kinder der Elementarschule wieder besondere Preise: für die besten Sträusse wilder Blumen.

„Man beabsichtigt hierbei, durch die Anregung des Sinnes für Blumenzucht etwas Luft, Licht und Sauberkeit in die ärmlichen Wohnungen zu bringen und zugleich dort den leider so engen Kreis der häuslichen Lebensfreuden ein wenig auszudehnen. Es steckt darin also ein Stückchen praktischer Armenpflege: nicht viel, aber — die kleinen Bäche machen den grossen Strom". —

Wir waren inzwischen eingetreten und wanderten die Tische entlang, auf und zwischen denen sich die buntesten Farben drängten. Plötzlich blieb Mr. F. vor einer Abtheilung

Ompteda, L. v. Bilder. 8

stehen, die verschiedenartige, schmale und breitere, niedrige Behälter von Holz, Korbgeflecht und Metall umfasste, besetzt mit einer reichen Auswahl kleiner Blumen und Zierpflanzen.

„Sehen Sie hier diese verschiedenartigen Kästen", bemerkte Mr. F., „sie schliessen sich gewissermassen an das eben behandelte Capitel von der Blumenzucht der Armen, in der grossen Stadt an: es sind sogenannte Balcon- und Fenstergärtchen. Das ist eine englische Specialität, auf die wir wirklich Ursache haben stolz zu sein. Wie hübsch sind diese einfachen Zusammenstellungen von Levkojen, Reseda, Vergissmeinnicht, kleinen Gummibäumen und Wälschkorn, umschlungen von wildem Wein und Epheu. Solche Fenster- und Balconzierden sind nicht blos ein Luxus der wohlhabenden Leute; ich bin schon oft durch derartige frische bunte Blumengruppen in den schmutzigsten, trübsten Strassen von London überrascht worden".

Wir unterzogen jetzt das ausgestellte Obst einer kurzen Besichtigung. Unter den Trauben sind der grosse Black Hamburgh und der grüne Foster Seedling in dieser Jahreszeit hauptsächlich vertreten. Die einzelnen Trauben sind über 30 Centimeter lang, die Beeren haben die Grösse einer mittleren englischen Stachelbeere. Diese vollkommene Ausbildung wird wesentlich mit dadurch erreicht, dass man aus der Traube die Hälfte der Beeren, wenn diese die Grösse einer starken Erbse erreicht haben, mit einer feinen Scheere ausschneidet. Was sonst noch geschehen muss, um zu diesen Dimensionen zu gelangen, darüber haben wir schon in den Treibhäusern der Dell einigen Aufschluss erhalten. Indessen wachsen solche Prachtstücke nicht allein in den Treibereien reicher Privatleute, sie werden auch viel für die Märkte gezogen und sind schon im April in Coventgarden wie in den Obstläden von Piccadilly und Regent'street käuflich; — für Jedermann? Schwerlich! Im April, in der Zeit wo die Season und die eleganten Dinners beginnen, wird eine solche Traube erster Grösse, Güte und Schönheit mit 15 bis 20 Mark für das Pfund bezahlt!

Ebenso erzielt eine der neben ihnen ausgestellten Pfirsiche: Stirling-Castle, Early Louise (Rivers) und Nectarine Elruge, zuerst 8 bis 10 Mark und später immer noch 5 Mark, wenn sie erster Grösse, schön gefärbt und ohne jeden Makel sind.

Dann folgen sehr achtungswerthe Erdbeeren, riesige dunkle Kirschen (von der Königin aus dem Küchengarten zu Frogmore gesendet) und zum Schlusse erstaunen wir noch über zwei Gurken mit dem anziehenden Namen: „Zart und echt' Tender and true. Sie sind grün, ganz grade gewachsen, glatt, vollschäftig und jede gegen 90 Centimeter lang.

Mr. F. zog mich weiter.

„Halten wir uns hier nicht auf", sagte er, „das sind ganz gewöhnliche Dinge. Ich will Ihnen jetzt ein ferneres Capitel unserer »high life« Blumenzucht aufschlagen, das Sie ganz gewiss noch nicht studirt haben; es ist die Lehre von den Knopfloch-sträuschen, den Buttonholes. Sehen Sie sich einmal diese lange Reihe von kleinen Sträuschen und einzelnen Blumen an; man könnte an ihnen den Standpunkt und Charakter der Leute erkennen je nachdem sie die verschiedenen Typen wählen und tragen. Hier dieser volle Paul Néron und Maréchal Niel bezeichnen den Rosenfanatiker und Züchter, der sich gewissermassen das Grosskreuz seines Hausordens selbst anheftet; der gebildete Gentleman zieht stets jene würzig duftende eben aufbrechende Knospe der Theerose oder jene bescheidene Noisetterose vor. Ein zweiter wichtiger Punkt ist die Wahl des Blattes auf dem die Blume ruhen soll. Hier sehen Sie meistens Adianthum-zweige; das ist allerdings die neueste feinste Mode aber eine Verirrung des Geschmackes; man glaubt jetzt, Adianthum gehöre in jedes Knopfloch wie Petersilie auf jede Schüssel mit kaltem Fleisch. Die allein richtige, weil natürliche Unter-lage ist das Blatt der Rose selbst. Alle diese gekünstelten Bouquets mit Orchideen u. s. w. sind selbstverständlich ver-werflich »snobbish«. Jetzt kommen wir zum Kapitel von der Farbe der Rose. Für den schwarzen Abendanzug ist leicht gewählt, da passen dunkle und helle, weisse und gelbe Knospen. Aber der richtige Rosenschwärmer trägt seine Rose den ganzen Tag über. Er schneidet sie sich selbst, Morgens vor dem Frühstück, ehe er zur Stadt fährt. Nun denken Sie an alle die Farbennüancen unserer jetzigen Morgenanzüge, von gelbgrün bis blaubraun, das macht diese Frage äusserst complicirt. Indessen man hat sie dennoch gelöst, man hat die

8*

. Sache in ein System und in eine Tabelle gebracht, für jede Schattirung sogar zwei Farben. Auswendig weiss ich es nicht mehr, aber Sie können die ganze Weisheit im Gardener's Chronicle nachlesen".

Ich war sehr dankbar für den bibliographischen Nachweis und so schieden wir endlich von allen diesen Herrlichkeiten. Hungrig und müde — ich für mein Theil jedoch sehr befriedigt und reich belehrt — verlassen wir die Ausstellung durch die breite Gallerie, die den Garten gegen Osten abschliesst und treten in das Hauptgebäude ein.

Zu meiner angenehmsten Ueberraschung stehen wir hier plötzlich in einem grossen, kühlen, luftigen Gartensaale vor einer Reihe von Tafeln, zierlich gedeckt und mit Glas, Blumen, Früchten reich geschmückt.

Leider nicht zu unserer eigenen Leibesstärkung und Erfrischung! Wir sind in die Klasse der Preise für „Tafeldecoration" eingetreten. Aber auch ohne persönliche Beziehungen ist der Anblick erquickend und erfreulich.

In der Aufstellung des Obstes finden wir alle soeben gemachten Bekanntschaften wieder. Auf einem der Frühstückstische sind die Früchte leicht und natürlich um den Fuss und Stamm einer Palme gelagert.

Die Tischaufsätze der Mittagstafeln bestehen nur aus geschliffenem Krystallglase; höhere und mittlere Vasen und Schalen, umgeben von niedrigen, schmalen, langen, in S Form oder ähnlich gewundenen Glasbehältern.

Zunächst vor uns haben wir eine grosse Tafel, augenscheinlich' für ein Staatsdinner bestimmt; Teller und Gläser sind nicht aufgestellt. Im Centrum der mittleren Längslinie steht eine leichte gefiederte Palme, zu ihren Seiten zwei trompetenförmige Glasvasen, die aus geräumigen, dicht mit Blumen gefüllten Schalen schlank emporsteigen. Nach den Flügeln zu folgt je eine kleinere Vase. In allen Gefässen bunte Blumen, deren Feuer durch leichtes Blätterwerk abgetönt wird. Wir erblicken eine reiche Abwechselung von: Orchideen, Wasserlilien, Cacteen, Anthurien, rosa Pelargonien, Gloxinien und kletternden Farren.

„Es sieht etwas überladen aus", erläuterte Mr. F., „aber diese Decoration ist eigentlich für eine doppelt so grosse Tafel bestimmt; dann fällt das Gedränge von glitzerndem Krystall und gehäuften Farben besser auseinander. Betrachten wir uns einmal die kleinen Tische".

Es waren ihrer etwa zehn; völlig mit Tellern, Gläsern und silbernen Armleuchtern ausgerüstet. — Beschäftigen wir uns beispielsweise mit demjenigen Tische etwas eingehender, der durch den ersten Preis ausgezeichnet worden war.

Das Mittelstück ist eine schlanke trompetenförmige Vase; sie steigt empor aus einer Hülle von vier Farn- und vier Caladiumblättern; darin befinden sich weisse Campanulas, kirschrothe Begonien, gefiederte Gräser und Farnzweige. Die Unterschale ist gefüllt mit drei weissen Cactusblüthen, drei Büscheln aus rothem Geranium, neun weissen Campanulas und Frauenhaarfarren; um den Stamm der Vase schmiegt sich ein kleiner, dunkelblättriger Zweig von Cissus discolor. Diese grosse Vase ist umgeben von vier kleineren, ebenfalls trompetenförmigen. In jeder steht eine Escheveria, eingefasst von blühender Deuzia grazilis, Zittergras und den Blättern der scheckigen Spiräa ulmaria. In den schmalen S förmigen Glasgefässen, die in verschiedenen gefälligen Figuren rundumher laufen, wechseln grosse dunkle Stiefmütterchen mit rothen und weissen Marienröschen und Vergissmeinnicht, hie und da unterbrochen durch dunkle Epheublätter.

„Das lobe ich mir", rief Mr. F. erfreut, „das ist wirkliche Kunst! das ist so heimlich und natürlich in seiner raffinirten Einfachheit, als ob die Töchter des Hauses das ganze Material auf dem Spaziergange in Wiese und Wald gesammelt hätten; die schönste Wirkung ist hier erzielt mit den einfachsten Mitteln. Fast alle die anderen Tische sind überladen mit gedrängten hochfarbigen Blumenmassen!"

Vor jedem Sitze steht abwechselnd ein schöner duftender Handstrauss für die Ladies und ein vornehmes Knopfflochsträusschen für die Herren.

Diese Ausstattung des Tisches ist frisch, zart und doch wirkungsvoll glänzend durch die Reflexe der im Krystallglase unendlich gebrochenen Lichtstrahlen.

Der Engländer legt ein sehr grosses Gewicht auf die Verzierung seines Mittagstisches mit Blumen, da die echt nationale Tafel das Auge des Gastes, nicht, wie bei uns, von Anfang an durch die Früchte und Süssigkeiten des Nachtisches erfreut. Nach dem Gemüse, dem Nachfolger des Bratens, wird diese Blumenherrlichkeit mit allen Weingläsern und dem Tischtuche abgeräumt. Unter dem letzteren erscheint die glatte Fläche des schweren alten mahagoni Speisetisches, je älter, desto dunkler, desto schöner, und nicht eher gilt er als zur Vollendung gereift, bevor die Platte nicht durch zwanzigjähriges Bürsten und Reiben spiegelblank und beinahe schwarz gearbeitet ist. Die freie Tafel wird rasch und gewandt mit ausgewähltem Obste und den nationalen Süssigkeiten aus allen Welttheilen besetzt; jeder Gast erhält drei frische Gläser und mit dem Käse hebt eine ganz neue Schlacht an: der Nachtisch. Die Damen nehmen an diesen Bestrebungen noch einige Zeit Theil, dann werden sie vom Hausherrn mit förmlicher Höflichkeit hinausgeleitet. Alsbald schliessen die Herren zusammen und es beginnt der Kreislauf der drei grossen Krystallflaschen, gefüllt mit Bordeaux, Portwein und Sherry, die in silbernen, mit grünem Flanell gefütterten, Untersätzen geräuschlos links herum von Nachbar zu Nachbar gleiten. In alten englischen Häusern werden diese drei »Decanters« auch wohl auf kleinen silbernen Wagen rastlos auf der Tafel weiter gerollt. Zwischen Ingwer und Nüssen entspinnt sich ein zwangloses, durch die vorbeiziehenden Flaschen stets angefrischtes Gespräch, fast immer über Tagespolitik, an welchem der fremde Gast, im fremden Idiome, nur zurückhaltend Theil nimmt. Statt dessen überlässt er sich gern, in der wohlwollenden Stimmung des „Afterdinner", allerlei volkswirthschaftlichen Betrachtungen, zu denen Ort und Gelegenheit ihn anregen. Er weiss vom Aussteller in South Kensington, dass die Blumengarnitur des heutigen Dinners so etwas wie vierhundert Mark kostet; er addirt dazu im Stillen den Preis der vor ihm aufgethürmten Kalebstrauben und der Pfirsichpyramide, die jene hohe Schale füllt, und sagt sich als Facit: „welch' ein reiches Land, in dem Hunderte von Haushaltungen, die zur Season in London zusammen strömen und dort glänzende Gastfreundschaft üben, in der Lage sind, die Blumen und das Obst für eines ihrer Dinners mit fünf- bis sechshundert Mark zu bezahlen".

Treten wir dann später in die Drawingrooms um neben den Damen den Thee zu nehmen, so sehen wir auch diese

Räume reich mit seltenen und stets frischen Pflanzen geschmückt. Wir rechnen diesen Posten zu den vorigen. Endlich gedenken wir der Hunderte von Blumenhäusern und Wintergärten auf den unzähligen grossen und kleinen Landsitzen.

Wir summiren — — —

Dann gelangen wir wohl auf dem Heimwege, auch zu einigem Verständnisse über den Umsatz und die Bilanz der grossen Handelsgärtner, deren riesige Betriebsanlagen zu Hause und deren kostspielige Schaustücke in den Ausstellungen uns mit bewunderndem Staunen erfüllt hatten.

Die

Trinkkrankheit in England.

Wir hatten uns während des ganzen Vormittags auf der hohen Fluth des Citygedränges treiben lassen, deren unwiderstehliche Wirbel uns von St. Pauls Kathedrale bis zur Bank und weiter durch Lombardstreet und Cast Cheap, wo in der klassischen „Boar's Head Tavern" noch immer Prinz Heinz mit dem dicken Sir John Sect trinkt, bis nach Great Towerstreet hinabspülten. Dann waren, unter der belehrenden Führung des würdigen Beefeaters, der noch heute die Uniform der Leibgarde Heinrichs VIII trägt, die blutigen Erinnerungen der seltsamen alten, jetzt vielleicht etwas zu sauber und nüchtern gehaltenen Zwingburg Londons, des Towers, in langer Reihe vor uns aufgestiegen. So verlangten Leib und Seele mit vollem Rechte die Ergänzung ihres stofflichen Bindemittels in der Gestalt eines guten Steaks und einer Pinte (^{1}/$_2$ Liter) des berühmten Londoner „Bitter"-Bieres.

Aber wo einkehren? Zeit ist Geld für den Reisenden, zumal in London. Da unsere Pläne für den Nachmittag uns noch weiter östlich führen sollten, so war das weitbekannte Royal Hotel de Keyser's in Blackfriars ausser Frage, ebenso lag Krehl, in Colemanstreet hinter der Bank, wo die in den Citygeschäften arbeitenden Deutschen sich der Kölnischen Zeitung und des Kladderadatsch zu ihrem hastigen Lunch erfreuen, zu sehr aus dem Wege.

„Ich kenne wohl hier in der Nähe ein Unterkommen", sagte mein Begleiter zögernd, „wo ich selbst schon eingefallen bin, wenn ich im Customhouse zu thun hatte; aber ich weiss nicht: ob ich Sie hineinführen soll? es ist ein ‚Public house' und die Gesellschaft sehr gemischt".

„Ich bin nicht nach London gekommen", versicherte ich, „um nur Rotten Row, den Travellers' Club oder die Schreckenskammer in Madame Tüssaud's Wachsfigurenkabinet kennen zu lernen; also lassen Sie uns getrost in das Public house eindringen".

Wir befanden uns bald in einem hofartigen Sackgässchen zwischen Mark Lane und Mincing Lane, den Sitzen der Kornbörse und des Importes der Colonialwaaren; durch eine enge Hausthür traten wir in einen feuchten, niedrigen, mit Fässchen und Schankgeräthen gefüllten Gang, der uns an eine innere schmale Thür führte. Verworrenes Geräusch durcheinander redender Stimmen und klappernder Zinngeräthe strömte uns warm entgegen, eingehüllt in veraltete Speisegerüche und dichten Tabaksqualm. Ein niedriger Raum nimmt uns auf, dicht mit Männern gefüllt, welche lebhaft einen hufeisenförmigen Schanktisch, die „Bar", umdrängen. Alle eilfertig, stehend, trinkend und rauchend, nur wenige hastig eine Fleischspeise verschlingend. Eine handfeste, derbe Gesellschaft aus dem umliegenden Babel der Comptoire, Magazine, Waarenspeicher, aus den mehr als zweitausend Beamten des Customhouse und den Interessenten des benachbarten Fischmarktes vor Billingsgate; flotte junge Commis, Makler und andere kleine Geschäftsleute, breite, schwielige, bestaubte Arbeiter. Innerhalb des Hufeisens hantirt der Wirth mit Frau und Gehülfen; an der Rückwand thürmt sich ein hoher offener Schrank auf, unten gefüllt mit Fässchen, weiter oben dickbäuchige Flaschen, Steinkrüge und zinnerne Kannen. Ein erstickender, trüber, heisser Brodem erfüllt und verschleiert den Raum; wir eilen eine kleine Wendeltreppe hinan, um dort vielleicht freier zu athmen, wenigstens einen Tisch, Stuhl und etwas Raum für unsere Ellenbogen zu gewinnen. Oben gelangen wir in ein schmales, schmuckloses Zimmer, wo wenige stille Gäste. auf Holzbänken an nackten Tischen frühstücken. —

Während wir hier unser etwas zähes Steak nebst den riesigen Wasserkartoffeln mit einer der brennend scharfen nationalen Saucen würzten und daneben dem vortrefflichen „Bitter" aus der berühmten Brauerei von Bass und Co. zusprachen, sagte mein Begleiter, jetzt ein Londoner, aber von deutscher Herkunft:

„Sie werden doch etwas erstaunt sein über den Bar Room unten. Auch in Deutschland haben wir, wie ich mich recht wohl erinnere, Bierkeller, Kaffeehäuser und Restaurationen, in denen Reinlichkeit, Luft und gute Manieren, zu wünschen übrig lassen, aber die dortige Art der Consumtion ist doch eine völlig andere; ich meine: sie ist weit gemüthlicher. Sehen Sie, wie hier ein Jeder rastlos ein- und ausgeht; keine Tische und Stühle, keine Zeitungen, keine frische Luft, kein Domino; so ungesellig wie nur möglich. Der Branntwein verdrängt das Bier, namentlich in den Abendstunden. Auch kommen die Leute nicht nur ein Mal, wie bei uns, zum Früh- oder Abendschoppen. — —

„Beides freilich", schob ich ein, „auch keine löbliche Ge- wohnheit, für Jung und Alt. Besonders der Frühschoppen wirkt so merkwürdig verdummend; das hat wohl in den soge- nannten ,gemüthlichen' Biergegenden unseres lieben Vaterlandes ein jeder, an sich selbst — und anderen, erfahren".

„Aber am Abend?" — fragte mein, über diese veralteten Anschauungen etwas verwunderter Begleiter zögernd und halb entschuldigend.

„Das mag für junge Leute noch hingehen, vielleicht ist es gar ein nothwendiger Behelf", gestand ich halbwillig zu, „jedoch der Hausvater sollte das Geld, das er allabendlich in's Wirthshaus trägt, auf seine Familie verwenden. Dabei würde nicht nur der Wohlstand, es würden auch Geselligkeit, Erziehung und Familiensinn entschieden gewinnen".

„Nun ja", fuhr mein Begleiter fort, „es ist auch bei uns zu Hause wohl nicht alles wie es sein sollte; aber hier zu Lande gehen die Menschen während des ganzen Tages regelmässig ab und zu; sehr bald wird ihnen dann das Leben am Schank- tische zur Gewohnheit und zum Bedürfnisse. Uebrigens sind wir· hier noch in einem der anständigsten Locale, man sieht nur Männer und jetzt um Mittag noch keine Betrunkene. Noch überwiegt das Bier. Anderswo und Abends würden Sie ganz andere Bilder vom englischen Bar Room und von den traurigen und furchtbaren Wirkungen des Gin erhalten". —

Wir brachen auf und verweilten während einer kurzen Ruhepause, in der reineren Luft des grünen Trinity-Square; jetzt ein friedlicher schattiger Platz, einst ein Theil des blutgetränkten Bodens von Towerhill. Denn hier fanden während mehrerer Jahrhunderte die Hinrichtungen der Gefangenen des Towers statt. Nur für die Königinnen und wenige andere bevorzugte Personen stand der Block im Tower selbst. Durch diese Rast erfrischt, zogen wir Towerhill hinab und den London Docks zu. Während einiger Stunden fesselte uns hier das grossartige Leben und Treiben in und an den Schiffen. Dann stiegen wir in die endlosen Weinkeller hinunter. Wie in einem unabsehbaren Bergwerke streckten sich die dunklen weiten Räume und die geraden Linien der schwach glimmenden Oellämpchen, welche die weiten Strassen zwischen den Weinfässern bezeichnen, nach allen Seiten rings um uns hinaus. Eine Wachsfackel in der Hand, durchmassen wir diese, mit fremden, edlen Weinen in unzähligen Gebinden gefüllten Hallen; fast bis an unsere Kniee reichte die mit Kohlensäure geschwängerte Luftschicht, in der die, im Weindunste röthlich scheinende, gesenkte Fackel zu verlöschen drohte. Ueber uns traten am niedrigen, dunkelen, feuchten Gewölbe die seltsamen tief herabhangenden Fungusgebilde hervor, die mich beim ersten Anblicke lebhaft an die phantastischen Tropfsteinformen der fränkischen Jurakalkhöhlen erinnerten. Betrachtet man sie näher, so sind es lange, rankige, klebrige Wuchergebilde, zu Guirlanden verschlungen, hie und da zu weichselzöpfigen Klumpen geballt. Ich bat, mir eine Probe dieses gespenstischen Gewächses mitnehmen zu dürfen, aber der Führer schlug meine Wunsch rund ab. Es soll nämlich ein Aberglaube damit verknüpft sein, in Beziehung auf das Blühen und Reifen des Weines unter diesem in der Finsterniss vegetirenden Schutzdache; daher hüten die Küfer die Pflanzen ängstlich, als wären sie die Wohnstätte eines guten Hausgeistes.

Zu unserem Heile gedachten wir vor diesen einladenden Fässern, gewisser Erfahrungen, die bei früheren Kellerproben im schönen Rheingau erworben waren, und machten von unserem »Tasting order«, der Erlaubniss zum Kosten des vorzüglichen Portweins oder Sherry, welche meinem Wegweiser ein befreundeter Weinhändler ausgestellt hatte, nur den allerbescheidensten Gebrauch.

Erst mit der sinkenden Sonne stiegen wir wieder zum Tageslicht empor und betraten den grossen Hof zwischen dem

Eingange der Docks und der stark dampfenden ›Pfeife der Königin‹, dem grossen Schornstein in dem alle verdorbenen, gefälschten und confiscirten Waaren, namentlich Tabak, verbrannt werden. Der weite Platz war dicht gefüllt mit gedrängten Gruppen von Arbeitern die hier ausgelohnt wurden. Etwa dreitausend Männer sammeln sich an jedem Morgen vor dem Thore der London Docks: jeder Geschäftsherr miethet die ihm für den Tag nöthigen Kräfte; gegen Abend werden sie ausgelohnt und vor Dunkelwerden müssen die Docks von allen Fremden geräumt sein.

So strömten diese verschiedenen Menschenknäuel jetzt gleichzeitig hinaus und wir folgten dem dichten Schwarme der kraftvollen, rauhen, wilden, aber auch verwüsteten und unheimlichen Gestalten. Langsam zogen wir so wieder Towerhill hinan, links die thurmhohen Mauern der St. Katharine Docks, rechts eine lange Reihe schmaler Häuser, deren untere Geschosse fast ausschliesslich von Schanklocalen eingenommen werden: grosse und kleine, saubere und schmutzige, theils noch dunkel theils in eben aufflammender Gasbeleuchtung. An den Thüren blieben die Arbeiter in Haufen stehen, zählten ihr Geld, Weiber gesellten sich zu ihnen, mit und ohne Kinder; nach und nach vertheilten sich alle in die lange Reihe der Bier- und Branntweinschänken, aus denen bereits verworrener Lärm hervorquoll. Still betrachtete ich dieses traurige Schauspiel; die systematische Versuchung und Ausplünderung hier so unmittelbar und unausweichlich an den Weg gelegt. Ein giftiger Pfuhl, in dem die Väter und die jungen Männer schon mit Behagen schwimmen und, wie sie selbst hineingezogen wurden, nun Frauen und Kinder nach sich ziehen.

„Wollen wir nicht einmal eintreten?" fragte mein Begleiter. „Hier sehen Sie die Branntweinpest in ihrer vollsten Blüthe; es giebt wohl nirgends in England furchtbarere Zustände als hier in den Umgebungen der Docks. Zu der sesshaften, hart arbeitenden rohen und gesetzlosen Bevölkerung an den beiden Themseufern gesellen sich die frisch ausgelohnten Mannschaften der unzähligen, einlaufenden Seeschiffe; weisse, gelbe und schwarze Menschen, von allen Winden zusammengefegt, die sich, wie die wilden Thiere aus den Käfigen, in den wüsten

Rausch der langentbehrten Freuden und Genüsse des unerschöpflichen Welthafens stürzen".

Wir traten in ein geräumiges Schankzimmer, in dessen Hintergrunde eine dichte Menschenmauer von Männern und Weibern die Bar umdrängte, trinkend, schreiend, lachend, streitend. Alle in ihrer Art Bilder der Verwahrlosung, mehr oder minder gezeichnet mit der Blässe und Röthe gewohnheitsmässiger alkoholischer Ausschweifung.

„Hier werden Sie kaum eine für Sie geniessbare Erfrischung finden", flüsterte mir mein Führer in diesen Ort der Verdammten zu, „hier giebt es nur Gin mit 65 Procenten Alkohol, das Liter kostet 3 Mark. Das mildere Getränk, ‚Gin und Wasser' hat immer noch 50 Procente Alkohol und kostet 2 Mark 50 Pfg. Für schwache Gemüther und verzärtelte Gaumen giebt es hier auch ein scharf gewürztes und stark alkoholisirtes sogenanntes Ingwerbier".

Im vorderen Theile des Raumes, wo wir standen, sassen auf Bänken und Fässern einzelne Gruppen, die jetzt anfingen uns zu beachten. Wüste Gesellen, bleiche hagere Gesichter, schmale Trinkerstirnen, schlaffe Züge, blutunterlaufene gläserne Augen; narbig, einäugig, verstümmelt, von Schmutz starrend — noch wüster ihre bedenklichen Begleiterinnen. Ihr Willkommen glich etwa dem wohlwollenden Ausdrucke, mit dem der Stier dem ungebetenen Besucher seiner Weidekoppel entgegenstarrt, bevor er anläuft. Jeder Fremde, der das Aeussere der besseren Stände trägt, ist hier verdächtig, mindestens lästig. Mir drängte sich entschieden das Bedürfniss nach einem rechtzeitigen Rückzuge jenseit des Thorwegs der Koppel auf. Hat man sich jedoch durch einen unbedachten Schritt vorwärts in eine falsche Stellung gebracht und möchte nun gern mit guter Manier wieder heraus, ohne seinen Fehler einzuräumen, so kann man bekanntlich ziemlich sicher darauf rechnen, nochmals etwas Ungeschicktes oder Lächerliches zu begehen. Auch ich gerieth, fürchte ich, in diesen Fall.

Ich zog nämlich möglichst unbefangen meine Taschenuhr heraus und stellte sie nach dem grossen Zifferblatte über dem Schanktische, als ob dieses Geschäft der eigentliche Zweck meiner Anwesenheit sei. Dann verliess ich mit gemessener Würde — wie ich hoffe — das Lokal.

Als wir draussen standen, fragte mein Begleiter lächelnd: „es war Ihnen wohl nicht ganz heimlich da drinnen?" „Sie meinen: ob ich Furcht hatte? — wenigstens war ich auf dem besten Wege dazu. Das Schauspiel an sich war mir ekelhaft und grausig; nebenbei überkam mich das Gefühl, persönlich unwillkommen zu sein und es drängte mich, dem thatsächlichen Ausdrucke dieser bedenklichen Stimmung zeitig vorzubeugen und auszuweichen".

„Nun", beruhigte mich mein Gefährte, „in jetziger Tageszeit hat es wohl keine Gefahr, falls man sich still verhält; einige Stunden später jedoch, wenn der grösste Theil dieser Schänken mit mehr oder weniger viehisch betrunkenen Männern und Weibern gefüllt ist, würde ich, ohne die Begleitung eines Policeman, Sie nicht dort hinein, nicht einmal durch diese Strassen führen. Schon mancher Fremde ist hier Nachts verschwunden und später ausgeraubt in der Themse aufgefischt oder, um die Sache »aktenmässig« zu erledigen, in der Polizeiliste als »heimlich an Bord eines Westindienfahrers gegangen« aus der Reihe der Lebendigen gelöscht worden". —

Wir wanderten inzwischen die lange, enge, dunkle Thamesstreet hinauf, an deren Eingange die endlosen Gebäude des Customhouse und der neuen eleganten Fischhalle von Billingsgate hervorragen, einer sehr vergrösserten Nachahmung der Loggia dei Lanzi und berühmt als die Pflanzschule des urwüchsigen, kernigen „Billingsgate-Englisch", eine der mannigfachen Kraftleistungen der hier regierenden Fischdamen. Die ganze Gegend ringsum ist eingehüllt in eine ewige Dunstwolke von condensirtem Seefischgeruch. Nur langsam konnten wir uns vorwärts schieben, denn Thamesstreet ist der Mittelpunkt des geschäftlichen Strudels. Vor jedem der hohen Waarenspeicher mit den engen Fensterspalten und weiten Luken fahren am schweren Krahne die rasselnden Ketten auf und nieder und beladen die cyclopischen Rollwagen, mit den titanischen Clydesdalepferden bespannt. Und jetzt ist diese ganze lärmende Welt doppelt hastig und treibend, denn auch hier nahet der Feierabend.

Es ward inzwischen dunkel und das Gas begann zu herrschen.

„Sehen Sie dort?" sagte mein Führer, rechts und links in

die Nebenstrassen weisend, "überall Schänken! Namentlich
verkriechen sie sich gern in die noch schmäleren Zwischen-
gässchen, Durchgänge und Höfe. Hier ist noch Matrosen-
quartier. Hören Sie das wüste Toben? Ein wahrer Hexen-
sabbath. Es erinnert an den Hamburger Berg, aber hier wird
nicht getanzt. Hier ziehen die ausgelohnten Matrosen mit
elenden Weibern, die sich an sie hängen, von einer Kneipe
zur andern; die verderbliche, amerikanische Sitte des "Traktirens"
verdoppelt die Consumtion; so — und anders — werden die
Theerjacken hier ausgeplündert, verthieren förmlich durch die,
Tage lang fortgesetzte, alkoholische Vergiftung und endlich
kommt das Messer an die Arbeit! — —"

"Jetzt", unterbrach ich ihn, mich umsehend, "jetzt wird mir
ein schauderhafter Bericht klar, den ich dieser Tage in der
Times las, über eine Sitzung des Central-Criminalgerichtes; denn
hier ist die leibhaftige Bühne, auf welcher die drei blutigen
Acte spielten, die dort an einem einzigen Morgen ihre juristische
tragische Vergeltung fanden. Solche Schauergeschichten gewinnen einen eigenen, gruselnden Reiz, wenn man auf dem
Flecke steht, wo sie verliefen. Eine rohe, schwere Verwundung
im Rausche: fünf Jahr Zuchthaus; ein Mordanfall im Rausche:
zehn Jahr Zuchthaus; ein Mord: Todesstrafe. Der Mörder war
ein amerikanischer Matrose, gar nicht mehr jung, schon 34 Jahre
alt, der im Wahnsinne fortgesetzter Alkoholvergiftung, übrigens
aber eigentlich mit kaltem Blute, einem schlechten Weibe, mit
dem er Tage lang umhergezogen war und das ihn völlig ausgeraubt hatte, während sie am Schanktische standen und zusammen tranken, unversehens mit seinem Rasirmesser den Hals
bis zum Wirbel abschnitt. Der Mann blieb ganz ruhig am Orte
der That, es war Nachmittags zwei Uhr, und erwiderte dem
Policeman: "Ich that es, weil sie mich ausgeplündert hatte und
mich nun nicht freihalten wollte!"

"Der unglückliche Bursche, James Simms war sein Name,
ist bereits in Newgate gehängt worden", ergänzte mein Begleiter, "und zwar: »an seinem Halse bis er todt ist«, so heisst
es hier in den Urtheilen, mit der lobenswerthen, wörtlichen
Genauigkeit und Vorsicht der englischen Jurisprudenz".

Inzwischen waren wir bei Londonbridge an Bord des kleinen
Dampfers gegangen, der uns rasch zum Westminster Pier

brachte. Mit beträchtlichem Behagen, mit dem erquickenden,
Gefühle der Befreiung, wie wenn ich einer dunstigen schlammigen
Höhle entstiegen wäre, erfreute ich mich der reineren Atmo-
sphäre auf dem nebel- und raucherfüllten Strome, dieser ältesten
und immer noch grössten und belebtesten Strasse der Weltstadt.
Andere, gesundere Bilder traten vor das Auge und ihr reicher
Wechsel verwischte die tiefen Schlagschatten des unheimlichen
Nachtstückes, welches hinter uns versunken war. Rings um
uns das wimmelnde Gedränge der zahllosen, vollbesetzten
pfeilschnellen, in allen Richtungen vorüberschiessenden Dampfboote; über unseren Häuptern der Donner der auf den eisernen
Brücken hin und wieder jagenden Züge; rechts die Hunderte
von Kirchthürmen auf der dichten unabsehbaren Fläche der
Hausdächer, und über allen die Kuppel von St. Paul; am Ufer
die alten Speicherhäuser mit ihren nie rastenden Krahnen;
dann der Tempelgarten, in welchem die für England so ver-
hängnissvollen weissen und rothen Rosen gepflückt wurden;
darauf weithingestreckt das riesige Somersethouse, das in einem
seiner Flügel eine ganze Universität, Kings College, ausreichend
beherbergt. In den Kellern befindet sich eine Bibliothek kostbarer Riesenfolianten, wie wohl keine zweite in der Welt.
Es sind die Archive der General-Registratur des Königreiches
für alle Geburten, Heirathen und Sterbefälle in Grossbritannien
und Irland seit mehr als hundert Jahren. Endlich die breiten,
gartenartigen und doch vom städtischen Leben eng erfüllten
neuen Themsequais, die Albert Embankments, über denen die
eben aus tausendjährigem Schlafe erwachte Nadel der Kleo-
patra sich verwundert umschaut, während unter ihnen die .
städtische Untergrund-Eisenbahn entlang donnert. Im Schatten
der monumentalen reichen Gothik von Westminster Palace,
einst die Residenz der Könige, von Edward dem Bekenner
(1045) bis zu Heinrich VIII. (1509), jetzt des Parlamentes,
stiegen wir an's Land, als die erleuchteten, blau und goldenen
Zifferblätter des Victoriathurms bereits im hellen Glanze die
Stunde des Dinners im Westend anzeigten. —

Es war Mitternacht geworden, als wir das Covent-Garden
Theater verliessen, wo die Patti mit Nicolini die ausgewählteste
Gesellschaft Londons im Troubadour begeistert hatte. Langsam
schlenderten wir mit dem Menschenstrome Long Acre, Leicester

9*

Square und Coventrystreet entlang. Um diese Stunde sind auch im eleganten Westend, selbst während der Season, die Strassen dunkel und einsam; die reichen Läden werden schon gegen acht Uhr geschlossen und heitere Boulevardkaffees giebt es in London nicht. Plötzlich fallen unsere Augen auf eine himmelhohe, schwarze Erscheinung, die neben dem Trottoir in die Nacht emporragt. Es sind die Rettungsleitern der Feuerwehr, die an jedem Abende an den bestimmten Plätzen aufgefahren werden. Daneben sitzen die Wächter in kleinen Holzhütten, die ebenfalls allnächtlich auf Rollen herbeikommen und Morgens wieder verschwinden. Nur hie und da, namentlich an den Strassenecken, strahlt uns Lichtglanz entgegen; ein unruhiger Menschenknäuel schwärmt dort, wie ein Bienenvolk, am weit geöffneten Eingange geräumiger, erleuchteter Lokale. Hohe Krystallscheiben, innen zuviel Vergoldung, Thüren aus mattgeschliffenem Glase, überladene Candelaber. Das sind die modernen eleganten Trinkhäuser, die „Ginpaläste". Am stärksten ist das Gedränge in Haymarket und am Eingange von Windmillstreet, bis vor kurzem übelberufen durch die bekannten Argyllrooms, eine importirte grobe Nachahmung von Mabille.

Hier werden unsere Schritte gehemmt durch Ansammlungen armer, verlorener Menschenkinder mit getünchter Jugend und abgelebten Flittern, die hier, hoffnungslos und „gerichtet", in Nacht und Elend umherschweifen. Jeder Vorübergehende wird angesprochen und, falls er nicht stumm ausbiegt, durch allerlei zudringliche Listen, namentlich durch plötzliches Entführen des 'Hutes, festgehalten, um die elenden Wesen in die glänzende Schnapsschänke, vor der wir stehen, zu geleiten und dort zu „traktiren". Eine dichte Menge, meistens im Nebel eines ekelhaften Halbrausches, strömt um uns aus und ein. Wir kaufen uns mit einigen Schillingen los, die sofort in den Ginpalast getragen und dem Moloch geopfert werden. Wir aber flüchten in unseren stillen Club in King Street St. James's und ruhen hier am Kamine in den tiefen, lederbezogenen Lehnstühlen von den Strapazen und Vergnügungen des Tages aus, behaglich eine Sodalimonade schlürfend.

Nachdem die, uns schon von Alters her bekannte Diva

und ihr neuester Gatte bald erledigt waren, sagte mein freundlicher Wegweiser anknüpfend an die heutigen Tagesfahrten: „Ja, London ist die Heimath der Contraste. Und alles tritt hier riesenhaft auf, so auch die Laster. Wir haben heute im Osten und im Westen der Metropole Blicke auf eine der dunkelsten Stellen des englischen Lebens geworfen. Was wir sahen, hat ja bereits eine traurige Weltberühmtheit erlangt. Die Kanzel brandmarkt es donnernd als „Nationalsünde"; die Politiker und Volkswirthe bezeichnen es in etwas verweltlichter Form als: die „Nationalkrankheit", als: „das grösste Hinderniss auf dem Wege der Nation zum Fortschritte und zum Wohlergehen". Die „Trinkfrage" ist eine der bedeutendsten Parteifragen im Parlamente geworden, eine der unangenehmsten Schwierigkeiten für die jetzige Regierung. Sie beschäftigt einen nicht geringen Theil aller öffentlichen Meetings, sie wird ein Kampfruf für die nächsten Wahlen sein und eine harte Nuss, wohl auch ein „stumbling-stone" für manchen Candidaten!

„Sie sagen da etwas", warf ich ein, „was mich erstaunt. „Wie kann ein Streit der Meinungen bestehen über die Frage: dass die Nation erkrankt ist und dass diese nationale Trinkkrankheit, die ärger wüthet als die Pest, mit allen Waffen bekämpft werden muss?"

„Ein Streit der Meinungen wohl kaum", erwiderte mein Führer, „aber ein Streit der materiellen Interessen. Und das sind heut zu Tage die ernsten, die am schwersten zu lösenden Conflicte. Wir führen ja wohl keine sogenannten Religionskriege mehr? — Denken Sie nur an die vielen reichen Brauer und Branntweinbrenner, an die Hunderttausende von Schänkwirthen in den drei vereinigten Königreichen! Reichthum ist Macht! In diesen Geschäften sind ungezählte Millionen, nach unserem Gelde: Milliarden, angelegt; geht die Consumtion rückwärts, so sind diese gefährdet, vielleicht verloren. Kürzlich wurde der jährliche Nettogewinn für 1878 der grossen Brauerfirma „Bass und Co.", deren Leistungen wir ja heute gewürdigt haben, unter die acht Theilhaber vertheilt; er betrug: acht Millionen viermal hunderttausend Mark. Etwa die Jahreseinahme der königlichen Civilliste und der reichsten Peers, der Herzöge von Westminster, Northumberland und Bedfort — wie man sagt. Das sind die Feldherren der Ligue.

Und die Armee? In der Stadt Birmingham leben 1900 Familien, in Manchester deren 2567 allein vom Getränkgeschäfte. Dort hat jedes zwei und dreissigste Haus eine Schankconcession; es fällt also je eine auf einhundert fünfunddreissig Einwohner. In Bristol hat jedes dreiundzwanzigste Haus eine Schanklicenz, darunter viele Schneider und Schuster, selbst Pfandleiher. Und sie alle kämpfen selbstredend gegen jede Verminderung ihres Absatzes".

„Gewiss", räumte ich ein, „die Partei der erhaltenden Kräfte in dieser Frage muss ein riesenhaftes Beharrungsvermögen entwickeln können: die Brauer- und Brennerfürsten mit der ganzen Heeresfolge der Schänkwirthe".

„Und die Gäste nicht zu vergessen", ergänzte der londoner Landsmann.

„Seltsam ist es nur", warf ich ein, „wie diese mächtigen Herren so häufig gegen ihr eigenes Interesse predigen".

„Predigen?" fragte mein Führer verwundert, „das ist mir neu".

„Nun", erklärte ich, „nicht in den Meetings der Temperance-Vereine; aber wenn sie in den Zeitungen einen Brauknecht oder Fuhrmann suchen, so verlangen sie gewiss allemal einen „nüchternen" zuverlässigen Mann. Mir scheint, sie spotten ihrer selbst und wissen nicht: wie?"   •

„Und", fuhr der Freund fort, „die Sache hat auch noch einen anderen bösen Haken. Sie heisst nicht umsonst: »The drink difficulty«. Sie hängt in gewisser Weise mit der nationalen englischen Sabbathfeier zusammen, insofern als die Bestrebungen der Temperenzler auch in der Richtung gehen: am Sonntage die Trinklocale völlig zu schliessen. Nun kann man aber doch auf die Länge den arbeitenden Klassen nicht jedes Vergnügen am Sonntage entziehen; schliesst man die Schänken, so wird desto eher anderes geöffnet werden müssen. Schon jetzt klopft eine nicht unbeträchtliche, öffentliche Meinung an die Thüren der Museen, Bibliotheken, Theater und Concerthallen. Diese Milderung der strengen Sabbathfeier bekämpft nun wieder die streng kirchliche Partei auf das äusserste! Sie nennen das einen »continentalen Sonntag«. Darunter versteht man hier ein ziemlich confuses und ein-

seitiges Zerrbild unseres Lebens am Sonntage, womit man dann
sich selbst und seinen gläubigen Zuhörern bange macht".

„Aber warum eigentlich?" unterbrach ich. „Gewiss will
ich das leidige deutsche Kneipenleben, und die entsittlichenden
sonntäglichen Tanzböden nicht in Schutz nehmen. Warum
aber will man jene unschuldigen Vergnügungen nicht erlauben,
die wir anderswo als naturgemäss und heilsam befördern?"

„Ja, warum?" frug mein landeskundiger Freund zurück.
Dann fuhr er fort:

„Eigentlich wohl aus principiellem Conservatismus, um
überhaupt nicht an irgend einer einmal bestehenden kirchlichen
Einrichtung zu rütteln. Vielleicht gestehen, Ihnen gegenüber,
wenige Vollblut-Engländer offen ein — jedenfalls nicht gern —
dass der Sonntag in London nachgerade unerträglich geworden
ist; aber sehen Sie nur die Hunderttausende, die ihm auf allen
Wegen, zu Wasser und zu Lande, entfliehen. Zuweilen giebt
es aber dennoch Leute, die den Muth haben, dieses öffentliche
Geheimniss zu verrathen. Kürzlich las ich darüber in der
Times eine Aeusserung von einem sehr angesehenen und
wohlwollenden Manne, Mr. Clarke Aspinall, dem Coroner von
Liverpool. „Ich kenne kein Land", sagte er, „wo die Volks-
belustigungen so sparsam und so wenig anziehend sind als in
England. Auf dem jetzigen Standpunkte der geistigen und
künstlerischen Volksbildung", so heisst es dann weiter, „ist der
Geschmack unseres Volkes so roh und ungebildet, dass seine
Belustigungen fast nothwendig gemein werden und den
Anstand verletzen müssen. Es ist kein richtiges Verhältniss
zwischen der Einfuhr materieller und derjenigen intellectueller,
ausländischer Nahrungsmittel in unsere Häfen. — Wir Ausländer begreifen das alles nicht recht, ebensowenig wie vieles
andere hier zu Lande; ebensowenig wie wir etwa die hartnäckige Abneigung der englischen Gesetzgebung verstehen,
die Ehe mit der Schwester der verstorbenen Frau zu gestatten".

„Allerdings, das ist wirklich sonderbar", stimmte ich zu,
„und allen anderen christlichen Völkern, so viel ich weiss,
eigentlich unverständlich. Nach unserer Anschauung ist ja die
Schwester die berufenste und natürlichste Stiefmutter.
Uebrigens habe ich in den, seit Jahren häufig wiederholten,
Parlamentsdebatten innere Gründe dagegen, die mir ernsthaft

erschienen wären, kaum gefunden. Denn die Berufung auf
das alte jüdische Gesetz reicht doch wohl nicht aus; dort, im
Leviticus 18, 18. steht nämlich: „Du sollst auch deines Weibes
Schwester nicht nehmen, neben ihr . . .“; dieser Vers beweist
also zuviel, er beweist eigentlich das Gegentheil. —

„Auch die Debatten über die Bekämpfung der Trunksucht“,
fuhr mein Führer durch London fort, „sind nicht völlig verständlich, wenn man sich nicht dabei stets erinnert dass die
Auflösung des Parlamentes in nicht ferner Zeit, spätestens am
Ende der nächsten Session in Aussicht steht. Da gehen nun
Conservative und Liberale schon jetzt mit sich zu Rathe: wie
sie sich die günstigste Stellung vor ihren gestrengen Wählern
schaffen wollen? Viele Anträge und Debatten über gewisse
wichtige und bestrittene Fragen bezwecken, schon jetzt nicht
sowohl ein sachliches Resultat als ein Manöver für den Wahlkampf. Man will sich selbst stärken und seine Gegner in
Verlegenheit bringen. So auch bei der Trinkfrage, also der
Frage nach den geeignetsten Massregeln, um dem allgemein
anerkannten Uebel der übermässigen Trunksucht, der „Trinkkrankheit“ zu steuern. Die Betreibung dieser Massregeln liegt
jetzt wesentlich in den Händen der liberalen Partei, der
jetzigen Opposition. Ihre Stellung zu dieser Frage ist eine
sehr vortheilhafte denn im Principe widerspricht eigentlich
niemand: jeder wohldenkende Mann erkennt das Uebel an.
In vielen Wahlbezirken soll sogar eine bedeutende Majorität
vorhanden sein, die nur einen solchen Candidaten annehmen
wird der sich für bestimmte „Mässigkeits-“ wenn auch nicht
gerade für die strengsten „Enthaltsamkeits“-Massregeln verpflichtet. Hier also fallen die Forderungen des Gewissens mit
dem politischen Vortheile zusammen. Aber ebenso hoch, ja
noch weit bedeutender wird in vielen Wahlbezirken der
Einfluss der Brauer und Brenner und der Schankwirthe nebst
ihren unzähligen Kunden mit Recht geschätzt. Bei diesen fällt
natürlich ein Candidat, der für wesentliche Beschränkungen
ihres Absatzes oder ihrer Neigungen gestimmt hat, ohne
Gnade durch. Im Laufe des letzten Jahres fanden vierundzwanzig Nachwahlen zum Parlamente statt. Bei einundzwanzig
Wahlen wurden von dem Candidaten bestimmte Erklärungen
über seine Stellung zur Temperance-Gesetzgebung gefordert

und gegeben. Bedenkt man diese fatale Zwangslage, so versteht man erst die seltsame Erscheinung, dass in den letzten Jahren die Redner der Majorität des Unterhauses stets mit dem edlen Zwecke der Anträge gegen die „Trinkkrankheit" übereinstimmten, aber leider immer just diejenigen Mittel und Wege, welche grade vorgeschlagen wurden, aus allerlei praktischen, speziellen, technischen, finanziellen Erwägungen nicht vollständig zu billigen vermochten. — Da glaubt man denn oft eine Rede über das bekannte Thema zu hören: „Wasch' mir den Pelz und 'mach' mich nicht nass". — Sie sehen, für diese armen Parlamentarier ist die Trinkfrage wirklich eine „Trinkschwierigkeit". Was soll da ein gewissenhafter Mann und praktischer Charakter, der gern wieder gewählt sein möchte, thun? Zu welchem Heiligen soll er beten? Was soll die Regierungspartei im Ganzen thun? — Es ist daher höchst wahrscheinlich, dass die entscheidende Schlacht über die „Trinkfrage" erst im nächsten Parlamente geliefert werden wird". —

„Auch gewonnen für die Temperenzler?" fragte ich.

„Das scheint mir zweifellos. Die englische Nation ist in ihrem Kerne so kräftig und so gesund in ihren Wurzeln, dass sie ganz aus sich selbst den Heilungsprocess entwickelt hat. Das Uebel ist freilich ein sehr tief eingewurzeltes; es ist schon viele Generationen alt und ganz unglaublich verbreitet. Man hat berechnet, dass allein durch die Schanklokale in London die Strasse von hier nach Oxford, 75 Km., mit einer geschlossenen Häuserreihe besetzt werden könnte. — Und dabei bringt die Getränksteuer dem Staate jährlich etwa 650 Millionen Mark ein! Wie soll sich nun ein gewissenhafter Finanzminister dazu stellen, wie das ersetzen? Was Wunder also, dass die Heilung noch aussteht, trotzdem die ersten Symptome der Besserung schon vor mehr denn dreissig Jahren auftraten".

„Und wie begann es, bitte?" fragte ich weiter.

„Der erste Keim war recht unbedeutend. Am nächsten war die Hilfe dort, wo die Noth am grössten war: in Irland. Für England bildete sich der Kern der Bewegung in Manchester und jetzt ist diese „Temperance-Bewegung" unter der Führung des mächtigen Centralvereins, der »United Kingdom

Alliance«, durch die drei vereinigten Königreiche überall hin verbreitet". —

„Gewiss", erwiderte ich, „auch im Auslande ist die englische Trinkfrage keinem Zeitungsleser völlig fremd; hat man aber solche Krankheitsbilder gesehen wie ich heute, dann wird die Frage noch ganz anders gegenständlich. Ich meine, solcher Augenschein muss das Interesse eines jeden reizen, dieser nationalen Lebensfrage, die auch bei uns in Deutschland noch keineswegs ausreichend beantwortet ist, näher zu treten. Sie, verehrter Landsmann, scheinen mir ziemlich tief eingeweiht zu sein?"

„Mich hat", so schloss mein Wegweiser diese anziehende und belehrende Unterhaltung am Kamin, „mich hat zunächst die Art und Weise angezogen, in der hier gegen diesen Feind gerüstet und mobil gemacht wird. Sie ist völlig abweichend von dem Ausgangspunkte und dem Verlaufe, den solche Bewegungen, wenigstens zu meiner Zeit, in Deutschland zu haben pflegten; ich meine: von oben her und officiell. Oder ist das jetzt etwa anders geworden?"

„Nun", antwortete ich bescheiden, „wir haben uns doch inzwischen bemüht, selbständig gehen zu lernen. Ohne einiges Irren und Stolpern und ohne unseren grossen wegkundigen Führer geht es dabei natürlich auch bei uns noch nicht vorwärts. Wir sind ja leider! von Urväter Zeiten her zu sehr gewöhnt: ein jeder „selbständig" seinen Weg schlendern und sein Princip reiten zu wollen.

„Zufällig", so fuhr der Landsmann in seiner Schlussrede fort, „kenne ich den Secretär der »United Kingdom Alliance«, Mr. Barker. Durch seine Gefälligkeit habe ich mir eine ziemlich vollständige Uebersicht verschafft über die Thätigkeit der Temperenzler: in der Presse, in Vereinen, Gesellschaften, Meetings und im Parlamente. Ich bin dabei einer tief betrübenden Erscheinung, aber auch einer Leistung von seltener Grossartigkeit begegnet. —

„Indessen jetzt ist es Ein Uhr Nachts", schloss er, aufstehend, „und »wir müssen's diesmal wirklich unterbrechen«. Ich schicke Ihnen lieber meinen Papiervorrath in Ihr Hotel; vielleicht sehen Sie ihn an einem der nächsten Regentage einmal durch". —

Glücklicherweise trat diese Gelegenheit zu häuslichem

Fleisse während meines Aufenthaltes in England nicht mehr ein. Ich nahm daher die Papiere mit in die Heimath und will nun versuchen, hier eine Uebersicht ihres überraschenden, ihres traurigen aber grossartigen Inhaltes zu geben.

I. Die Krankheit.

Die englische Gesetzgebung über den Verkauf alkoholischer Getränke ist so aussergewöhnlich verwickelt, dass selbst die officiellen Aktenstücke kaum ausreichen, um dieses Chaos völlig klar zu stellen. Lange Reihen von Gesetzen, beginnend im Jahre 1504, werden aufgezählt, die den Verkauf von Wein, Bier und Branntwein zum besten Vortheile des Fiskus und zum geringsten Nachtheile für die Producenten und Consumenten regeln sollen. Diese Vorschriften stimmen in den drei Königreichen keineswegs überein, sie verbieten in Irland oder Schottland was wiederum in England erlaubt ist. Bedeutende Kenner dieser Gesetze schätzen dieselben auf sechshundert Nummern. Jedenfalls kann man nicht behaupten: die Staats-Heilkünstler seien auf diesem Felde unthätig gewesen.

Fragen wir also nach den Früchten dieser Thätigkeit, betrachten wir den gegenwärtigen Stand der Trinkkrankheit.

Nach dem neuesten Berichte des vom Oberhause für deren Beobachtung eingesetzten Ausschusses, vom März 1879, waren im vereinigten Königreiche concessionirt:

im Jahre 1860: 156,700 Schanklokale
,   ,   1870: 185,100   ,
,   ,   1876: 216,000   ,

In der letzteren Zahl sind 36,000 Licenzen für den Verkauf ausser dem Hause einbegriffen.

Grossbritannien und Irland hat 33 Millionen Einwohner, es fällt daher auf 150 Einwohner eine Schanklicenz. Diese Concessionen wurden früher ohne Zeiteinschränkung ertheilt; eine jede wird zwar alle drei Jahre obrigkeitlich geprüft, falls aber nicht gegen den Wirth bereits drei Verurtheilungen vorliegen, läuft sein Licenz stetig weiter. Seit den letzten Jahren erst werden neue Concessionen fast nur »auf Zeit« gegeben, meistens auf ein Jahr, dann werden sie zwar geprüft aber fast stets erneuert. Als wesentlicher Punkt des ganzen Systems ist hervorzuheben: dass die Bedürfnissfrage in grossen Städten

gar nicht, auf dem Lande im allgemeinen nur sehr beiläufig
erörtert wird. In der neueren Gesetzgebung ist ein gewisses
Schwanken und Tasten bei diesem Concessionswesen nicht zu
verkennen. Man hat gesetzliche Einschränkungen nach und
nach in den verschiedensten Formen angewandt, aber immer
zeigte sich wieder, dass man nicht an die Wurzel des Uebels
gelangt war, das man nur hie und da einen Missbrauch beschnitten
habe neben dem dann ein anderer, durch irgend eine neue
entdeckte Lücke im Gesetz, wieder frei und fröhlich empor-
schoss.

Die officiellen Listen über die Einnahmen aus den Ein-
gangszöllen und aus der inländischen Getränksteuer ergeben
folgende

Consumtion von Spirituosen:

	1860.	1870.	1876.	1877.	1878.
	Millionen Liter.	Millionen Liter.	Millionen Liter.	Millionen Liter.	Millionen Liter.
Englischer Branntwein	96,30	101,70	135,00	134,46	132,08
Fremder Branntwein.......	24,75	37,80	51,75	48,37	46,89
Englischer Wein und Cider.	56,25	67,50	78,75	78,75	78,75
Fremder Wein	30,50	68,00	83,70	76,50	72,90
Biere	3033,90	4255,30	5100,00	4901,85	5027,85
	3241,70	4530,30	5449,20	5239,93	5358,47

Im Jahre 1878 entfiel also auf jeden Kopf der Bevölkerung
(33,2 Millionen) ein Consum von 162 Litern.

Die Ausgabe hierfür betrug:

im Jahre 1860: 1684 Mill. Mk.; Einwohner: 28,7 Mill.; auf den Kopf: 58 Mk.
* ' 1870: 2376 * * * 31,2 * * * * 76 *
* * 1876: 2944 * * * 32,4 * * * * 92 *
* * 1877: 2840 * * * 33,0 * * * * 86 *
* * 1878: 2844 * * * 33,2 * * * * 86 *[)

Der Zuwachs der Bevölkerung betrug von 1860—1878:
17 Procent.

---

*) Im Jahre 1879 sank die

Consumtion

von englischem Branntwein auf	125,77 Mill. Liter
= fremdem = *	42,97 * =
= = Wein =	67,27 = =
= Bier =	4134,65 = =

Die Ausgabe fiel auf 2563 Millionen Mark; also 77 Mark auf den Kopf.

Der Zuwachs der Ausgaben für berauschende Getränke betrug: 60 Procent.

Nun aber weisen die vereinigten Temperance-Gesellschaften eine Mitgliederzahl von 4,7 Millionen Köpfen auf; es beträgt also die Alkohol trinkende Bevölkerung nur 29 Millionen. Wir wollen mit dieser letzteren Nettozahl der Trinker die vorstehenden procentischen Rechnungen nicht wiederholen, die gefundenen Zahlen sprechen wohl schon ohnehin deutlich genug. Fragen wir aber: was trinken denn die 4,7 Millionen Temperenzler? so giebt die Antwort der

Theeconsum

der von ....2,5 Pfd. auf den Kopf im Jahre 1860
gestiegen ist auf 4,5 .   .   .   .   .   .   1878.*)

Damit wir jedoch nicht in Versuchung gerathen, das Dankgebet des Pharisäers anzustimmen, bitte ich nachstehende kleine Tabelle über den *Bierconsum in der Stadt München* zu vergleichen.

	Getrunkenes Bier Liter	Geldaufwand Mk.	Einwohnerzahl	auf den Kopf Liter	Ertrag der Staats- u. Gemeindesteuern Mk.	Steuerlast per Kopf Mk.
1876	95,94 Mill.	24,86 Mill.	198,000	484	125,84	2,5 Millionen	12,5
1877	95,13 .	24,26 .	215,000	441	112,40	— . .	—

(einschliessl. neue Vorstadt Sendling.)

*) Im Jahre 1879 betrug die Ausgabe für Thee: 321 Mill. Mark.

Die Minderausgabe für alkoholische Getränke war: 280 Mill. Mark = 9,8%; dagegen ergab sich eine Mehrausgabe für Thee, Kaffee und Cacao: 8,4 Mill. Mark = 2,3%. Die Steigerung des Verbrauchs von Thee war: 1,5 Mill. K; von Kaffee: 650,000 K; von Cacao: 100,000 K.

Es hat sich nun neuerdings ein Streit darüber entsponnen: ob diese Minder- und Mehrausgabe den steigenden Mässigkeitsgewohnheiten oder dem Zwange der gesunkenen Kaufkraft der Consumenten zuzuschreiben sei? Die Verfechter der letzteren Ansicht behaupten; 1) seit vierzig Jahren sei der Verbrauch von Fleisch und Spirituosen immer mit den sogenannten guten und schlechten Zeiten gestiegen und gefallen; 2) der Verbrauch von Thee (Zucker und Tabak) sei stetig gestiegen, denn die Pinte Bier (= 16 Pfennige) werde bereits ersetzt durch eine Ausgabe von 4 Pfennigen für Thee und Zucker. 3) Zutreffender als Massstab für die Nüchternheit eines Volkes, als der Verbrauch des Thees, sei der des Kaffees. Letzterer betrage auf den Kopf der Bevölkerung: in den Vereinigten Staaten = 3 K; in England = 0,56 K; in Frankreich = 1,25 K; in Deutschland und Oesterreich = 2,25 K; in den Niederlanden = 4,50 K (?). — Diese Frage wird sich aus der Statistik allein nicht entscheiden lassen, da auch hier ohne Zweifel eine Mischung zusammengesetzter Motive wirkt. Immerhin darf man hoffen: die zunächst aus Zwang geübte Mässigkeit werde vielfach zur besseren Gewohnheit werden durch die zunehmende Erkenntniss, dass Alkohol zwar ein ganz brauchbarer Diener aber ein gefährlicher Herr ist. (Mai, 1880.)

Forschen wir nach den Wirkungen des Alkoholconsums, so liefert uns die Kriminalstatistik erschreckende Antworten, aus denen ich nur folgende sporadische Notizen hier wiedergeben will:

1. Die Polizei hat aufgegriffen in England und Wales:

im Jahre 1860 etwa   88,000 Trunkfällige
  »   »   1870   »   131,000   »   »
  »   »   1875   »   204,000   »   »

2. In London wurden im Jahre 1875 arretirt:

wegen einfacher Trunkenheit . . . . . . { 8525 Männer / 7525 Weiber

wegen Vergehens in der Trunkenheit { 7963 Männer / 6999 Weiber

In Liverpool (520,000 Einwohner) wurden aus denselben Veranlassungen

in den Jahren 1872 und 1873 arretirt { 13438 Männer / 9141 Weiber.

In Edinburgh (jetzt 200,000 Einwohner) wurden wegen Trunkenheit arretirt:

im Jahre 1871 5400 Personen
  »   »   1877 7733   »

Hier fand also eine Steigerung statt von 33 Procent, die Bevölkerung war inzwischen gestiegen um 5 Procent.

Im Jahre 1876 wurde in der Stadt Limérick, in Irland, wegen Trunkenheit arretirt: je der zwölfte Einwohner; im Jahre 1877: je der sechzehnte.

3. Seit 1860 bis 1876 sind gestiegen:

die Trunkfälligkeit der Kinder unter 16 Jahren um: 130 Procent.
der Säuferwahnsinn um: 67   »
die Verarmung um 78   »
andere Verbrechen etwa um . . . . 40 Procent.[*]

4. Binnen 18 Jahren hat sich die Steuerlast des Landes für Gefängnisse und Irrenhäuser verdoppelt.

5. Und woher erklärt sich diese furchtbare Steigerung der „Trinkkrankheit"? Die Trinkgelegenheiten waren binnen 16 Jahren von 156,700 vermehrt auf 216,200. Im Jahre 1860

[*) Die genaue Uebersicht der Steigerung ist folgende:

	1860	1870	1876
Trunkfälligkeit	88,361	131,370	203,989
Angriffe auf die Polizei	86,448	107,127	122,913
Säuferwahnsinn	38,058	54,713	63,793
	212,867	293,210	390,595.

existirte erst auf 184 Köpfe, im Jahre 1876 schon auf 134 Köpfe
eine Concession: die Orte der Versuchung waren vermehrt um
38 Procent.

Diese einfachen nackten Ziffern sind das Ergebniss ziemlich
mühevoller Ermittelungen. Ich habe sie grösstentheils ent-
nommen aus dem im März 1879 erschienenen Berichte
des Ausschusses des Oberhauses. Dieser Bericht enthält
56 Quartseiten Text und 4 Foliobände Anlagen, mit insgesammt
1680 Seiten. Der Ausschuss hat 108 Zeugen und Sachverständige protokollarisch vernommen; es fliesst hier also eine
fast überreiche Quelle, an der schöpfend man grosse Enthaltsamkeit üben muss.

Indessen giebt es auch in dieser Frage Statistiker, die
anders rechnen und zu dem Resultate kommen möchten: die
Thatsache des übermässigen Genusses von Spirituosen
überhaupt zu leugnen. Einer dieser sonderbaren Heiligen
schreibt neulich an die Times: „Wenn man die gesammte
jährliche Consumtion von Spirituosen unter die erwachsene
Bevölkerung vertheilt, so kommt auf den Kopf täglich nicht
mehr Alkohol, als drei Gläser Sherry (ein starker Import- und
noch stärkerer Fabrikationsartikel in England) enthalten, was
doch gewiss nur ein mässiger Genuss ist". Ein anderer
erzählt von der Mässigkeit, welche er und seine Freunde beim
Lunch in ihrem Club entfalten; dann berechnet er die jährliche
Ausgabe eines jeden von ihnen für diese mässige Consumtion
auf etwa 200 Mark und gelangt von da aus zu dem überraschenden Ergebnisse: dass eigentlich etwa erst 7000 Millionen
Mark (statt 2844 Millionen) diejenige Summe sei, die alljährlich
vernünftiger und mässiger Weise in den vereinigten Königreichen vertrunken werden dürfe!

6. Als die United Kingdom Alliance anfing Statistik zu
machen, standen deren Ergebnisse häufig im grellsten Wider-
spruche mit denen der Polizeibehörden. Die letzteren con-
statirten damals regelmässig: Abnahme der Krankheit. Die
United Kingdom Alliance organisirte daher eine besondere
Ueberwachung der Trinker und der Trunkfälligkeit, zunächst
in Birmingham. Diese Controle gab folgende seltsame Resultate. Die Gesellschaft liess 35 Trinklokale in verschiedenen
Stadttheilen durch intelligente und zuverlässige Männer an

144   *Die Trinkkrankheit in England.*

einem Sonnabend überwachen. Es traten an diesem Tage aus diesen Trinkstellen:

9159 Männer und 5006 Frauen

davon waren   662   *   * 176   *

also zusammen 838 Personen zweifellos schwer betrunken. An diesem nämlichen Tage arretirten die Beamten der regelmässigen Polizei in ganz Birmingham (360,000 Einwohner): 29 Betrunkene.

In diesem Falle darf indessen nicht übersehen werden, dass nicht nur von den Besuchern im allgemeinen sondern auch von den 838 Schwertrunkenen viele die Trinklokale mehrere Male verliessen, indem sie sich inzwischen umhertrieben und ab und zuliefen.

Eine zweite interessante Probe wurde, ebenfalls in Birmingham, mit 51 Schanklokalen angestellt, auch an einem Sonnabend, während dreier Abendstunden. Man zählte aus diesen Lokalen heraus: 15,096 Personen, darunter 1436 Schwertrunkene. An demselben Sonnabend arretirte die Polizei wegen Trunkenheit: ein Individuum! —

Ferner haben dieselben Auszähler festgestellt, dass das Verhältniss der Frequenz in den Schänken vom Sonnabend zum Montag steht wie 2:1 und vom Montag zum Dinstag wieder wie 2:1.

In Salford, einer Vorstadt von Manchester mit 122,000 Einwohnern, wurden arretirt:

am Sonntag von 8—12 Uhr Abends:				128 Trunkene	
am Montag während des ganzen Tages				207	*
* Dinstag	*	*	*	*	140	*
* Mittwoch	*	*	*	*	87	*
* Donnerstag	*	*	*	*	87	*
* Freitag	*	*	*	*	125	*
* Sonnabend	*	*	*	*	562	*

Also am Abend des Sonnabends, des Lohntages, zeigt die Trinkkrankheit den Höhepunkt ihres Paroxismus.

7. Sehr merkwürdige Ergebnisse liefert die nachstehende tabellarische Zusammenstellung, welche die gleichzeitige aufsteigende Bewegung veranschaulicht:

	a. der Ausgaben für berauschende Getränke	b. der bestraften Verbrecher	c. der Armensteuer und Polizeikosten	d. der von der Polizei aufgegriffenen Trunkenbolde.
1869...	2256 Mill. Mk.	373,000	260 Mill. Mk.	122,310.
1870...	2376 » »	390,000	268 » »	131,800.
1871...	2378 » »	408,000	276 » »	142,300.
1872...	2632 » »	424,000	284 » »	151,000.
1873...	2800 » »	457,000	284 » »	183,000.
1874...	2826 » »	487,000	294 » »	186,000..
1875...	2856 » »	512,000	290 » »	204,000.

8. Mit diesen und ähnlichen statistischen Ermittelungen
sind nun allerlei Betrachtungen angestellt, um den riesenhaften
und auf die Länge tödtlichen Blutverlust am Nationalvermögen
grell vor die Augen zu führen, den die Trinkkrankheit unfehlbar in ihrem Gefolge haben müsse.

Zum Beispiel:

a) der Werth des gesammten englischen Exportes während der
vier Jahre 1875—78 beträgt . . . . 16,200 Mill. Mk.
die Ausgabe für alkoholische Getränke in den sieben Jahren
von 1872—78 beträgt . . . . 19,740 » »
mithin letztere mehr: . . . . 3,540 » »

b) Der gesammte materielle, directe und indirecte (sehr umständ-
lich berechnete) Verlust der Nation durch die Consumtion
der berauschenden Getränke ist veranschlagt für die Jahre
von 1872—1878 auf: . . . . 36,000 Mill. Mk.

„Hierfür", heisst es weiter in dem Centralorgane der
United Kingdom Alliance, der Alliance News, „hierfür hätten
wir folgendes leisten können: wir hätten unsere National-
schuld (Capital: 15,500 Millionen Mark) bezahlen können, dazu
hätten wir sämmtliche vorhandene Eisenbahnen für den Staat
ankaufen und das vorhandene Eisenbahnnetz beinahe ver-
doppeln können! Was haben wir statt alles dessen für unsere
36,000 Millionen Mark gewonnen?

Mehr Verbrecher, Arme und Irrsinnige; das bedeutet:
mehr Polizei, Gefängnisse, Arbeitshäuser und Krankenhäuser.
Ferner eine durchschnittliche Verkürzung der Lebensdauer,
welche eine Autorität, der sehr angesehene Arzt Dr. William
Richardson, im Jahre 1875 vor einem wissenschaftlichen
Congresse zu Brighton auf ein Drittel geschätzt hat". —

„In jetziger Zeit", so schliesst eine Zuschrift von
Mr. William Hoyle, einem der unermüdlichsten Führer der
United Kingdom Alliance an die Times, „forschen unsere Kauf-

Ompteda, L. v., Bilder.   10

leute und Fabrikanten ängstlich nach neuen Absatzgebieten in allen Welttheilen. Würden wir nicht gut thun, unsere Aufmerksamkeit ernstlicher unserem einheimischen Markte zuzuwenden? Denn da wir durch unser Trinklaster direct und indirect eine grössere Summe verschwenden als den Betrag unseres ganzen Exportes, so hätten wir ja ein bereites und sicheres Mittel gegen die Geschäftsstockungen in unserer eigenen Hand, wenn wir jene Summe dem Alkoholgeschäfte entziehen, wenn wir namentlich die so ausserordentlich gestiegenen Arbeitslöhne vernünftig verwenden, indem wir sie für Kleider, Schuhe und Hausrath ausgeben".

„Und", so heisst es weiter, „wenn wir auch im Jahre 1878 4 Millionen Liter fremde Weine und ebensoviel Branntwein weniger getrunken haben als 1877, so beweist das durchaus keine Besserung der Krankheit; es beweist nur die Verminderung des Einkommens in den mittleren Klassen durch unsere jetzige traurige Geschäftslage. Denn wir haben zwar im Jahre 1878: 8 Millionen Liter Wein und Branntwein weniger, dafür aber 126 Millionen Liter Bier mehr getrunken.

Der amerikanische Consul in Sheffield entwirft in einem dienstlichen Berichte von den Gewohnheiten der dortigen Arbeiter folgendes Bild, welches wohl auf die meisten englischen grossen Städte zutreffen möchte.

„Unter der arbeitenden Bevölkerung von Sheffield herrscht eine höchst unvernünftige Sorglosigkeit in Beziehung auf ihre Einnahmen und Ausgaben. Mancher Arbeiter, der 60 bis 80 Mark in der Woche verdienen könnte, wird sich mit der Hälfte begnügen, oder genau mit soviel als er für Nahrung, Bier und Vergnügungen bedarf; für Frau und Kinder fällt von seinem Verdienste nur eine erbärmliche Kleinigkeit ab. Eine grosse Anzahl von Arbeitern, die sich im Laufe der Zeit in eine unabhängige, wenigstens gesicherte Lage hinaufschwingen könnte, macht keinerlei Ersparnisse, ausser dass sie wöchentlich 1 bis 2 Mark in ihre Vereinskasse bezahlen, als Versicherung in Krankheitsfällen. Diese an sich gute Einrichtung, scheint übrigens in gewisser Weise den Ersparungstrieb zu lähmen".

„Soviel ist sicher: trotz der schlechten Geschäftslage in Sheffield würde nur wenig Armuth unter den Arbeitern herrschen, wäre nicht die Gewohnheit des starken Trinkens. Ein

Gang durch die Strassen lehrt sofort: wohin der Verdienst der Arbeiter wandert, und in vielen Fällen auch derjenige der hier sehr zahlreichen Arbeiterinnen. Auch deren Verdienst ist bedeutend höher, als man nach den allgemeinen häuslichen Zuständen annehmen möchte. — Die meisten Leiden der englischen arbeitenden Klasse sind auf die Trunksucht zurückzuführen. Denn in Sheffield versäumt durchschnittlich jeder Arbeiter einen Arbeitstag in der Woche mit Trinken. Das giebt einen Ausfall von einem Sechstel der gesammten Productionskraft. Es leuchtet wohl ein, dass eine Nation — sei sie übrigens noch so sehr bevorzugt — deren Arbeiter zum Trunke und Striken neigen, auf die Dauer nicht auf dem Weltmarkte mit anderen Ländern concurriren kann, deren Arbeiter mässig, fleissig und sparsam sind".

II. Die ersten Heilungsversuche.

Es ist wohl selbstverständlich, dass dieses Elend, diese »Nationalkrankheit« schon seit längerer Zeit die Besorgniss und das Mitleiden aller christlichen, philanthropischen und patriotischen Beobachter wach rief, so dass nach und nach alle guten Bürger, alle rechtlich und sittlich denkenden Menschen, vom Seelsorger bis zum Statistiker, begannen sich irgendwie mit der Trinkfrage zu beschäftigen.

Am frühesten und tödtlichsten wüthete die Krankheit unter der verarmten Bevölkerung Irlands, und hier wurde auch, schon vor mehr als vierzig Jahren, der erste bedeutende Versuch gemacht, sie zu bekämpfen. Als ein besonders greifbares unter den Symptomen der damaligen Zustände will ich hervorheben, dass schon im Jahre 1833 in Irland für den dort nationalen Whiskey (Haferbranntwein) mehr als 140 Millionen Mark jährlich ausgegeben wurden, doppelt soviel als die gesammte damalige Armensteuer im Vereinigten Königreiche betrug. Damals nahm die „Gesellschaft der Freunde" (die Quäker) in Cork die Sache in die Hand und gründete den ersten Enthaltsamkeitsverein. Unter ihren verschiedenen Agitationsmitteln erscheint mir folgendes besonders originell. Bei Gelegenheit eines grossen öffentlichen Festes stellten sie eine Menge riesiger Plakate aus, die überall sichtbar waren, nachstehenden Inhalts:

10*

Billiger Whiskey.

Tod & Co.

empfiehlt sich zur Ausbildung von Trunkenbolden, Bettlern
und Vagabonden auf raschestem und billigstem Wege.

Niemand verkauft stärkeres Gift, bricht besser Herzen
und macht Familien elender als

Tod & Co.

Jedoch hätten die eifrigen, menschenfreundlichen Bestrebungen der Quäker bei der grossen Menge wohl keinen Eingang gefunden, denn sie belehrten im Grunde die Blinden über
die Farben, ohne die Mitwirkung eines katholischen Geistlichen,
des Vater Mathew. Dieser berief eine Versammlung, predigte
dem Volke und wusste seine katholischen Zuhörer durch Anwendung der ihnen verständlichen religiösen Formen und Cere-
monien zu fesseln und zu gewinnen. Er nahm die zur Enthaltsamkeit vom Whiskey Bekehrten durch ein feierliches
Gelübde in seinen Bund auf, dann segnete er sie. Anfangs
kamen auch zu ihm nur wenige. Indessen das Beispiel wirkte
anziehend auf die grosse zum Glauben geneigte Menge, und
der Anschein des Geheimnissvollen und des Wunderkräftigen
fesselte. Die Wunder bestanden einfach darin, dass einige
notorisch durch den Trunk herabgekommene Arbeiter durch
die Nüchternheit wieder zu gesunden, kräftigen, arbeitsamen
Menschen wurden. Die grosse Menge jedoch glaubte an die
zauberhafte Wirkung des Segens. Aus allen Kräften
suchte Vater Mathew diese Auffassung zu bekämpfen. Vergebens: der katholische Priester hatte, diesmal für den edelsten
Zweck, die Phantasie der abergläubischen Masse gereizt: das
Wunder, des Glaubens liebstes Kind, war die nothwendige Folge.

Die frohe Botschaft verbreitete sich rasch: von nah und
fern strömten alle Kranken und Elenden herbei, um durch
Vater Mathews wunderthätigen Segen geheilt zu werden, und
alle legten das Gelübde ab.

Bald erschien der »Vater« in Limerick, von dort zog er
weiter umher, und so ergriff die Bewegung, wie ein Lauffeuer,
nach und nach ganz Irland. Im Jahre 1840 hatte Vater Mathews
Verein schon 500,000 Mitglieder und in Limerick mussten
80 Whiskeyschänken schliessen. Im Jahre 1845 war die Mitgliederzahl auf 800,000 gestiegen und die Gefängnisse leerten

sich stetig. Jetzt ist die ganze Insel mit einem dichten Netze von Enthaltsamkeits-Vereinen überzogen, die unter der gewandten Leitung der katholischen Geistlichkeit mit grossem Erfolge arbeiten und bereits wichtige heilsame Reformen in der Gesetzgebung für Irland durch das Parlament gebracht haben. Von dort aus pflanzte sich die Bewegung nach England fort. Es bildeten sich eine grosse Menge von Vereinen mit verschieden abgestufter Strenge der Anforderungen. Da dieselben aber vereinzelt und nur örtlich arbeiteten, so war ihre Wirkung nach aussen sehr gering; zu einem Drucke auf die Regierung und Gesetzgebung erwiesen sie sich völlig unvermögend. Das grosse Publikum betrachtete ihre Thätigkeit mit platonischem Wohlwollen als seltsame aber unschädliche menschenfreundliche Bestrebungen, etwa wie den Vegetarianismus und das Naturheilverfahren. Der etwas sectenhafte Anstrich ihres Gebahrens stiess, nach rechts und links, eher ab als dass er anzog.

Man erkannte diese Mängel und schritt zur Abhilfe. Im Jahre 1853 wurde in Manchester die grosse Central-Mässigkeits-Gesellschaft gestiftet, deren vollständiger Titel ihren Zweck folgendermassen ausdrückt:

United Kingdom Alliance

for the total and immediate suppression of the traffic in intoxicating liquors and beverages; — also: die gänzliche und sofortige Unterdrückung des Handels mit berauschenden Getränken.

Diese Centralstelle fasste nun sämmtliche kleine Vereine zusammen. Sie fusst vor allem auf dem Grundsatze: dass in ihr von jeder religiösen oder politischen Parteistellung völlig abgesehen wird. Zu ihren thätigsten Mitgliedern gehören der Cardinal Manning und sein jüngster College, der berühmtere Dr. Newman, neben vielen hohen und niederen Geistlichen der Staatskirche, neben Wesleyanern und Quäkern, sowie Laien aus allen politischen Lagern.

Die United Kingdom Alliance verwandelte also die bis dahin religiös-sittliche Bestrebung in eine politisch-nationale. Indem sie alle die zerstreuten kleinen Vereine unter sich zusammenfasste, hob sie jeden einzelnen im Ansehen und führte ihm Mitglieder zu, die bis dahin gleichgiltig vorübergegangen waren. Neue Gesellschaften der verschiedensten Ordnungen bildeten sich und jetzt überdeckt ein riesiges Netz das Vereinigte Königreich und die Colonien unter den mannigfachsten Formen und Namen: National Temperance League, Good Templars (mit freimaurerischer Organisation); Band of hope Unions (Hoffnungsvereine); Ragged Schools (Armenschulen); der Orden der Rechabiten; die Sons of Temperance und viele andere. Der Temperance Guide, ein Jahreskalender für 1879, zählt die Hauptgesellschaften vollständig auf; ihre Namen füllen 2—3 enggedruckte Seiten.

Es giebt keine Religionsgesellschaft und wenige Kirchspiele, die nicht ihre Hoffnungsvereine für Kinder, Enthaltsamkeitsvereine für die Jugend und für Erwachsene, Meetings für Jedermann und besondere Vereine für Frauen hätten. Alle diese Verbindungen stehen unter der Fahne völliger confessionsloser Neutralität. Daneben bestehen auch confessionelle Vereine; namentlich hat die Staatskirche, unter der Führung ihrer hohen Würdenträger, einen ausserordentlichen Eifer für das Werk der Rettung entwickelt, so dass sogar die Königin die „Church of England Temperance Society" der Ehre würdigte, selbst das Protectorat und die „Patronage" dieser Gesellschaft anzunehmen.

So arbeitet seit fünfundzwanzig Jahren die United Kingdom Alliance als bewegender Mittelpunkt einer gewaltigen, das Königreich überfluthenden, immer höher schwellenden Bewegung.

Mit welchen Mitteln?

Während der ersten vier Jahre ihres Bestehens beschränkte sich die United Kingdom Alliance darauf, die öffentliche Meinung durch Meetings, Zeitschriften und Tractate zu bearbeiten. Zunächst musste die Einsicht und Theilnahme der herrschenden Klassen aufgeklärt und erregt werden, das arbeitende Volk musste belehrt und zum Bewusstsein seiner Krankheit erweckt werden. Ferner genügte es nicht, gewisse einfache, mehr oder minder bekannte, sittliche, sanitätische und ökonomische Wahrheiten vor einem Kreise geneigter Leser oder Zuhörer wiederholt auszusprechen. Damit allein bewirkt man keine socialen Reformen. Diese Wahrheiten müssen den Massen beigebracht, imprägnirt, von ihnen aufgesogen werden.

Sie müssen landläufige, triviale Gemeinplätze werden. Ein jeder musste den Schaden erkennen und ausserdem noch die Vortheile, welche die Erreichung des Zweckes der United Kingdom Alliance: „das Verbot des Handels mit berauschenden Getränken", mit sich führen würde.

Diese Propaganda wird nun durch die United Kingdom Alliance und durch alle kleineren Gesellschaften betrieben. Zunächst und hauptsächlich vermittelst der Presse. Jetzt erscheinen für diesen Zweck mehr als sechzig periodische Blätter, davon zwanzig in London. Das Centralorgan der United Kingdom Alliance ist die „Alliance News". Die „guten Templer" geben sieben solcher Zeitschriften heraus, verschieden in Form, Preis und Adresse. Auch eine ärztliche Zeitschrift erscheint: „The Medical Temperance Journal". Daneben werden Broschüren und kleine Flugblätter mit stets variirtem Inhalt in ungezählten Massen vertheilt. Der erste Preis-Essay über „Verbot des Handels mit Spirituosen" erschien schon 1857 und wurde damals in 47,000 Exemplaren abgesetzt. Er enthält 320 enggedruckte Seiten. Leider erlaubt es der Raum nicht, auf seinen reichen und mannigfachen Inhalt hier einzugehen. Die „Band of Hope Union" hat erst kürzlich wieder einen Preis von 1000 Mark gegeben für die beste Temperance-Novelle: „Lionel Franklins Sieg" von E. van Sommer, ein eleganter Band mit 6 Illustrationen; Preis: 3,50 Mrk.

In dieser Presse also werden die Hebel von allen Seiten angesetzt: Geschichte, Polemik, Romane, Lieder, Statistik über Verbrechen und Unglücksfälle sowie über die Verschlimmerung der gedrückten Lage der Fabrikation und des Exportes — und alles mit Beziehung auf die Trunksucht. Die Lieder sind in Musik gesetzt und werden von der Jugend der Hoffnungsvereine gesungen. Man hat sogar besondere Sammlungen von Hymnen für die grossen Mässigkeitsfeste herausgegeben. In dem oben schon erwähnten Temperance-Kalender nimmt das Verzeichniss der Druckschriften siebzehn enggedruckte Seiten ein. Ferner arbeitet die United Kingdom Alliance durch Vorlesungen, Versammlungen und Abendunterhaltungen. Sie bezahlt fünfzig reisende Vorleser und hielt im Jahre 1878: 925 Meetings. Die United Kingdom Alliance erscheint auf jeder ärztlichen und naturwissenschaftlichen Versammlung und betont dort ihre Seite der behandelten Fragen.

Die United Kingdom Alliance und ihre Waffenbrüder sind sich jedoch sehr wohl bewusst, dass es nicht möglich ist, den arbeitenden Klassen einfach das Schanklocal, ihre einzige Stätte der Unterhaltung und Geselligkeit, zu schliessen, dass man vielmehr anderes, besseres an dessen Stelle setzen müsse. Es bedarf kräftiger „Gegen-Anziehungen". Sie gingen also gleichzeitig an's Schaffen. Hiervon einige wenige Beispiele. Man gründete in Dublin den grossen „Dublin Coffee Palace" mit einem Lesezimmer und Arbeiterclub. Der jährliche Umsatz dieses Institutes beträgt schon jetzt 80,000 Mark. In derselben Strasse entstand St. Andrews Temperance-Hall, wo man an jedem Abende in den Lese- und Clubzimmern Hunderte junger Leute aus dem Arbeiterstande finden kann, die sich mit Lesen, Billard und anderen Spielen unterhalten. Und dieser Institute sind in Dublin noch mehrere.

In Birmingham wirkt eine Kaffeehaus-Gesellschaft. Jüngst schenkte dieser eine wohlthätige Dame, Miss Ryland, ein neuerbautes Kaffeehaus, umgeben von sieben Häuschen mit Wohnungen für kleinere Handwerker. Das Ganze hatte der Wohlthäterin, ohne den Bauplatz, 60,000 Mark gekostet.

Ganz kürzlich wurde im Osten von London ein Arbeiterclub mit 130 Mitgliedern eröffnet, auf dessen Ausstattung 24,000 Mark verwendet waren. Er nimmt Beiträge von seinen Mitgliedern und soll nach der Absicht seiner Gründer, hauptsächlich des Herzogs von Bedford und des örtlichen Pfarrgeistlichen, finanziell auf eigenen Füssen stehen. Alle berauschenden Getränke sind dort ausgeschlossen.

Der Earl Brownlow liess ein ähnliches Kaffeehaus in Rockhamstead herstellen. Auf dem Schilde erschlägt der Ritter St. George den Drachen. Das Haus haben drei Herren in Pacht genommen, der eine von ihnen ist der Pfarrer des Kirchspiels. Der Betrieb ist ganz geschäftsmässig eingerichtet und man arbeitet auf Verzinsung des angelegten Capitals.

Ein Geistlicher schreibt über diese Bestrebungen an die Times: „Ich lebte etwa sieben Jahre lang in dem Theile von London, wo die Schänken am dichtesten gesäet sind; ich habe also die nächtlichen Schauer und Schrecken der Trunksucht kennen gelernt. Dennoch möchte ich nicht sagen, dass wir zu viele Trinklocale haben. Die armen Leute müssen doch irgendwo hingehen können, sie müssen ein Obdach, eine Unterhaltung finden, eine Abwechselung von ihrer elenden zweiräumigen Familienwohnung. Daher sind in grösseren Städten Schanklokale ein Bedürfniss. Sir Wilfrid Lawson und diejenigen, die wie er denken, sollten daher ihre Kraft auf die Einrichtung derartiger Häuser verwenden. Ich, damals Hilfsgeistlicher in London, habe zwei solche eingerichtet; nach dem Zeugnisse der benachbarten Schankwirthe, wie nach demjenigen der Frauen unserer Besucher, waren unsere Institute das mächtigste Mittel gegen die Trunkenheit. Von unserem kleinen Hause aus sahen wir fünf Bar-rooms. Drei davon waren nach einem Jahr geschlossen; der Wirth des vierten wünschte mir öffentlich: „dass doch irgend jemand mich zu Boden schlagen möge"; der fünfte Wirth machte uns Concurrenz: er schaffte Stühle, Tische, Zeitungen und Ventilation an: Dinge, von denen man aus Erfahrung weiss, dass sie am Trinken hinderlich sind. Wir erlaubten Bier, Karten, Domino, Thee und Kaffee — keinen Branntwein. Nach sechs Monaten hatten wir hundert regelmässige Mitglieder; Ruhe und Ordnung herrschte, höchstens ein oder zwei Mal im Jahre eine richtige Rauferei; in den anderen Localen aber eine solche beinahe an jedem Abende".

In London hat sich jetzt eine besondere „Kaffeehaus-Gesellschaft" gebildet, die bereits fünfzehn Anstalten gegründet hat. Sie verbannt alle berauschenden Getränke und giebt für 48 Pfennige eine reichliche Portion Beef, Brot, Butter und Kaffee. Auch kann ein jeder seine Mahlzeit mitbringen und unentgeltlich dort verzehren. Eines dieser Kaffeehäuser enthält einen Billardraum und einen Concertsaal. Die Gesellschaft vertheilte bisher vier Procent Dividende, sie ist also keine wohlthätige Anstalt, die von Unterstützungen lebt. *)

In Liverpool hat die „Gesellschaft für Wirthshäuser für

---

*) Ganz kürzlich ist eine Nachahmung dieser Häuser in Berlin eröffnet, in der Chausseestrasse, als Kaffee-, Thee- und Speisehaus. Wünschen wir ihr das beste Gedeihen, indessen — aller Anfang ist schwer! Die Geschichte der United Kingdom Alliance ist ein grosses Beispiel für die weise Lehre: man muss das Warten gelernt haben.

den englischen Arbeiter" seit 1875 : 31 solche Häuser eröffnet. Ihr Capital von 400,000 Mark hat drei Jahre hintereinander 10 Procent getragen. Im Jahre 1878 musste es verdoppelt werden.

Bei den grossen Eisenbahngesellschaften hat die United Kingdom Alliance mit Erfolg darauf gedrungen, dass man dort Rücksicht auf die wachsende Zahl der enthaltsamen Reisenden nehmen und Kaffee und Thee besser und billiger liefere, als bisher.

Endlich hat die United Kingdom Alliance sich auch auf das Wasser, an Bord von J. M. Kriegsschiffen gewagt. Sonderbarer — oder vielleicht: sehr zweckmässiger — Weise ist der Missionär hier eine Dame, Miss Weston. Aus ihrem Berichte entnehme ich folgendes: Die »National Temperance League«, für welche sie arbeitet, hat bereits Zweigvereine gestiftet auf 202 Schiffen, von den 230, welche in Diensten stehen; unter dem Effectivbestande von 55,000 Mann zählt sie 8000 Mitglieder. Vier Admirale und 162 Offiziere befleissigen sich völliger Enthaltsamkeit. Den Mitgliedern der Zweigvereine auf den Schiffen wird die Durchführung ihres Gelübdes durch verschiedene dienstliche Einrichtungen recht schwer gemacht. Diese Mannschaften nehmen zwar ihren Grogg aus der Cantine, aber sie verkaufen ihn, da die Regierung ihnen für nicht genommenen Grogg keinerlei Entschädigung giebt. Auf mehreren Schiffen ist allerdings der Bierschank bereits durch einen Kaffeeschank ersetzt. Der Präsident der Gesellschaft, ein Admiral, der bereits seit 20 Jahren ein sogenannter Teetotaller ist, legte zum Schlusse den Offizieren dringend an's Herz, ihren Mannschaften ein gutes Beispiel zu geben, indem sie sich in ihren Messen (Speiseanstalten) des Weines enthielten.

In dem Theile der Armee, der in England steht, soll etwa der fünfzehnte Mann »enthaltsam« sein; in der indischen Armee befinden sich unter 62,600 Mann aller Grade, 10,886 eingeschriebene »Abstainers«.

Die Kanzel ist selbstverständlich nicht stumm, sie liefert häufige und energische Strafpredigten gegen die »Nationalsünde«; die Wahlredner, die fliegenden Buchhändler auf den Bahnhöfen, die Temperance Hotels, in denen keine berauschenden

Getränke geschänkt werden: alle diese Thätigkeiten und Einrichtungen sind Missionare der riesenhaften Propaganda, welche von der United Kingdom Alliance ausgeht.

Man trifft bereits viele sogenannte Teetotallers in den höheren Klassen der Gesellschaft. Im Unterhause sollen jetzt etwa zwanzig sitzen. Ihren Gästen geben sie Wein, trinken ihn aber niemals selbst; im strengeren Schottland bekommt der Gast nur Kaffee und Thee. —

Es giebt indessen eine Klasse von Trinkern, für die es nicht ausreicht, dass man ihnen anstatt eines wüsten Bar room ein comfortables Kaffeehaus bietet. Diese Unglücklichen, die man wohl »constitutionelle« Trinker genannt hat, bilden eine Klasse von geistig und körperlich halbkranken Menschen; sie unterliegen gewohnheitsmässig — häufig wider besseres Wissen und Wollen — der Versuchung des Alkohols, wie die Consumenten von Opium und Morphium den Reizen dieser Gifte immer von neuem verfallen. Für diese Schwachen und Elenden hat man auf Rettung gesonnen und geglaubt, dass sie diese nur in einer Heilanstalt finden können.

Am 8. Mai 1879 wurde im Oberhause ein Gesetz angenommen, welches bereits durch das Unterhaus gegangen war: »The Habitual Drunkards Bill« also: das Gesetz betreffend die Gewohnheitssäufer.

Auf Grund dieses Gesetzes erklärt ein, in solchem traurigen Zustande befindlicher Kranker schriftlich vor der Obrigkeit: dass er für eine bestimmte Zeit in ein Asyl für Trunkfällige aufgenommen werden wolle. Der Eintritt ist also freiwillig aber wenn einmal darin, ist der Kranke den Statuten und der Hausordnung unterworfen; er kann sogar im Asyle zurückgehalten werden, bis die von ihm selbst bestimmte Zeit abgelaufen ist".

Der durch seine Bestrebungen auf dem Felde der Wohlthätigkeit bekannte Earl of Shaftesbury befürwortete die Bill. Er ging davon aus, dass Trunksucht als eine Krankheit betrachtet werden dürfe, in sofern als in sehr vielen Fällen angeborene Prädisposition dafür nachweislich vorhanden sei. Alsdann könne aber das Uebel nicht allein durch Strafen beseitigt werden. Die Veranlassungen, welche diese angeborene Disposition in Wirksamkeit setzten, seien, nach den Beobachtungen des Vorstehers eines solchen »Hauses für Trinker«

in New-York, sehr vielfache: einige schwache Köpfe trinken aus Höflichkeit zu viel (man hat hier wohl an die amerikanische Unsitte des gegenseitigen Traktirens an der Bar zu denken).

Andere nehmen den Alkohol als geistiges Stimulans, so namentlich Gelehrte und Literaten; andere wollen einen schweren Kummer ertränken, schwemmen aber ihr Bischen brauchbares Gehirn mit fort; noch andere wollen sich Energie für's Geschäft oder für's Verbrechen suchen — — —. Für die Erblichkeit führte ein Dr. Hare, Idiotenarzt im Staate Massachusetts, folgende Beobachtungen an: „Von 300 Idioten wurden die Gewohnheiten der Eltern constatirt, 145 von diesen waren Trinker. Die schlaffe, schwächliche Nachkommenschaft des Trinkers, wenn auch noch nicht selbst idiot, hat einen angeborenen Hang zu Stimulantien und vererbt diese Disposition in verschiedenem Grade weiter. Ein einziges Trinkerpaar hatte sieben idiote Kinder in die Anstalt geliefert.

Diese verderbliche Erbschaft wird von den unglücklichen Nachkommen sehr häufig als solche erkannt; aber sie können sich ebensowenig aus eigener Kraft davon befreien, als von anderen ererbten persönlichen Eigenschaften. Solche Menschen bedürften daher zu ihrer Unterstützung eines geeigneten Zwanges". —

Die Times bemerkt zu diesem Gesetz: die Absicht desselben sei ohne Zweifel höchst lobenswerth, aber — eine solche Anstalt sei doch immer nur für Bemittelte zugänglich. Nun sei aber unter den höheren Klassen in England das Trinklaster entschieden im Abnehmen, namentlich im Vergleiche mit den Zuständen vor hundert und vor funfzig Jahren. Man habe ein Gesetz gegeben »für die wenigen, nicht für die vielen«. Ein Jahr, verbracht ohne Arbeit in einer Cur von Selterswasser und Limonade möge Wunder wirken, aber es koste Geld! Arme Arbeiter und Handwerker würden daher wohl vergebens an die Thür dieser, durch freiwillige Wohlthätigkeit gegründeten Asyle, klopfen. —

Werde die Sache gelingen, so liege die Grösse der Wohlthat auf der Hand; wenn nicht — so sei es immer besser, einen verfehlten Versuch gemacht zu haben als gar keinen. Aber das Nationalübel der Unmässigkeit sei ein Ding, von dem

die englische Welt sich nicht auf so leichte Weise befreien
werde. —*)

Wir finden begreiflicher Weise gerade in England viele
Männer und Frauen, die ganz persönlich und im stillen diese
innere Mission als erwählten Beruf ausüben und oft gewiss
mit mehr Eifer als Verständniss an's Werk gehen. In ihrem
geschäftigen, aufdringlichen Treiben steckt ohne Zweifel ein
Theil Uebertreibung, Eitelkeit, Heuchelei, auch wohl Eigennutz.
Aber diese Motive hängen sich an jede religiöse, politische,
humanitäre Tagesbewegung, ohne dass dadurch deren Berech-
tigung an sich in Frage gestellt wird. Zuweilen erfahren die
Strassenapostel und Wanderprediger auch wohl Unerwartetes.

So erzählt ein strenger Teetotaller und hervorragender
Arbeiter auf diesem Felde folgende Ueberraschung: Er geht
im Batterseaparke spazieren (dem Parke der armen Leute,
welchen ich in diesen Bildern, S. 66 geschildert habe). Ein Arbeiter
begegnet ihm und grüsst; unser Herr glaubt einen seiner Anhänger vor sich zu sehen.

»Mein Freund, kennt Ihr mich?«

»Ja, Herr«.

»Irländer?«

»Ja«.

»Nun, Ihr habt doch auch Euer »pledge?« (Eigentlich: Gelübde, dann auch Mitgliedskarte des Enthaltsamkeitsvereins).

»Nein, Herr«.

»Warum nicht, mein Freund?«

»Mein Geistlicher meinte nicht, dass es nöthig wäre«.

»Nun, nicht gerade nöthig, aber doch recht gut. Ich habe
auch meine Karte«.

»Sie? — Ja, wenn Sie es nöthig hatten!« — —

Wir sehen also, wie die United Kingdom Alliance nichts
Erdenkliches versäumte, um eine Strömung hervorzurufen, durch
welche sie die öffentliche Meinung Englands unwiderstehlich
mit sich fortreissen kann. Und alle diese Anstrengungen

*) Ein ganz ähnliches Asyl für Trunkfällige aus den höheren Ständen, das erste
und einzige in Deutschland, ist am 27. Novb. 1879 in Lintorf bei Düsseldorf eröffnet.
Jedoch wird dort wohl der Ein- und Austritt freiwillig sein, da es zu einem
bindenden Verzichte auf die eigene persönliche Freiheit eines Aktes der Gesetzgebung bedurft haben würde.

streben in ihrem letzten Ausgange nur auf den einzigen Zweck hin: Aenderung der Gesetzgebung; also: Majorität im Unterhause. Denn in England bleibt man stets der — bei uns leider zu Zeiten vergessenen — Wahrheit eingedenk, dass die Nation nicht sowohl aus den gezählten 33 Millionen Menschen der Bevölkerung besteht, als vielmehr — und ganz vorzugsweise — aus denjenigen Klassen und Individuen, die sich der Aufgaben der Nation bewusst sind, die an der Erfüllung dieser Aufgaben arbeiten und dadurch als bedeutungsvolle Ziffern vor die Millionen Nullen treten und ihnen erst einen wirklichen geistigen Inhalt geben.

Es ist wohl kaum möglich, die gesammten Geldmittel, welche für diese Zwecke jährlich verwandt werden, auf eine bestimmte Summe zu berechnen; in meinen Quellen finde ich darüber keine erschöpfenden Zusammenstellungen. Die unzähligen kleinen Gesellschaften arbeiten unabhängig. Die directen Einnahmen der United Kingdom Alliance betragen jährlich etwa 400,000 Mark. Das Centralorgan »The Alliance News« und die Presserzeugnisse stehen in Einnahme und Ausgabe mit etwa 100,000 Mark. Die Hunderte verschiedener kleiner Flugblätter kosten 12,000 Mark. Die Reisenden, Meetings und Agenturen beanspruchen 200,000 Mark. Im Oktober 1879 fand die jährliche Generalversammlung der Alliance statt, unter dem Vorsitze ihres neu erwählten Präsidenten, Sir Wilfrid Lawson's. Man besprach die bevorstehenden Wahlen und das Bedürfniss aussergewöhnlicher Geldmittel wurde anerkannt. Am Schlusse der Sitzung waren bereits ausserordentliche Beiträge zum Belaufe von 100,000 Mark gezeichnet, darunter vom Präsidenten: 20,000 Mark!

Natürlich sind auch die Gegner mobil geworden. Sie haben sich ebenfalls zu einer streitenden Gesellschaft organisirt, der »Licensed Victuallers' National Defence League«; auch sie geben eine Wochenschrift heraus, den »Wächter«. Sie besolden Agenten und einen grossen defensiven Apparat. Ihre Mittel sind selbstverständlich sehr bedeutend und fliessen reichlich, da es sich für sie um ihre Existenz, um die wichtigste aller Fragen: die Magenfrage handelt.

Jedoch giebt es auch auf dieser Seite unparteiische und uninteressirte Leute. Kürzlich wurde in der Sitzung des

Magistrates zu Preston beantragt, dass es dem dortigen
Hoffnungsvereine erlaubt werden möge, im städtischen Werk-
hause Vorträge über Enthaltsamkeit zu halten. Einer der
Herren bemerkte: »der Herr College Ashcroft (ein Schankwirth
und während seines ganzen Lebens in diesem Geschäfte) werde
dem Antrage wohl nicht günstig gestimmt sein«.

„Günstiger als Sie", erwiderte der würdige Magistratsrath,
„ich bin freilich Schankwirth, aber selbst streng enthaltsam
(a total abstainer) und in meinem Hause sind wir unserer neun,
die nie ein berauschendes Getränk gekostet haben".

Ein College: „Aber weshalb verkaufen Sie es denn?"
Mr. Ashcroft: „Das ist mein Geschäft".

III. Thätigkeit und Erfolge der United Kingdom Alliance im Parlamente.

Vier Jahre lang hatte die United Kingdom Alliance die
öffentliche Meinung mit allen Mitteln bearbeitet und dadurch
den Boden für die Saat vorbereitet, deren Frucht sie im
Parlamente ernten wollte. Im Jahre 1857 hielt man endlich
die Zeit gekommen, der bisherigen allgemeinen Propaganda
eine bestimmte Form und Richtung zu geben. Es geschah dieses in
Gestalt eines Gesetzwurfes, welcher jetzt jedem Engländer unter
dem Namen: „Sir Wilfrid Lawson's Permissive Bill" geläufig
ist. Noch weitere sieben Jahre hindurch wurde dieser Entwurf
auf die uns bekannte Weise verbreitet, erörtert, verarbeitet,
„trivial gemacht". Dann erst hielt man die öffentliche Meinung
für hinreichend kräftig, um die neue Idee vor das Parlament
bringen zu dürfen. Sir Wilfrid Lawson, liberaler Abgeordneter
für Carlisle, unterzog sich diesem schwierigen Geschäfte,
welches er bis auf den heutigen Tag mit niemals rastendem
Eifer forttreibt. Er besitzt, wie kürzlich die bedeutendste Zeitschrift des feindlichen Lagers „The Licensed Victualler's
Guardian" mit anerkennendem Bedauern ausführte, eine Reihe
sehr glücklicher Eigenschaften für diese Agitatorenrolle: angesehen, unabhängig, ein vornehmer Mann, eine kräftige, imponirende, durch einen langen grauen Vollbart gehobene Erscheinung, ein schlagfertiger Redner voll frischen Humors, nicht
ohne einen trocknen Sarkasmus und, wie der Verlauf seiner

Thätigkeit während der letzten fünfzehn Jahre beweist, ein Partei-
mann von unverwüstlicher, kaltblütiger, englischer Zähigkeit.

Es ist sehr merkwürdig und für uns Deutsche sehr lehr-
reich, an dem Lebenslaufe dieser „Permissive Bill" zu sehen,
wie die Engländer es anfassen, um politische oder sociale
Reformen durchzusetzen, die, seit Anfang her und noch jetzt,
von den mächtigsten Factoren des Staatslebens mit offenem
oder geheimem Widerwillen betrachtet und bekämpft werden.
Man will also gelangen: zur allgemeinen Unterdrückung des Handels mit berauschenden Getränken.
Ein hierauf direct zielender Antrag würde ohne allen Zweifel
allgemein abgelehnt worden sein. Man verlangte daher die
Erlaubniss für jeden einzelnen städtischen oder ländlichen
Gemeindebezirk, diesen Verkauf bei sich zu untersagen; daher
der Name „Permissive Bill" (erlaubendes Gesetz) oder „Local
Option Prohibitive Bill" (ein absichtlich allgemein gehaltener
Ausdruck, etwa: ein, nach Gutbefinden der localen Organe —
insbesondere: der Steuerzahler — verbietendes Gesetz). Der
Eingang des Entwurfes lautet:

„In Erwägung, dass der Verkauf berauschender Getränke
eine fruchtbare Quelle der Unsittlichkeit, Verarmung, der
Krankheiten, des Wahnsinns, des frühen Todes ist;

in Erwägung, dass die gewohnheitsmässigen Trinker
nicht nur selbst in's Elend versinken, sondern dass auch die
Personen und das Vermögen der Unterthanen Ihrer Majestät
durch die Erhöhung der Zölle und Steuern zu leiden haben;

in Erwägung, dass es demnach gerecht und billig ist,
den Steuerzahlern der Städte, Flecken und Kirchspiele die Gewalt zu verleihen, den Verkauf der
gedachten Flüssigkeiten zu verbieten" — —

Es wird dann gesetzlich bestimmt, dass eine gewisse Anzahl
von Steuerzahlern bei der Behörde den Antrag auf Abstimmung
über die Einführung der Permissive Bill stellen kann; stimm-
fähig hierbei sind alle diejenigen, welche Armensteuer bezahlen;
für die Einführung der Bill ist eine Majorität von zwei
Dritteln erforderlich; wird der Antrag abgelehnt, so darf er
erst nach einem Jahre erneuert werden; nach drei Jahren kann
eine neue Abstimmung beantragt und alsdann die Permissive

Bill mit derselben Mehrheit von zwei Dritteln wieder abgeschaft werden.

Es ist wohl zweifellos ein sehr gesunder Gedanke, dass, nach den Trunkenbolden selbst, am meisten die Steuerzahler leiden, welche die Armen, die Gefängnisse, die Waisenhäuser, Irrenhäuser und die Polizei unterhalten müssen. Die Tabelle auf S. 145 ist wesentlich aus diesem Gesichtspunkte aufgestellt. Ferner liegt in der Permissive Bill der weitere gesunde Gedanke, dass die angestrebte Reform nur schrittweise, nach und nach, durchgeführt werden soll, je nachdem die Majorität der Interessenten Ort und Zeit für gegeben erachtet. Diese Majorität wird voraussichtlich nicht sofort, sie wird nicht überall hervortreten. So können der Finanzminister, wegen der jährlichen Einnahme von 650 Millionen Mark, und die im Getränkehandel umlaufenden Privatcapitalien, — sie betrugen 1878: 2840 Millionen Mark — sich vorbereiten und einrichten. Denn der praktische Politiker darf doch nie vergessen, dass hier für die Regierung und noch mehr für die grosse Armee der „Publicans" eine ernste materielle Interessenfrage vorliegt. Hier kämpft das stärkste aller menschlichen Motive, der Trieb der Selbsterhaltung, wenn auch nicht »pro aris« so doch »pro focis«. — Daher wagte es denn bisher noch keine jeweilige Majorität des Unterhauses, gegenüber dieser mächtigen Wählermasse, ein für deren Geschäft, Capital und Genuss, ernstlich gefährliches Gesetz anzunehmen. Denn jene Majorität wäre bei den nächsten Wahlen zweifellos zerschmolzen. Die Wahlcampagne von 1874 hat das hinreichend klar gelegt und der Marquis von Hartington, der Führer der liberalen Opposition im Unterhause, wies noch jüngst in der Debatte darauf hin; wie wegen einer Bill von 1872 — welche verschiedene gröbste Excesse des Spirituosengeschäftes beschnitt — die Liberalen bei den Wahlen von 1874 (wo sie geschlagen wurden) der rücksichtslosesten Feindschaft aller Schänkwirthe ausgesetzt gewesen seien. *)

---

*) Bei den neuesten Wahlen hat die »Licensed Victuallers Defence League«, nach ihren eigenen Erklärungen, die Stellung jedes einzelnen Candidaten zu ihren Interessen geprüft und stets für den ihnen günstigeren gestimmt, ohne Rücksicht auf den Parteistandpunkt — also in der Mehrheit für die Conservativen. So war — wie die Times bezeugt — kaum eine Schankwirtschaft in England zu finden, die nicht

Ompteda, L. v., Bilder. 11

Wir dürfen uns daher nicht wundern, dass die Permissive Bill, trotzdem sie seit 15 Jahren ein stehender Artikel auf der Tagesordnung fast jeder Session war, sich noch immer im Zustande des Werdens befindet. Im Gegentheil! Ihre Fortschritte sind fast überraschend und beweisen: wie unwiderstehlich auf die Länge die Macht der kämpfenden Wahrheit ist.

Im Jahre 1864 wurde die Permissive Bill von ihrem getreuen und standhaften Adoptivvater Sir Wilfrid Lawson zuerst im Unterhause eingebracht; sie erhielt für die zweite Lesung: 40 Stimmen.

Von da an erschien sie in jeder Sitzung wieder. Im Jahre 1869, unter dem Ministerium Gladstone, erhielt sie 94 gegen 200 Stimmen, im Jahre 1870: 115 gegen 140 Stimmen. Also eine sehr bedeutende Entwickelung. In den Jahren 1871—1873 machte die Bill im Parlamente selbst keine erheblichen Fortschritte; die Petitionen jedoch, welche dort überreicht wurden, beweisen die zunehmende Gunst der öffentlichen Meinung. Im Jahre 1864 zählten diese Petitionen 482,000 Unterschriften, im Jahre 1872: 4,000,000 Unterschriften, die sich auf 6500 Eingaben vertheilten; unter diesen waren 1853 Stück von Corporationen, Gesellschaften und öffentlichen Instituten ausgegangen.

Im Jahre 1874 trat das liberale Ministerium nach den Wahlen ab. Das neue Parlament war unter dem Einflusse einer so mächtigen Bewegung, gerade in Beziehung auf unseren Gegenstand, die Trinkgesetzgebung, gewählt, dass bereits Uebelwollende sich erlaubten, ihm den Spottnamen „Publican Parliament" (Parlament der Schänkwirthe) anzuhängen.

Trotzdem hat die Permissive Bill auch seitdem in der öffentlichen Meinung bemerkenswerthe Fortschritte gemacht. Im Jahre 1875 wuchsen die günstigen Stimmen so sehr, dass der grosse, feinfühlige Barometer des jeweiligen Standes der öffentlichen Meinung, die Times, einen Alarmruf erhob. Sie machte den Getränkhändlern bemerklich, dass in dieser Frage das Parlament nicht die Ansicht des Landes repräsentire.

---

von der Thür bis zum Giebel die conservativen Farben trug. Jedoch war -- wie Mr. Hoyle schreibt -- das öffentliche Gewissen in der Trinkfrage schon so weit geweckt und ausserdem die Bewegung des Wahlkampfes so gewaltig, dass man im ganzen wenig Rücksicht auf das Gewicht der Schänkwirthe nahm (Mai, 1880).

Wollte man ein Plebiscit über die Bill veranstalten, so würden ihre Gegner nur noch wie drei zu fünf stehen.

Im Jahre 1876 war ein bedeutender Erfolg zu verzeichnen. Am 11. Mai überreichten 14,000 englische Geistliche dem Primas von England, Erzbischof von Canterbury, eine Adresse; in dieser wurde gebeten: „Die Aufmerksamkeit der Gesetzgebung auf den verderblichen Getränkhandel zu richten". Man muss, um das volle Gewicht einer solchen Kundgebung zu ermessen, der Stellung eingedenk sein, welche der englische Klerus im politischen, noch mehr im socialen Leben einnimmt. Wir können das etwa mit einer Meinungsäusserung, ausgehend von einer überwältigenden Mehrheit der deutschen Generale und hohen Militärs vergleichen. Bei jedem Dinner auf dem Lande hat der Clergyman den Ehrenplatz neben der Hausfrau und spricht das Tischgebet. — Der Erzbischof überreichte diese Adresse im Oberhause und erwirkte dort die Niedersetzung eines Ausschusses, unter dem Vorsitze des Herzogs von Westminster, welcher Alles zu beobachten, zu sammeln, zu studiren hat, was sich auf die Frage der Temperance-Bewegung bezieht. Die Ergebnisse dieser Thätigkeit werden uns noch später beschäftigen.

Es erklärt sich wohl ziemlich einfach, dass die conservative Regierung sich den Bestrebungen der United Kingdom Alliance, soweit dieselben in der Permissive Bill formulirt sind, nicht förderlich gezeigt hat. Bekanntlich ist das jeweilige englische Ministerium in Wirklichkeit nur ein Executiv-Ausschuss der jeweiligen Majorität des Unterhauses. Dennoch ist, wider Willen oder doch ohne eigene Initiative, die regierende Partei nach und nach zu einer Reihe von Concessionen getrieben worden. Denn die „Trinkfrage" ist nun einmal eine der wichtigsten, schwierigsten und durch ihre stete Erneuerung eine der unbequemsten Fragen. Davon zeugt die grosse Anzahl von zwölf Gesetzen, welche in den Jahren 1877 und 1878 ein- und durchgebracht sind.

Für Schottland ist eine Bill erlassen, welche die persönliche Qualification der Wirthe einer schärferen Prüfung unterzieht. Hier waltet übrigens bereits seit längerer Zeit ein strengeres System mit zweifellosem Erfolge. Schon im Jahre 1853 war für Schottland die, nach ihrem Urheber genannte

11*

»Forbes-Mackenzie Bill« erlassen, welche alle Schanklocale während des Sonntags schliesst. Nur Hotels dürfen Spirituosen geben an ihre Bewohner und an den „bona fide Reisenden" d. h. dessen letztes Nachtlager mehr als drei englische Meilen (4,5 Kilometer) entfernt war. Dieser „bona fide" Reisende erscheint übrigens in der englischen Trinkgesetzgebung als ein etwas mystischer Proteus, der sich namentlich einer zutreffenden legalen Definition, welche dem Missbrauche seines Namens durch nichtreisende Sonntagsdurstige wirksam vorbeugte, stets zu entziehen gewusst hat. — Zu jener Zeit waren für Schottland 240,000 Mk. bewilligt worden, um die überfüllten Gefängnisse zu vergrössern; namentlich gebrach es an Raum für trunkfällige Frauen aus den besseren Ständen. In Folge des Gesetzes von 1853 nahm die Zahl der Trunkfälligen so ab, dass die projectirte Vergrösserung unterblieb.

Für Irland ist im Jahre 1878 die ausserordentlich wichtige *Irish Sunday closing Bill* erlassen, welche also alle Trinklocale während des Sonntags schliesst. Dieses Gesetz gilt indessen nicht in Dublin und vier anderen grössten Städten. Schon im Jahre 1877 schien die Annahme dieses Gesetzes ziemlich gesichert, sie wurde augenscheinlich nur verhindert durch das seltsame, parlamentarische Manöver des „talking out"; das heisst: die Gegner einer Privatbill sprechen so lange, bis die Wanduhr im Sitzungssaale sechs Uhr schlägt; dann ist keine Möglichkeit mehr, zur Abstimmung zu gelangen, weil alsdann andere Geschäfte beginnen und die Sache wird auf's Ungewisse hin vertagt. Auch im Jahre 1878 machten die Gegner die äussersten Anstrengungen, um die Annahme des Gesetzes zu verzögern, womöglich zu hintertreiben. Vom 23. Januar bis 31. Mai wurde die Bill in 10 Committee-Sitzungen des ganzen Hauses berathen, von denen zwei die ganze Nacht hindurch, eine bis 9½ Uhr am andern Morgen dauerte. Es fanden mehr als 40 Abstimmungen statt, hauptsächlich über Anträge, welche den Zweck hatten, des Durchgehen der Bill zu hindern oder hinzuhalten. Diese energische, verhindernde Thätigkeit trug den Gegnern den wohlklingenden Namen: „Obstructionists" ein. „Es ist jedoch", sagt die Times, „das Manöver des Vogels Strauss, der den Kopf in den Sand steckt".

Auch die ausserparlamentarische Agitation war hoch erregt.

So vertheilten die Anglikaner Gebetsformulare, in denen Gott angefleht wurde: die Irish Sunday closing Bill durchgehen zu lassen. In Exeter Hall hielt die United Kingdom Alliance ein Meeting, in welchem der Cardinal Manning und mehrere Parlamentsmitglieder als Redner auftraten. Die angesehensten Zeitschriften brachten Artikel aus der Feder hervorragender Persönlichkeiten. Genug, der Druck war so hoch gespannt, dass die Gegner widerwillig nachgaben, „weil die Irländer es durchaus nicht besser haben wollten". Aber jedermann fühlte, dass der Sonntagsschluss in England jetzt nur noch eine Frage kurzer Zeit sei.

Für England und Wales hat selbst diese vorläufige Massregel des Sonntagsschlusses bis jetzt noch nicht durchgesetzt werden können *).

Sehr charakteristisch für die eiserne Beharrlichkeit, mit welcher die Engländer derartige Ziele verfolgen, ist die Uebersicht der eingebrachten Bills. Sie zeigen eine lange vorbereitete Minirarbeit von Seiten der Reformer. Wir dürfen nämlich nicht übersehen, dass nicht alle Gegner der jetzigen Zustände deswegen auch Parteigänger des ihnen zu radicalen Heilmittels der Permissive Bill sind. Man möchte nicht sofort den kranken Zahn mit der Wurzel ausreissen, sondern lieber versuchen, mit Feilen und Plombiren einen erträglichen, hinhaltenden Mittelzustand zu schaffen. Um nun diese gemässigten Stimmen zu gewinnen, hat man folgende Stufenleiter von Gesetzvorschlägen aufgestellt, in der Voraussetzung, dass der erste Schritt der schwierigste ist, und dass die zum Beharren geneigten Stimmen, wenn einmal in leise Bewegung gesetzt, durch eigene Logik und äusseren Druck weiter geschoben werden würden.

Für Irland fordert man jetzt, als Consequenz des Sonntagsschlusses, einen frühen Schluss am Sonnabend Abend. Man stützt sich dabei auf die Erfahrung, dass der höchste Paroxismus der Krankheit am Sonnabend Abend, unmittelbar nach der wöchentlichen Auslohnung, eintritt.

---

*) Für die wohlthätige Wirkung des Sonntagsschlusses in Irland wird die Abnahme des Alkoholconsums im vereinigten Königreiche während des Jahres 1879 angeführt. Diese vertheilt sich nämlich so, dass auf England und Wales: 2,3%, auf Schottland: 4,1%, auf Irland: 12,5% Rückgang fallen. (Mai 1880.)

Für England fordert man zunächst den gesetzlichen Schluss am Sonntage. Dieser soll für's Erste facultativ sein, um die Schwierigkeiten wegen der nothwendigen Erweiterung der öffentlichen Vergnügen am Sonntage zu umgehen *). Dann will man für Irland die fünf grossen Städte unter Sonntagsschluss stellen, dann den Schluss am Sonnabend Abend für England erstreben u. s. w. — Inzwischen ist auch Sir Wilfrid Lawson nicht unthätig gewesen.

Am 12. März 1879 stand er wieder auf seiner alten Mensur im Unterhause. Diesmal jedoch war nicht die Permissive Bill auf der Tagesordnung, sondern Sir Wilfrid hatte eine „Resolution" eingebracht folgenden Inhalts:

„Dass eine gesetzliche Befugniss, die Ertheilung oder Erneuerung von Schankconcessionen zu verweigern, in die Hände der am stärksten hiebei interessirten und hievon berührten Personen, also der Einwohner selbst, welche Anspruch auf den Schutz gegen die Folgen des jetzigen Systems haben, gelegt werden solle, und zwar durch eine wirksame Anwendung des Rechtes der örtlichen Selbstbestimmung".

Ich bedaure, dass der Rahmen dieses Berichtes mir nicht gestattet, die Einzelheiten der durch schlagfertigen Humor gewürzten Rede Sir Wilfrids wiederzugeben, die vom stark gefüllten Hause mit ernstem Interesse gehört und von seiner Partei mit lebhaftem Beifalle begleitet wurde. Er erklärte offen, dass seine Resolution auf die Grundsätze der Permissive Bill hinsteuere, dass er aber absichtlich alle Einzelheiten bei Seite gelassen habe, um allen denjenigen, die den von ihm vertretenen allgemeinen Principe beipflichteten, Gelegenheit zu geben, sich vorläufig für dieses Princip auszusprechen. Die Resolution wurde von Mr. Birley, dem conservativen Mitgliede

---

*) Kürzlich besprach in der »Church of England Temperance Society« der Bischof von London die oben erwähnte erfreuliche Wirkung des Sonntagsschlusses in Irland und fügte hinzu: „es ist daher nicht nur möglich, sondern sogar wünschenswerth, das Gesetz in England und Wales durchzuführen". Dagegen werden allerdings Gründe »so reichlich wie Brombeeren« vorgebracht werden, aber ich vermag nicht einzusehen: warum nicht?"

Wie es mit den »Gegen-Anziehungen«, mit der Oeffnung der Museen, Lesezimmer und Concerthallen gehalten werden solle, darüber sprach sich der Redner nicht aus. (Mai, 1880.)

für Manchester, unterstützt. Die Argumente, welche die Gegner der Resolution vorbrachten, lassen sich etwa unter folgende Gesichtspunkte zusammenfassen:

1. Die Resolution sei zu allgemein und unbestimmt; man wolle allerdings das vorhandene Uebel bekämpfen, jedoch müsse ein darauf zielender, durchgearbeiteter Gesetzentwurf zu richtiger Zeit, in richtiger Weise, von der richtigen Person eingebracht werden.

2. Die Resolution laufe auf Teetotallism, nicht auf Mässigkeit hinaus; sie werde schwere Unbilligkeiten gegen Diejenigen nothwendig machen, welche Capitalien im Getränkehandel angelegt haben; sie sei ein Eingriff der Teetotallers in die persönliche Freiheit aller nüchternen Leute, denen man ausschliessliches Wassertrinken aufdrängen wolle, insbesondere sei das Bier ein nothwendiges Lebensmittel für die arbeitenden Klassen.

3. Ein Gemeindebeschluss als entscheidende Instanz sei zu schwankend; man solle die Entscheidung über die Concessionen den Obrigkeiten belassen, bei denen sie seit 300 Jahren gewesen; der Einfluss der Brauer auf den gewählten Ausschuss werde in kleinen Orten zu mächtig sein; es werde Unfrieden und Unruhe geben; selbst alle gutgehaltenen Schanklocale würden jedes Jahr von neuem Gefahr laufen, durch eine Majorität von zwei und drei Teetotallers die Concession zu verlieren, das sehe aber einer Confiscation sehr ähnlich. Uebrigens hätten ja die gesammten Wahlkörperschaften des Königreiches bereits über diese Frage abgestimmt und sie verworfen, indem sie eine Majorität dagegen in das Parlament schickten.

4. Die Massregel würde in der Praxis unwirksam sein, denn alle Trinker würden in die Nachbargemeinde laufen, wo noch nicht geschlossen sei; der heimliche, gesetzwidrige Getränkhandel werde blühen.

5. Man solle der fortschreitenden Volkserziehung Zeit zur Wirksamkeit gönnen; die Trunkfälligkeit nehme bereits sichtlich ab: man solle die Heilung der Krankheit der öffentlichen Meinung überlassen. —

Die Regierung adoptirte zwar diese Ansichten im wesentlichen; sie erklärte sich indessen damit einverstanden, dass die Gesetzgebung insoweit einer Verbesserung bedürfe, als bei

neuen Concessionen die Bedürfnissfrage strenger als bisher
geprüft werden müsse. Die Resolution wurde mit einer Mehrheit von 88 Stimmen
abgelehnt. Die früheren Majoritäten gegen die Permissive Bill
waren gewesen: 1874: 226; 1875: 285; 1876: 218; 1877 wurde
die Bill zurückgezogen; 1878: 194 Stimmen. Die Times weist auf diesen grossen Fortschritt hin. Ferner,
so hebt sie hervor, hätten dieses Mal die Parteien keineswegs
geschlossen gestimmt, vielmehr 16 Conservative dafür und 34
Liberale dagegen, unter diesen allerdings auch der Führer der
Partei, der Marquis von Hartington. Der ganze Verlauf
zeige Symptome einer herannahenden Auflösung des Parlamentes. Die Resolution sowohl als die Gegenanträge und
die Debatten seien offenbar nicht auf ein sofortiges Resultat,
sie seien vor allem auf bevorstehenden Wahlkampf berechnet
gewesen.

Unter den im Parlamente zur Resolution gestellten
Amendements wurde auch geltend gemacht: dass man vor
weiteren Beschlüssen den Bericht abwarten solle, welchen der
vom Oberhause niedergesetzte Ausschuss baldigst erstatten
werde. — Dieser Bericht liegt, wie wir bereits wissen, jetzt
vor. Er ist von hervorragendem Interesse, sowohl wegen der
hohen Stellung und persönlichen Bedeutung seiner Verfasser,
als auch weil er versucht, von einem ruhigeren und gewissermassen unparteiischen Standpunkte aus, in dem wogenden
unversöhnlichen Widerstreite der Meinungen und Interessen
einen Mittelweg zu eröffnen.

Diesen Mittelweg soll die Empfehlung des sogenannten
Gothenburger Systems bilden, mit dessen Verbesserung durch
Mr. Joseph Chamberlain: also das sogenannte Birmingham
System.

Ein schwedisches Gesetz von 1855 ermächtigte jede Ge-
meindebehörde: den ausschliesslichen Verkauf der alkoholischen
Getränke einer Gesellschaft zu übertragen auf Grundlage des
Prinzipes: dass kein Privatmann irgend einen Gewinn aus dem
Verkaufe von Spirituosen ziehen soll. Gothenburg war die
erste Stadt Schwedens, in welcher sich nach diesem Gesetze
im Jahre 1866 eine solche Gesellschaft aus den angesehensten
Männern der Stadt bildete. Sie verpflichtete sich, den ganzen

Gewinn aus dem Unternehmen an die Stadtkasse abzuliefern unter alleinigem Abzuge der billigen Verzinsung des angelegten Capitals zu 6 Prozent. Letzteres betrug 114,000 Mark; der Gewinn im Jahre 1876 800,000 Mark; Gothenburg hat 65,000 Einwohner. Die Compagnie verringerte die Schankconcessionen von 119 auf 56; davon fallen 13 auf Weinhändler für Verkauf feinerer Spirituosen, mit Ausschluss von »Bränwin«, aus dem Hause; 10 Concessionen wurden an Hotels, Clubs und Restaurationen vertheilt, 7 für Verkauf aus dem Hause und nur 29 für Schänken. Letztere sind geschlossen vom Sonnabend Abend sechs Uhr bis Montag Morgen acht Uhr. „Es scheint", so bemerkt der Bericht der Lords ziemlich vorsichtig, „dass dieses System wohlthätig gewirkt habe. Jedoch herrsche in Gothenburg die Unmässigkeit immer noch in beträchtlichem Grade, und wenn auch in geringerem als vor 1866, so sei doch, nach den Wahrnehmungen der Polizei, in neuerer Zeit die Trunkenheit dort wieder gestiegen. Diese Steigerung erkläre sich indessen aus der erhöhten, überwachenden Thätigkeit der Polizeiorgane selbst, aus der Erhöhung der Arbeitslöhne und aus dem sehr niedrigen Preise der Getränke. Trotzdem stehe die Sache in Gothenburg günstig, denn während von 1865 bis 1875 die aufgegriffenen Trunkfälligen in Stockholm um 60 Procent, in Christiania um 122 Procent stiegen, fielen sie in Gothenburg um 21 Procent"'

Ein Engländer, der im vorigen Sommer Schweden bereiste, schreibt aus Gothenburg an die Times: von den 56 concessionirten Schankstätten sind jetzt nur 37 offen; es fehlt an Bewerbern um den Betrieb der Geschäfte. In den Wirthschaften bekommt man dort auch Speisen, Wein und Bier. Um 9 Uhr Abends werden sie sämmtlich geschlossen. Ich ass in einer, welche im verrufensten Matrosenviertel liegt: die Speisen waren gut, ich bekam ein frisches, weisses Tischtuch, meine Gesellschaft waren Seeleute. Ich wanderte mehrere Tage lang durch alle Strassen und konnte nur drei Betrunkene entdecken. Soweit ist alles gut, die Sache hat aber ihre Kehrseite. Trunkenheit ist unterdrückt aber Trinken ist anständig geworden. Die Obrigkeit ist selbst der Wirth, also gehen alle respectablen Leute jetzt ohne Bedenken in's Wirthshaus. — Uebrigens ist die Stadtverwaltung entzückt über die Einrichtung; Schulen, Armenhäuser, Hospitäler, öffentliche Gärten: alles blüht auf, trotzdem dass man im Jahre 1854 22 Liter auf den Kopf trank, im Jahre 1876 nur 10 Liter.

Zur Zeit ist das Gothenburger System in Schweden von 46 grösseren und kleineren Städten angenommen; nur eine einzige Stadt mit mehr als 5000 Einwohnern steht noch zurück. Die rasche Verbreitung entwickelte sich jedoch wohl nicht allein aus dem Wunsche: der Unmässigkeit zu steuern, sondern auch aus der Absicht: den grossen Gewinn zur Erleichterung der Gemeindelasten zu verwerthen.

In ganz Schweden gab es 1871 auf dem flachen Lande nur 324 Schanklokale und 136 Concessionen für Branntweinhandel im kleinen. So fallen in diesem dünn bevölkerten Lande auf 1 Schanklocal: 10,500 Einwohner, auf eine Handelslicenz: 25,000 Einwohner. Der gesammte Handel mit Spirituosen concentrirt sich demnach in den Städten.

Im Jahre 1877 brachte Mr. Chamberlain einen Gesetzentwurf ein, welchem das Gothenburger System zu Grunde liegt, jedoch mit der Abänderung, dass die Gemeindebehörde den Getränkhandel nicht einer Gesellschaft überlässt, sondern in eigene Verwaltung nimmt. Dieses sogenannte »Birmingham System« soll sich auf Städte beschränken, es soll die Gemeindebehörde, auf Grund einer Abstimmung in der Gemeinde, ermächtigen: freiwillig oder durch Enteignung das Eigenthum aller Schanklocale zu erwerben; die Behörde kann diese schliessen bis auf einen gewissen Minimalsatz im Verhältnisse zur Einwohnerzahl, oder sie kann sie weiter betreiben lassen, jedoch nur so, dass kein Privatmann irgend einen Gewinn aus dem Handel zieht; in jeder Schänke sollen gleichzeitig warme Speisen, Thee und Kaffee verabreicht werden; die Gemeinde darf für diesen Zweck Geld aufnehmen; der Reingewinn soll zur Hälfte der Schulsteuer, zur anderen Hälfte der Armensteuer gutgeschrieben werden.

Der Bericht des Oberhauses theilt ferner mit, dass die Gemeindevertretung von Birmingham (400,000 Einwohner) sich nahezu einstimmig bereit gezeigt habe, das Experiment zu wagen. Dagegen erklärt nun aber der Vorstand der „Nationalen Vertheidigungsligue der concessionirten Schänkwirthe" in der Times: dass die öffentliche Meinung in Birmingham sich durch-

aus gegen Mr. Chamberlains Projecte wende und dass der Bericht der Lords sich in Illusion über dessen praktische Durchführbarkeit wiege!

Der Bericht gedenkt dann auch der Einwürfe gegen das Gothenburger und das Birmingham System: principielle Unsittlichkeit des Getränkhandels für die Obrigkeit; Unfähigkeit derselben zur Durchführung eines so umfassenden Unternehmens; Belastung der Stadt durch schwere Schulden; Unwahrscheinlichkeit — im Falle des Gothenburger Systems — eine Gesellschaft zu finden, die aus reiner Philanthropie, ohne jeden Unternehmergewinn, das nöthige Geld schaffen und die Verwaltung gut führen würde.

„Jedoch", meint der Bericht weiter, „sei die leider! zweifellose Wahrnehmung: dass die Trunksucht sich trotz aller einschränkenden Gesetze in den letzten Jahren nicht vermindert habe, wohl geeignet, den grossen städtischen Verwaltungen über die soeben hervorgehobenen Bedenken hinwegzuhelfen".

Die Empfehlung der Permissive Bill wird von den Lords ausdrücklich abgelehnt.

Am meisten scheint der Ausschussbericht dem Sonntagsschlusse geneigt zu sein. Er erwähnt, dass die „Gesellschaft für Sonntagsschluss" eine freiwillige Abstimmung hierüber in England und Wales mittelst Fragebogen veranlasst habe. Dabei stimmten für den Schluss: 443,406 Familienväter; dagegen: 56,173; neutral blieben: 32,100. Auch weisen die Lords darauf hin, dass es eine Ungerechtigkeit sei, dem Dienstpersonale der Schänkwirthe die Sonntagsruhe zu entziehen, die man allen anderen Aufwärtern (in Museen, Gallerien etc.) so ängstlich und eifrig wahre. Es handle sich hiebei um 340,000 Männer und Mädchen in England und Irland. Während Weiber und jugendliche Personen in den Fabriken gesetzlich nicht mehr als 56 Stunden wöchentlich arbeiten dürften, sei dieses Schankpersonal in der Woche 108 Stunden, in London sogar 123½ Stunden, also mehr als 5 volle Tage in der Arbeit.

Die Kämpfer der United Kingdom Alliance haben natürlich diesen schwachen Punkt in der englischen Sonntagsfeier sehr wohl erkannt: „Woher haben denn", so fragen sie,

„in unserem frommen Lande die Trinklocale allein das
Privilegium: am Sonntage geöffnet zu sein?"

„Jedoch", so lautet die einigermassen überraschende
Conclusion der Lords, „ist die öffentliche Meinung zur Zeit
noch nicht reif für den Sonntagsschluss".

IV. Die Aussichten auf Heilung der Trinkkrankheit.

Im Vereinigten Königreiche werden, wie wir gehört haben,
jährlich für berauschende Getränke

2800 Millionen Mark

ausgegeben, also auf jeden Kopf der 33 Millionen Bevölkerung
84 Mark. Das wäre schon, selbst in einem verhältnissmässig
so reichen Lande und selbst für einen unschädlichen Luxus
eine sehr grosse Ausgabe. Aber diese Ausgabe wird von
allen einsichtigen und unparteiischen Beobachtern als die
hauptsächlichste Ursache der Verarmung und des Verbrechens
bezeichnet. Jeder Staatsmann also, jeder Patriot, der seinem
Vaterlande die grösste Wohlthat erweisen möchte, wird sich
mit der Frage zu beschäftigen haben: wie diese böseste aller
Pestilenzen aus der Welt geschafft werden kann?

Der einzige Weg, auf welchem sie aus der Welt geschafft
werden kann, geht, nach der festen Ueberzeugung der Heil-
künstler in der United Kingdom Alliance, durch das Parlament.

Es wird sich daher, für jetzt und für uns, diese Frage
praktisch dahin abschliessen:

Welche unter den zur Zeit im Parlamente für die Heilung
der Trinkkrankheit vorgeschlagenen Methoden hat die grösste
Aussicht auf praktische Anwendung und auf Erfolg?

1.

Lange Jahre hindurch wurde von den Anhängern des bestehenden Zustandes der Grundsatz geltend gemacht: „Man
kann die Menschen nicht mittelst einer Parlamentsacte nüchtern
machen".

Die Reformer antworten: „Wozu dann überhaupt ein-
schränkende Gesetze? Hebt sie doch auf und überlasst die
Heilung der alleinseligmachenden regelnden Wirksamkeit des
Freihandels und der Gewerbefreiheit. Hebt dann aber auch
die Einschränkungen des Giftverkaufes in den Apotheken auf,

beseitigt die Schutzdeiche, die Hausthürriegel, deckt die Brunnen auf und lasst die Blinden und die Kinder im Wege der freien Concurrenz hineinfallen!"

Die Heilung durch freie Bewegung wurde in der Praxis bereits versucht. Im Jahre 1830 schob man die Trinkkrankheit dem Monopol der Schanklocale zu (es waren damals in England und Wales etwa 50,000 Licenzen vorhanden) und gab, um den Branntwein zu verdrängen, den Bierhandel in England und Wales frei. Der damalige Premierminister, der Herzog von Wellington, erklärte: dieser Triumph über die Interessen der Monopolisten sei ein ebenso grosser Sieg als Waterloo. Was war der Erfolg? Der bekannte Sydney Smith, der für die Bill gestimmt hatte, schrieb einige Monate darauf: „Das neue Biergesetz hat seine Wirksamkeit begonnen. Jetzt ist jedermann betrunken. Alle brüllen und johlen, ausser diejenigen, die sich bereits am Boden wälzen. Das souveraine Volk ist in einem viehischen Zustande".

Im Jahre 1860 versuchte Mr. Gladstone die Branntweinvöllerei durch Herabsetzung der Weinzölle zu bekämpfen.

Und das Ergebniss dieser beiden Versuche mit der gewerblichen Freiheit? Im Jahre 1869 mussten Bier und Wein wieder unter Concessionszwang gestellt werden.

So findet das System der freien Bewegung heute keinen offenen Vertreter mehr im Parlamente. Verschämt erscheint es wohl noch in dem Argumente: man solle die Heilung der Trinkkrankheit der fortschreitenden Volkserziehung und der geläuterten, öffentlichen Meinung überlassen. Allerdings hat sich noch kürzlich eine Stimme von grossem Gewichte, die des Lord Kanzlers Earl Cairns in diesem Sinne ausgesprochen. Wenige Tage vor der letzten grossen Debatte im Unterhause präsidirte Lord Cairns einer Vorlesung des bekannten amerikanischen Mässigkeitsapostels, Mr. Gough, im „Christlichen Jünglingsvereine" und schloss seine einleitenden Worte wie folgt: „Ich selber hege nur geringe Hoffnung, dass man die Menschen durch ein Gesetz nüchtern machen wird. Ich hoffe mehr auf die Wirkung anderer Ursachen und Einflüsse: auf die Macht der Ueberredung und des Beispiels; auf einen Wechsel der Gewohnheiten, Ueberzeugungen und des Geschmackes, welcher eintritt, sobald man das Licht und die

Macht des Evangeliums in den Herzen der Menschen zur
Wirksamkeit bringt".

Dass die Alliance News und die anderen Organe der
United Kingdom Alliance mit diesem quietistischen Standpunkte des Lord Kanzlers einigermassen unsanft umspringen,
können wir uns wohl vorstellen.

2.

Die gegenwärtige Majorität des Unterhauses hat sich, wie
wir gesehen haben, seit den letzten Jahren schrittweise zu einer
polizeilichen Regulirung des Getränkhandels in der be-
schränkenden Richtung veranlasst gefunden.
Die United Kingdom Alliance weist auf diesen Verlauf
hin. „Die Politik der gesetzlichen Regulirung hat jetzt
fünfzig Jahre lang freies Spiel gehabt — seht die traurigen
Resultate! Sie ist vollständig niedergebrochen. Daneben hat
es an Erziehung und Belehrung durch Geistliche und Laien,
Templer, Teetotaller und Cacaopalast-Gesellschaften wahrhaftig
nicht gefehlt!

„Aber eines wissen wir jetzt alle: sobald der Getränkhandel und das Trinken erleichtert wurden, nahm die Trunksucht zu; sobald erschwert, nahm sie ab.

„Auch Vater Mathews erziehender Einfluss war in gewissem
Grade nur ein vorübergehender. Nicht etwa, dass die öffentliche Meinung in Irland gewechselt hätte, aber in der Bewegung
der Gemüther entstand ein Rückstau. Die vom Gesetze ge-
billigten Versuchungen waren geblieben; die schwachen
Menschen wurden bei Tausenden rückfällig. — Im Jahre 1867
war der Erwerb gedrückt, der Alkoholconsum fiel um 80 Millionen
Mark; bessere Zeiten folgten, in neun Jahren stieg er um
750 Millionen Mark; durch die jetzigen schlechten Zeiten ist er
wieder im Sinken. — Wir Menschen werden nicht, wie etwa
logische Maschinen, nur durch Gründe und Thatsachen geleitet,
sondern weit mehr durch den Einfluss der uns umgebenden
Verhältnisse. Daher muss vor allem die Gelegenheit beseitigt
werden, welche »die Diebe macht«. Wir haben jetzt im Vereinigten Königreiche über 200,000 Concessionen und ein Gang
durch eine der grossen Verkehrsadern von London kann darüber nicht zweifelhaft lassen: dass unter sechs Schanklocalen

fünf jedenfalls überflüssig und schädlich sind. — Ein sehr wahres Wort sprach neulich Mr. Gladstone: „wir müssen vor allem es den Menschen leicht machen: Recht zu thun, und schwer: Unrecht zu thun.

„Warum gleitet die vielseitige Belehrung und der Reiz der einladenden Kaffeehäuser von dem echten, eingefleischten Trinker ab, wie ein Spritzregen von einem Kautschukmantel? Darum: die einzige und wahre Ursache, weswegen die Menschen Alkohol trinken und sich damit vergiften, ist: dass ihnen das Getränk verführerisch wohlschmeckt! Ein Quäker sass einst in einem Bar room. Da kam ein Mann herein, blies in seine Hände und rief: »ein Glas Branntwein! mir ist so kalt«. Dann kam ein anderer gelaufen, trocknete sich den Schweiss von der Stirn und rief: »ein Glas Branntwein! mir ist so heiss«. Darauf sprach der Quäker ruhig aus seiner Ecke: »ein Glas Branntwein! es schmeckt mir so gut«. Der Quäker allein redete die Wahrheit".

3.

Wenn wir die Ergebnisse erwägen, zu denen der Bericht der Lords gelangt, welche sind sie?

Es wird constatirt, dass die Krankheit nicht abgenommen hat.

Es wird angerathen, das ausländische Gothenburg-System mit der von Mr. Chamberlain vorgeschlagenen Verbesserung zu versuchen. Dieser Massregel wird nachgerühmt, dass man alsdann unverfälschte Getränke zu billigem Preise erhalten würde, und dass die beim Gewinne unbetheiligten Verwalter der Schanklocale ihre Kunden nicht zum Trinken anreizen würden.

„Sollten", so fragt die United Kingdom Alliance, „die beiden ersteren Erwartungen wohl wirklich geeignet sein, das Trinken zu vermindern? sollte die Anreizung durch die Wirthe wohl jetzt so hervorragend wirken, neben der eigenen Neigung der Trinker?"

Die „Alliance News" erklärt einfach: die Unmöglichkeit der praktischen Ausführung des Gothenburg-Chamberlain-Systems sei ja im Berichte des Lords selbst schon völlig schlagend dargethan; der ganze Vorschlag sei werthlos, das Ergebniss eines Compromisses zwischen den Parteien innerhalb der Commission und nur gemacht, um überhaupt irgend etwas gemeinschaftlich vorzuschlagen.

4.

„Es bleibt daher", so schliesst die United Kingdom Alliance, „von allen legislatorischen Vorschlägen nur der unsrige übrig: Verbot des Getränkhandels durch autonomischen Beschluss der Gemeinde, also Sir Wilfrid Lawsons Permissive Bill".

Kürzlich erzählte Sir Wilfrid, ein Mann von sehr gesundem Humor, auf einem grossen Temperance-Meeting in Nottingham seinen Zuhörern folgendes Gleichniss:

„Wir waren auf einer Versammlung im Norden und einige würdige Geistliche predigten über „Mässigkeit", wie sie der Apostel Paulus in seiner diätetischen Ermahnung dem Timotheus empfiehlt. (1 Tim. 5, 23: „Trinke nicht mehr Wasser, sondern brauche ein wenig Wein um deines Magens willen und dass du oft krank bist".) Völlige Enthaltsamkeit verwarfen die Reverends demnach. Da erhob sich ein alter Farmer und sagte: derartige Reden höre ich schon seit 40 Jahren, aber die Leute sind dadurch auch nicht ein bischen nüchterner geworden. Es fällt mir dabei immer ein, was ich einmal in einer Heilanstalt für Schwachsinnige mit ansah. Von Zeit zu Zeit werden die Patienten dort geprüft: ob sie im Stande sind, ausserhalb des Asyls zu leben? Man führt sie an einen grossen Trog voll Wasser, der durch ein kleines stets laufendes Rohr gespeist und gefüllt erhalten wird; dann gibt man ihnen einen Schöpflöffel in die Hand und weist sie an: den Trog zu leeren. Wer noch nicht wieder hinreichend vernünftig geworden ist, löffelt nun darauf los, während das Wasser aus dem Rohre ebenso stark zuläuft, alš sie es auslöffeln: wer aber kein Idiot ist, der verstopft zuerst und vor allem das Zulaufrohr".

Als wir vor 25 Jahren anfingen, so fährt die United Kingdom Alliance fort, die öffentliche Meinung zu bearbeiten, erklärte man uns für irreligiös, die wir die Vorsehung corrigiren und die gute Gottesgabe: „Alkohol" wieder aus der Welt schaffen wollten. Jetzt haben wir schon eine der mächtigsten Klassen Englands gewonnen, die Aristokratie der Arbeiter. Nicht so fruchtbar allerdings war unsere Propaganda im eigentlichen Mittelstande und in den höchsten socialen Schichten.

Wir knüpfen einfach an die Lehre des Erlösers an. Was soll, neben dem täglichen Brote und der Sündenvergebung, unsere vornehmste Bitte sein? »führe uns nicht in Versuchung«. Dieses grösste Anliegen der schwachen Menschenkinder ist der Ausgangspunkt unserer Arbeit.

Und das ist nicht etwa eitel fromme Theorie; hört nur, wie es wirkt, wenn die Versuchung fern gehalten wird:

Vor dreissig Jahren schon ermittelte die Generalsynode der schottischen Kirche: dass dort von 478 Kirchspielen 40 ohne Schänken waren und dass in diesen 40 Bezirken keine Trunkenheit vorkam.

Vor zehn Jahren wurden in der südlichen Kirchenprovinz Englands, der Erzdiöcese Canterbury, über 1000 solcher von Schänken freier Kirchspiele ermittelt und zugleich der hervorragende Stand der Sittlichkeit in ihnen constatirt.

In Irland hat die Stadt Bessbrook 3000 Einwohner, aber kein Schanklocal und die Trunksucht ist dort unbekannt.

Im Jahre 1870 berichtete Lord Claud Hamilton, einer der Vicepräsidenten der United Kingdom Alliance und M. P. für die Grafschaft Tyrone in Irland, (mit 10,000 Einwohnern): „dort giebt es jetzt keinen Handel mit berauschenden Getränken mehr; früher waren die öffentlichen Wege stets durch trunkenes Gesindel unsicher und daher ein grosser Aufwand von Polizeimannschaft erforderlich. Jetzt ist kein einziger Polizeimann im Districte und die Armensteuer ist auf die Hälfte gesunken".

Wir besitzen ferner ein Schreiben vom Gouverneur des Staates Maine in Nordamerika, vom 24. April 1878, folgenden Inhaltes: „Nach einer Erfahrung von 25 Jahren wird das gesetzliche Verbot der alkoholischen Getränke von unseren beiden politischen Parteien als ein wohlthätiges anerkannt. Das Gesetz wird mit derselben Leichtigkeit angewendet wie jedes andere Strafgesetz. Ich denke nicht, dass die Bevölkerung von Maine aus irgend einem Grunde wünschen könnte, zum alten System der Schankconcessionen zurückzukehren".

Im Mai 1878 ist in Canada ein Temperancegesetz erlassen, im wesentlichen auf der Grundlage unserer Permissive Bill; in den Städten und Grafschaften wird davon der ausgedehnteste Gebrauch gemacht.

„Wie kann man nun", so folgert die United Kingdom

Ompteda, L. v., Bilder. 12

Alliance, „wie kann man den Einwohnern von England verweigern, was ihren Brüdern in Canada gewährt ist? Wie kann
man es den Einwohnern jeder einzelnen Stadt und jedes Kirchspiels verweigern, wenn sie den Versuch machen wollen, sich
und die Ihrigen gegen die verderblichen Folgen des jetzigen
Systems der Schankconcessionen, gleichwie in Canada, zu
schützen?"

„Man sollte doch denken", sagte Sir Wilfrid kürzlich in
einer Rede, „das sei keine politische Parteifrage! Vor einiger
Zeit feierten wir die Vollendung einer Abtheilung von neuen
Bauquartieren in einer der Vorstädte Londons; sie enthält
1200 Häuser und 8000 Einwohner. Es befindet sich darin kein
einziges Schanklocal. Der Premierminister (Lord Beaconsfield)
war auch gegenwärtig und sprach in Beziehung hierauf
Folgendes: „Der Versuch, den Sie gemacht haben, ist gelungen
und kann daher kaum mehr »Versuch« genannt werden; es ist
ein Erfolg, es ist ein Triumph der sittlichen Erhebung einer
ganzen communalen Körperschaft".

„Nun", fragt Sir Wilfrid, „warum sollen denn andere Ge-
meinden diesen Versuch, der bereits ein Erfolg ist, nicht machen
dürfen? Die richtige Antwort darauf ist: weil unsere
moralischen und christlichen Männer sich nicht entschliessen
können, ihre Moral und ihr Christenthum auch in ihrer Politik
zur Anwendung zu bringen; weil sie ihre Parteipolitik über das
wahre Interesse des Landes stellen. Die grossen Brauer und
Getränkhändler sind sehr reich — Reichthum ist Macht —
diese Macht schickt ihre Majorität in's Unterhaus".

Ein strenges Urtheil. Ob es ein gerechtes ist? Erst die
nächsten Wahlen werden darüber die praktische Entscheidung
geben. Augenblicklich also kann niemand sagen: wann und
wie dieser grosse Streit ausgetragen werden wird. Wird die
United Kingdom Alliance siegen? Wird die »Schankwirth-
partei« nochmals die Oberhand behalten? Wird man einen der
vielen vorgeschlagenen Mittelwege betreten? Der letzte Jahres-
bericht der United Kingdom Alliance lautet sehr hoffnungsvoll:
„Kommende Ereignisse werfen ihren Schatten vor sich her,
und wir können nicht verkennen, dass wir während des letzten
Jahres (1878) in der Gesetzgebung viel Feld gewonnen haben.

Wir müssen aber, das wissen wir wohl, nicht nur eine einfache Majorität im Parlamente, wir müssen die überwältigende Mehrheit der Nation für uns haben. Die öffentliche Meinung aber wächst nur langsam, daher werden wir unablässig wühlen, bis wir den grossen Freudentag erleben, an welchem sich unsere Alliance wird auflösen können*).

Wenn die Heilung der Trinkkrankheit wirklich gelänge, so würde damit England allen andern Nationen, die mehr oder weniger an demselben Uebel leiden, ein neues, grosses Beispiel der Selbsthülfe geben. Nach den uns bekannt gewordenen Symptomen dürfen wir wohl die Prognose stellen: England ist schwer krank, aber es trägt die starke Lebenskraft und die volle Fähigkeit zur Reaction gegen den Krankheitsstoff ausreichend in sich, um wieder zu gesunden.

Jedenfalls aber weisen die 14,000 englischen Geistlichen, welche die Adresse wegen der „Nationalsünde" überreichten, auf den rechten Weg zur Genesung, da jeder von ihnen an jedem Sonntage mehre Male vor versammelter Gemeinde betet: „Führe uns nicht in Versuchung!"

---

*) Die Entscheidung des Kampfes ist allerdings aus dem Ergebnisse der letzten Neuwahlen heute noch nicht direct abzuleiten; auch stellt die neueste Thronrede keine Gesetzgebung über die Trinkkrankheit für die laufende kurze Sitzung in Aussicht. Jedoch ist die siegreiche liberale Partei dem Interesse der Schankwirthe entschieden so wenig günstig gesinnt — wie ihnen Mr. Bright kürzlich ziemlich unverblümt erklärt hat — dass die Regierung wohl höchst wahrscheinlich im nächsten Jahre mit reformatorischen Vorschlägen hervortreten wird, wenn diese vielleicht auch nicht ganz so weit gehen werden als Sir Wilfrid Lawsons »Local Option Bill«. (Mai, 1880).

12*

Irrfahrten in London.

I. Das unterirdische Labyrinth.

Weit ab vom grossen Strome des Lebens, der London von Osten nach Westen durchbraust, liegt der Regent's Park. Er macht einen veralteten Eindruck, wie eine gefallene, zur Ruhe gesetzte Grösse und doch ist er unter den grossen Parks im Westend der jüngste. Hier rauschte Jahrhunderte lang ein weiter königlicher Jagdforst; zu Cromwells Zeiten wurde er niedergeschlagen; dann lag die Gegend viele Generationen hindurch als wüste Weide. Vor sechzig Jahren etwa, als das heutige Westend noch kaum begonnen hatte, sich um Hyde Park zu krystallisiren, damals sollte hier ein vornehmer, architektonisch grossartiger Stadttheil gegründet werden, fern vom Lärm der City, der bereits über den Strand hinaus bis Leicester Square vordrang; ein Stadttheil von Palästen, welche drei Seiten eines Parkes von etwa siebenhundert Morgen Grundfläche einfassen. Aber diese Paläste bestehen eigentlich nur in breiten anspruchsvollen Fassaden, die mit einem üppigen Reichthum von Stilmengerei ausgeführt sind. Fast ein jeder von ihnen zerfällt im Innern in eine Anzahl schmaler Häuser von drei bis vier Fenstern Front, echte englische Wohnhäuser. Ein mächtiger Herr, König Georg IV, wollte das aristokratische London hier niederlassen, aber eine noch mächtigere Dame: die Fashion, siedelte das High Life um Hyde Park an, in Belgravia und Tyburnia.

So liegt der grosse Park mit seinem langgestreckten und gewundenen See, der einem breiten, hie und da um Inseln strömenden Flusse gleicht, mit seinen jetzt herangewachsenen dichtbelaubten Baumgruppen einsam da. Nur fröhliche

Kinder und stille Menschen beleben ihn. Gegen Norden schweift der Blick über die entfernte hügelige, jetzt schon halb städtische Landschaft von Primrose Hill.

In der Peripherie von Regent's Park stossen wir an einigen Punkten auf verstreute Niederlassungen: parkähnliche, schattige, alte Gärten um kleine Schlösschen, im Stile der Gothik vor fünfzig Jahren. Hier führen die Bewohner zu allen Jahreszeiten eine stille träumerische halb ländliche Existenz, und es ist von hier eine Reise bis zur „Stadt". —

Mit meinem Freunde R., der mich vor zwei Tagen durch sein Erscheinen in London angenehm überraschte, während ich ihn noch, auf den Spuren Schliemanns, im fernen Osten wähnte, hatte ich schon am frühen Vormittage hieher einen Ausflug gemacht. Wir durchwanderten den im Norden von Regent's Park gelegenen Zoologischen Garten, wo ich der einzigen Gelegenheit in meinem Leben: auf einem zahmen Elephanten zu reiten, nur schwer widerstand. Freund R., den vielgewanderten Orientreisenden, liess diese Versuchung selbstverständlich kalt. Dann sprachen wir in einem der stattlichsten jener halb ländlichen Landsitze, der Abbey Lodge am Hannover Gate, bei einem gastfreien deutschen Landsmanne, wohlbekannten Namens, vor.

Im Scheiden fragten wir nach der nächsten Station der Metropolitan Eisenbahn, oder wie ihr populärer Name lautet: des „Underground". Wir wurden nach Bakerstreet gewiesen.

„Achten Sie aber wohl darauf, dass Sie in den richtigen Zug kommen und richtig wieder aussteigen. Auf der nächsten Station „Edgeware Road" theilt sich die Bahn. Der „Underground" hat vielfältige Verzweigungen. Sie sind beide erst kurze Zeit hier und schon mancher Fremdling ist in dieser hastigen dunklen Welt auf Irrwege gerathen". —

Wir traten in das Haus ein, das sich durch sein Schild als „Bakerstreet District Metropolitan Railway Station" auswies — und lösten unser Billet nach Victoria Station, wo R. im Terminus-Hotel wohnte. Auf einem Absatze der dunklen Treppe, die wir jetzt hinabstiegen, controlirte ein Beamter unser Billet und murmelte dabei eine kurze Phrase, die höchst wahrscheinlich zu unserer weiteren Direction dienen sollte. Wir verstehen etwa soviel als: „auf dieser Seite bleiben".

Unten gelangen wir in eine Glashalle, die durch einfallendes Oberlicht spärlich erhellt wird und von Schienen durchzogen ist. Diese verschwinden zu beiden Seiten in die Stollenmündungen dunkler weiter Tunnels. In der Höhe führt eine Brücke quer über die Gleise auf den gegenüberliegenden Perron hinab.

Wir bleiben diesseits.

Zur grösseren Sicherheit wende ich mich nochmals wegen des richtigen Zuges an den dienstthuenden Portier. Die Antwort lautet: „In zwei Minuten". Jetzt erhebt sich ein rasch anschwellender Donner und ein Zug schiesst aus dem Tunnel links hervor. Er hält am jenseitigen Perron. — Ein kleiner Anfall von Eisenbahnfieber erfasst uns, wider besseres Wissen eilen wir dem Fusse der Brücke zu — der Zug ist schon wieder nach rechts verschwunden.

Also unsere Richtung ist in den Tunnel links.

Ueber uns zeigen drei grosse, in weiten Zwischenräumen vorspringende Schilder die Plätze an für das Einsteigen in Klasse I — II — III. Wir stellen uns gehorsam bei „Klasse I" auf.

Jetzt schiesst ein donnernder Zug aus dem Tunnel rechts hervor. Noch hält er nicht, so öffnet man schon eilfertig von innen die Thüren, Menschen stürzen heraus — andere hinein. Vor uns weit und breit kein Wagen erster Klasse zu sehen. — „Wo sind sie?" — Vermuthlich dort ganz hinten — „Wo ist der Conducteur?" — Wir irren die Reihe entlang. Da geräth der Zug bereits wieder in Bewegung, ein Portier schlägt jede an ihm vorbeifahrende Thür zu! — Fort ist der Zug — wir bleiben sitzen.

„Aber wir wollten mitfahren, nach Victoria Station, wir konnten den richtigen Waggon nicht finden, es war ja gar keine Zeit einzusteigen, niemand öffnete". . .

Antwort: „In sechs Minuten".

Wir fassen uns in Geduld, gehen eine kurze Strecke auf und ab und studiren einstweilen im Halbdunkel die unzähligen grossen Placate an den Wänden: Annoncen jeder Art, und über der grössten Gruppe ragt auch hier, wie überall in London, in rothen Riesenlettern: „Willing & Co." empor.

Jetzt wieder ein nahender Donner, unser Zug stürmt herein — hält — wir stürzen blindlings in's nächste Coupé, ohne Ansehen der Klasse — fort, — hinein in den finsteren Tunnel links!

Einmal in Bewegung, ist es nicht so schlimm; die Waggons sind mit Gas erleuchtet, das auf der Locomotive bereitet wird; es ist hell genug zum Lesen und natürlich liest jedermann. Zuweilen sausen wir durch einen Schein von oberem Tageslichte, dann sieht man wohl auf Nebengleisen Wagen stehen oder in einer Aushöhlung der Wand fliegt ein Wärter mit Laterne vorbei, aber alles ist schatten- und traumhaft.

Der Zug fährt in eine Halle ein und steht.

— „Station Edgeware Road" —!

Fast alle Fahrgäste steigen aus, wir bleiben, wir sind ja im richtigen Zuge nach Victoria Station; wir vertiefen uns also mit Seelenruhe in Willing & Co. und die Neuigkeiten der Pall-Mall Gazette.

Der Zug fährt und hält — fährt und hält. — Nach einiger Zeit bemerke ich beim Lesen — bereits war ich auf der vierten Seite des Blattes angekommen —, dass das Tageslicht im Coupé die Oberhand gewinnt; ich sehe mich um, wir verlassen soeben eine offene heitere Halle, links und rechts erfrischt grüne halb ländliche Umgebung unsere überreizten Augen.

„Wo sind wir denn wohl?" fragt Freund R., der am Fenster sitzt.

„Ich denke, zwischen Kensington Palace und dem Museum von South Kensington. Wir haben jetzt Hyde Park in grossem Bogen rechts umfahren. Ich dachte nicht, dass die Gegend hier noch so ländlich offen sei.

„Ich sehe nichts von einem Palace", erwiderte R. umherblickend, „weder rechts noch links. — Was ist denn wohl dort oben rechts? ein Friedhof! wie es scheint sehr ausgedehnt; gieb einmal den Bädeker her".

„Allerdings", stimme ich zu, „ein sehr grosser Friedhof".

Wir studieren die flatternde dreigetheilte Karte. „Hier steht's: „Kensal Green Cemetery".

Der Zug hält. Wir recken die Hälse, um unter den unzähligen Placaten, die das Auge verwirren, den Namen der Station aufzufinden. Auch hier drängt sich wieder der rothe

„Willing & Co." vor, die Firma des grossen Generalagenten für Riesenplacate. —

Endlich finde ich den Namen: „Notting Hill Station".

„Aussteigen!" rief ich, „aussteigen! wir sind ja gar nicht mehr in London, sondern schon auf dem halben Wege nach Windsor!"

Glücklich springen wir noch auf den Perron und der Zug saust davon. —

Wir tragen dem nächsten Beamten unsern Fall vor. Zufällig hatte er Zeit zu hören und zu antworten:

„Ueber die Brücke, das andere Gleis, nächster Zug". Das gelang; — in einer Viertelstunde waren wir wieder richtig über Bishops Road in Edgeware Road, auf der Hauptlinie für Victoria Station eingetroffen.

„Jetzt werde ich die Leitung in die Hand nehmen, Du verstehst das noch nicht recht", erklärte Freund R. mit der Sicherheit eines Vielgereisten.

Er trat zum Beamten, kam zurück und winkte mir: „Ueber die Brücke, andere Seite".

Nach wenigen Minuten rollten wir wieder vorwärts, gehoben durch das angenehme, sichere Gefühl, jetzt auf der richtigen Spur zu sein: Bald sollten uns nun die alten Bäume von Kensington Gardens winken — es war wirklich sehr wohlthuend. —

Mein Auge verlässt jetzt Bädekers rothe Linien nicht mehr — — —

Station. —

„Das muss Paddington Praed Station sein, nach der Karte".

Ich suche das Schild: — „Willing & Co.!" Hol' ihn . . . Hier: „Bishops Road!" Hinaus sprang ich, ärgerlich und lachend.

„Oho, grosser Reiseführer, komm heraus!" rief ich, „wir sind wieder auf der falschen Linie!"

Er sah mir ungläubig nach und — folgte. Da standen wir nun wie die — — Oh! —

„Jetzt hab' ich's aber satt", erklärte ich. „Vor allem hinaus aus diesem verdammten Labyrinthe von Stationen; wir müssen den Zauberring durchbrechen, in dem ein böser Geist uns auf Irrwegen im Kreise herumführt. Draussen finden wir wohl ein

Cab oder einen menschenfreundlichen Omnibus, die uns wieder in bekannte Gegenden bringen".

Wir stiegen zunächst die grosse Treppe vor uns hinauf, an welcher der „Way out" zu lesen war. Oben standen wir wiederum rathlos da, denn wiederum führt vor uns nach jeder Seite eine breite Treppe hinunter. — Dem Himmel sei Dank! ein Billetcontroleur nähert sich. Wir klagen ihm unser Leid, so kurz und bündig als möglich. Er lächelt sachverständig überlegen aber nicht ohne Wohlwollen.

„Sie sind jetzt zum zweiten Male auf der falschen Linie, aber das Unglück ist hier nicht so gross. Die breite Treppe, rechts vor uns, führt Sie hinab in die grosse Halle der Paddington Station der Great-Western-Bahn. Kreuzen Sie diese Halle und gehen dann quer über die Strasse; dann haben Sie Paddington Praed Station der Metropolitan-Eisenbahn vor sich".

„Vielen Dank!" betheuerten wir; „haben wir nachzuzahlen für die Excursion der letzten Stunde?"

„Nichts, es ist nicht der Rede werth; ich nehme an, Sie irrten sich nicht mit der Absicht: die Gesellschaft zu beschädigen". —

Und richtig, alles traf ein wie der kluge Mann prophezeit hatte. Auch Freund Bädecker drohte von hier aus mit keiner Zweigbahn mehr und wir rollten jetzt in dem beruhigenden Gefühle baldiger Erlösung durch die Schrecken des Underground dahin.

„Nun, grosser Orientreisender", interpellirte ich Freund R., „Du siehst, ich bin gerechtfertigt; das geht hier doch ein wenig anders zu als am goldnen Horn".

„Sage lieber", erwiderte R. bedächtig, „wir sind beide gleich ungerechtfertigt. Aber die Sache ist die: im Orient wissen die Menschen heute noch nicht: was Zeit ist? und hier — haben sie es beinahe schon wieder vergessen!"

„O ja!" stimmte ich bei, „aber nur für andere — nämlich dass zu gewissen Dingen doch ein gewisses Minimum von Zeit erforderlich ist. Mich wundert, dass die Züge des Underground überhaupt noch die Zeit finden zu halten; man sollte irgend eine Maschine aufstellen um die Menschen, wie die Postbriefbeutel, in den fahrenden Zug hinein und wieder hinaus zu expediren". —

Wir lachten beide; es war so erfreulich, beinahe rührend, wieder mit Gemüthsruhe lachen zu können.

"Uebrigens", fuhr ich fort, "kommt doch noch hinzu, dass die Directiven der Beamten für uns ganz speciell unverständlich sind. Die Männer sind gewohnt, Ortskundigen zu antworten. Für diese genügt das einzige kurze Wort. Deshalb wird auch nie eine Station oder ein Wagenwechsel ausgerufen. Wir Fremde sind natürlich unbehülflich und können nicht fertig werden ohne einen wortreichen Führer, womöglich gar einen "gemüthlichen" Sachsen. — —

»Victoria Station!«

"Endlich; wir fühlten uns hier beinahe wie zu Hause, denn Victoria Station war bis jetzt der einzige Punkt, der in unserer Topographie von London völlig festlag und um den wir uns daher mit Vorliebe drehten.

"Jetzt rasch die Billets nach Alexandra Palace; er steht auf dem heutigen Programme als Nachmittagsvergnügen".

Am Ausgange der Halle nimmt man uns die alten Billets: "Bakerstreet — Victoria Station" ab.

Wir erkundigen uns dabei über Weg und Zeit zum Alexandra Palace.

Der Beamte sieht uns verwundert an.

"Sie wollen dort hin?" fragt er mit Betonung.

"Allerdings; über King's Cross Station, nicht wahr?"

"Gewiss, das ist der Weg; aber — Sie kommen ja jetzt beinahe von King's Cross her. Von Bakerstreet hätten Sie bis dort nur zwei kleine Stationen gehabt".

"Und wir fahren von Bakerstreet hierher jetzt bald zwei Stunden!"

Der Mann antwortete nicht weiter, aber ich wusste — was er von den »Fremden« dachte. — Well, never mind!

"Nein, nicht zurück", rief jetzt R., als wir zum Billetbureau hinaufstiegen, "vorwärts, gen Osten; ich dächte, den »näheren« Weg nach King's Cross kannten wir jetzt gerade ausreichend".

Nach Bädekers Karte bildet die Metropolitan-Eisenbahn, welche wir heute zu erforschen verurtheilt scheinen, eine

geschlossene Ellipsoide auf dem linken Ufer der Themse, deren
südlichster Punkt etwa Victoria Station ist, der nördlichste
King's Cross. Wir kamen also von Bakerstreet aus dem
Norden durch den äussersten Westen nach Süden; nun müssen
wir durch Osten nach Norden zurück, eine vollständige Windrose.
Von Victoria Station geht es jetzt zur Westminster Brücke
und von dort, unter dem prachtvollen neuen Themse-Quai, dem
Albert Embankment entlang, den Strom hinab bis zur Blackfriars
Brücke.

Hier verlassen wir den unterirdischen Zug, der bis zum
Mansion House weiter rollt, und steigen eine hohe Treppe
hinan zur Oberwelt. Zu Fusse erreichen wir rasch die Station
Ludgate Hill neben St. Paul's Kathedrale und fahren nun auf
dieser Linie quer durch die City, von Süden nach Norden, zum
Bahnhofe von King's Cross.

Die Bahn durchschneidet die Hügel und Thäler von High
Holborn; sie läuft nur in Tunneln und tief versenkten engen
dunklen Einschnitten, abwechselnd mit hoch aufgemauerten
Viaducten. Zu beiden Seiten bemerkt man, dass — überhaupt
gar keine Aussicht ist und — liest weiter in der Pall-Mall.

Hinter King's Cross geht die gedrängte City in die lockere
geräumige Vorstadt über; jetzt wird die Gegend halb, dann
ganz ländlich. Wir steigen die grünen buschigen Hügel von
Middlesex hinan und halten, nach einer ' weiteren halben
Stunde, an der Station von Alexandra Palace.

II. Bauernfänger.

Hier verlassen wir den Zug am Fusse eines breiten, sanft
abfallenden Hügels und betreten einen offenen Park; weite,
wenig gepflegte Grasflächen mit kurzem festgetretenen Rasen,
wenige und noch junge Bäume, einige immergrüne Gruppen;
Gesammteindruck: kahl.

Auf der Höhe sehen wir eines der modernen architektonischen
Ungethüme liegen, aus der Familie: Industriepalast; hyper-
trophisch in jeder Dimension; über dem Mastodon schwebt
eine mächtige flache Glaskuppel hoch im blauen Aether, flan-
kirt von vier viereckigen Eckthürmen.

„Wohin jetzt?" fragte R., indem er zweifelhaft umherblickte.

„Lassen wir uns von unseren eingeborenen Reisegefährten in's Schlepptau nehmen" schlug ich vor.

Wir durchschnitten zunächst eine unabsehbare Rennbahn und kamen an einen kleineren abgegrenzten Platz, zu Füssen einer langen und tiefen Zuschauertribüne. Der Platz ist von Gräben, Hecken, niedrigen Backsteinmauern und hohen irischen Wällen durchschnitten: ein Springgarten.

Die Einzäumung war rings mit Menschen dünn besetzt; in der Mitte, auf dem Sattelplatze, sah man einzelne Pferde unter Decken, Reiter und sonstiges Turf- und Stallpersonal.

„Das wird der Horse Show sein, von dem im Waggon die Rede war", bemerkte R.

„Vor Taschendieben wird gewarnt", citirte ich unwillkürlich, meine Nachbarn betrachtend.

Jetzt setzt sich einer der Jockeys in Galopp und reitet gegen eine hohe Hecke an, in der sich jedoch ein breiter niedriger Ausschnitt befindet.

— Allgemeine Spannung. —

Reiter und Pferd entwickeln sehr viel Schneide im Anlaufe, aber im entscheidenden Augenblicke, dicht vor dem Hindernisse, reisst der Nerv, beide drehen kurz um und kantern ruhig wieder zurück.

— Murren im sachverständigen Publikum. —

Nochmaliges Anreiten — derselbe Erfolg. — Das Murren geht in Grunzen über. —

Nun setzt der Reiter zum dritten Male an, der Gaul erhält einige kräftige Hülfen, er soll und muss hinüber, die Reputation — oder sonst etwas — steht auf dem Spiele.

Dieses Mal hebt sich das Pferd, es will hinüber, aber der Sprung ist zu kurz, die Hinterfüsse bleiben hangen, das Thier überschlägt sich nach vorn, der Reiter trennt sich rechtzeitig und fliegt, in seinem heftigen Schwunge beharrend, mehrere Schritte vorwärts in eine weiche, nachgiebige Schmutzlache.

Jedoch scheint diese Extraleistung weder dem Manne ungewohnt, noch dem Publicum unerwartet oder gar aufregend zu sein. Der Reiter springt auf seine Füsse wie eine Katze, schüttelt sich ein wenig, reisst den Gaul in die Höhe, sitzt auf und galoppirt kaltblütig um die Hecke herum zum Sattelplatze zurück.

Jetzt nimmt eine Dame in dunkelblauer Amazone und mit tadelloser Taille die Backsteinmauer; diese Künstlerin aber macht die Sache etwas zu glatt, man merkt die einstudirte Circusfertigkeit zu deutlich und das Kunststück imponirt den Kennern nicht mehr. —

„Gehen wir weiter", schlug ich vor, „diese Vorstellung ist mir zu aufregend".

Wir kommen an einem Erfrischungshause vorüber — es ist geschlossen; über einen grossen Cricketplatz — keine Seele zu sehen. Dann erscheint ein japanisches Dorf, es stand im Jahre 1873 in Wien auf der Ausstellung — vermuthlich sind inzwischen die Eingeborenen in ihre östliche Heimath zurückgekehrt, denn es ist still und öde darin. —

Allmälig steigen wir den breiten Hügel hinan, dem Palaste entgegen.

„Gross ist er wirklich", bemerkt R., nachdem er den Freund Bädeker consultirt hat, „die Grundfläche des Gebäudes beträgt zwölf Morgen. Die Mauern sind aus gelbem Backstein aufgeführt in allerlei Mustern; dazwischen Friese, Risalite, Fenstereinfassungen und sonstige Decorationen aus Portland-Cement. — Echt modern".

Wir betreten zunächst eine breite, leere, etwas mangelhaft gekehrte Terrasse, gewiss über hundert Meter lang. Die weite Fläche vor uns ist nur ein einziges Mal unterbrochen, dort hinten, durch drei einsame eiserne Gartenstühle, auf denen zwei Damen und ein Mops ausruhen.

Längs der Gartenmauer trauern in den Zwischenräumen der grossen Glasthüren einige trockene, vernachlässigte Oleander in verwitterten Holzkübeln.

Die Aussicht hier ist weit und erfrischend, die grüne hüglige Landschaft von Middlesex erstreckt sich in ungemessene, wellige Fernen.

„Wir wollen hineingehen", meinte ich, „wahrscheinlich ist drinnen etwas ganz besonderes los, da niemand hier draussen ist".

Nach verschiedenen Irrwegen gelangen wir in die riesige Central Hall. An der Wand uns gegenüber ein riesiger erhöheter Orchesterplatz. In seiner Mitte hockt ein winziges Häuflein von etwa dreissig bis vierzig Musikern, die hier sind

„versammelt zum fröhlichen Thun". Daneben steht eine riesige Orgel, davor ungezählte Reihen leerer Rohrstühle. „Was sagt Bädeker?" frug ich.

„Das Orchester hat Platz für zweitausend Musikanten und Sänger", belehrte mich R., „die Orgel ist die grösste der Welt; es giebt hier Sitzplätze für zwölftausend Zuhörer".

„Letztere scheinen augenblicklich nicht ganz vollständig versammelt zu sein", bemerkte ich bedauernd.

Hinter uns ertönte jetzt Blechmusik, mit Pauken und Cymbeln, und dann ein bekanntes „Heeh! — Hopp!"

Erfreut wenden wir uns um, zu dieser ferneren anziehenden Schaustellung. Wir sehen — eine hohe Teppichwand. Das He—eh! Hopp! verstärkt sich, jetzt geräth die Musik in's Prestissimo — Tusch — begeistertes Händeklatschen!

Also Kunstreiter in der Musikhalle! — —

„Hier rechts", trug R. weiter aus Bädeker vor, „ist der italienische Garten, dann folgt das Palmenhaus".

„Gehen wir einmal dorthin", schlug ich vor, „das ist mehr mein Fall, als schlechte Pferde und schlechte Musik".

Im italienischen Garten Oede, zerbröckelnde Cementvasen, Schmutz, verdurstete Fontainen und Verkommenheit; im Palmenhause ein dürftiger, lückenhafter Bestand kränklicher, bestaubter blätterloser Pflanzen.

„Besuchen wir den Bazar", schlug der standhafte Orientreisende vor, „vielleicht ist dort mehr Handel und Wandel".

Wiederum eine riesige Halle, gefüllt mit endlosen Reihen von Buden und Läden. Von je zehn ist etwa einer geöffnet, darinnen liegt einiger vergriffener Plunder feil. Die wenigen Verkäufer sehen so gelangweilt und stumpf drein, als ob sie das Geschäft längst in Verzweiflung aufgegeben hätten und nur noch als Staffage hier sässen. Die Käufer bildeten vermuthlich das dichte Gedränge in der Musikhalle, aus dem wir soeben geflüchtet waren.

An den Ein- und Ausgängen sieht man vielfache Erfrischungsanstalten vorgerichtet, aber sämmtliche Büffets stehen geschlossen und leer da.

„Jetzt noch die Bildergallerie", bemerkte R., in den Bädeker sehend, pflichtgetreu und unerschrocken.

„Ich danke!" protestirte ich, „ich habe genug von dieser

lebendigen Ruine; ich bin hungrig von allem was ich nicht gesehen habe und durstig wie ein Wüstenpilger. Was wollen wir noch weiter der Fata Morgana nachlaufen, die uns Freund Bädeker vorspiegelt? Gehen wir lieber in die Refreshment Rooms; hoffentlich sind die Steaks nicht auch schon ausgewandert".

Nochmals ein unabsehbarer Raum; an einer Langseite Büffets von der Erstreckung einer tüchtigen Kegelbahn, an der anderen die Glasthüren auf die Terrasse. Im Saale überschlug ich, soweit mein Auge reichte, etwa hundert gedeckte kleine Tische. Einer von ihnen war bereits besetzt; selbstverständlich eilten wir, uns den zweiten zu sichern.

Während das Steak geröstet wird, sehen wir uns rings um, dann begegnen sich unsere stummen Blicke und wir brechen gleichzeitig in ein erlösendes Gelächter aus.

„Das nennt man ja wohl hier zu Lande „Humbug", sagte R.; „offenbar eine „verkrachte Gründung".

„Meine erste Enttäuschung hier in England", stimmte ich ein, „der erste „Showplace", der schlecht gehalten und verkommen ist. Aus allen Ecken stiert der Bankrott. Die armen Actionäre!"

„Sage lieber: die armen Reisenden", entgegnete mein härterer Leidensgefährte, „die an solchen Schwindel ihren Nachmittag verschwendet haben. Mein Bädecker von 1875 muss hier noch andere Zeiten gesehen haben, denn er hat Alexandra Palace mit einem * decorirt. Dieser Todtenpalast ist entschieden die ärgste unserer heutigen Verirrungen".

„Unberufen!" rief ich schnell drei Mal unter den Tisch klopfend, „möge es dabei bleiben! Mir grauet vor der Götter Neide!"

Wir traten wieder auf die Terrasse. Die Gegend war von der Nachmittagssonne günstig beleuchtet, aber alles ringsum leer und öde; auch im Hippodrom dort unten hatte man ausgesprungen.

Nur ein einsamer Fremdling lehnte auf der Ballustrade, jetzt näherte er sich, ungewiss umher blickend.

„Wissen Sie nicht", frug er höflich den Hut ziehend, „ob die Pferdeschau schon zu Ende ist?"

„Weiss nicht", erwiderte R. kurz auf die augenscheinlich

überflüssige Frage, denn man konnte den leeren Springgarten deutlich übersehen.

Nach einer kleinen Pause begann der Mann wieder: „Es ist heute recht langweilig hier".

Ich sah mir den Sprecher an, wie man eine interessante Seltenheit betrachtet, denn ein Engländer, der Fremde anredet, ist schon seiner Seltenheit wegen interessant. Die äussere Erscheinung des Fremdlings empfahl sich nicht: schäbiger Anzug, mangelhafte Wäsche, zweifelhafte Nägel, struppiger grauer Vollbart und Brille. Kein Gentleman.

„Lass Dich mit dem Kerl nicht ein", rieth ich, „er gefällt mir nicht".

„Mir auch nicht", erwiderte R. „aber auf Reisen spreche ich stets mit allerlei Leuten".

„Dann lass mich wenigstens aus dem Spiele", bat ich, „Alexandra Palace ist besonders verrufen als Tummelplatz des Gaunergesindels, das sich hier zu Lande wie Schmutz an alles Pferde- und Rennwesen hängt".

„Nur keine Angst", entgegnete R. zuversichtlich. —

„Sie sind wohl Fremde?" begann jetzt plötzlich der Gesell, der scharf auf unsere Unterredung gehorcht hatte, in unvollkommenem Französisch, „ich bin auch fremd".

„Franzose?" fragte R. entgegenkommend.

„Nein, Kanadier aus Montreal; dort sind wir immer noch so halbe Franzosen. Kam herüber wegen Baumwolle, wissen Sie, kenne niemand in London".

„Wir auch nicht", erwiderte R. „Es ist so schwer in England anständige Bekanntschaften zu machen — für uns zumal, da mein Freund hier leider! weder englisch noch französisch spricht".

Der Kanadier war augenscheinlich erfreut, auf so leichte angenehme Weise mit „Europens übertünchter Höflichkeit" in Berührung zu kommen.

„Ich wohne im Golden Cross-Hotel, Strand", setzte er seine Versuche zur Annäherung fort, „recht gutes Hotel, etwas theuer. — Wo wohnen Sie?"

„In der New Hummums, Piazza Coventgarden", erwiderte mein schlagfertiger Freund genau nach Bädeker. „Hotel nur für Herren, sehr comfortabel, wissen Sie".

13*

Dann wandte er sich zu mir und flüsterte: „Bauernfänger!
— er soll uns nur morgen dort aufsuchen".

„Lass doch den Kerl laufen", gab ich zurück.

„Warum? der Bursche unterhält mich, vielleicht entschädigt
er uns noch für unsere Irrfahrt hierher".

Das Gespräch der beiden, abwechselnd französisch und
englisch geführt, wurde jetzt immer fliessender und das Glück
wollte sogar, dass unser Kanadier zur selbigen Zeit wie wir
nach London zurückkehrte.

Im Bahnhofe, am Fusse des Hügels, war der Zug gerade
vorgefahren. Wir drei stiegen einträchtig in ein leeres Coupé
erster Klasse. Bald fand sich ein Vierter ein und im letzten
Augenblicke schwang sich auch noch ein Fünfter herein, ein
ziemlich ruppig aussehender junger Bursch, dessen dunkle
Züge meinen orientkundigen Freund R. besonders anheimeln
mussten.

Kaum war der Zug im Gange, so fragte schon der Ab-
kömmling des Orients — vielleicht etwas zu eilfertig — den
Kanadier auf englisch:

„Haben Sie von dem neuen Spiele gehört, welches jetzt
aufgekommen ist? Es ist sehr interessant und wird auf dem
nächsten Derby enorme Sensation machen".

„Nein", erwiderte der Kanadier und fügte kühl abweisend
hinzu: „ich spiele überhaupt gar nicht".

„Schlepper", flüsterte R.

Jetzt mischte sich unser Mitreisender Nr. 4 ein.

„Wie ist denn das neue Spiel? können Sie es mir nicht
ein wenig expliciren?"

„Mit Vergnügen", erwiderte der gewandte Alttestamentliche;
er zog ein schmutziges Spiel Karten heraus, mischte und
erklärte:

„Hier drei Karten; Sie wählen davon eine, dann verdecke
ich sie und mische; — so!" — er rührte auf einem Pappendeckel
die drei verdeckten Karten langsam um. „Jetzt bezeichnen
Sie Ihre Karte; rathen Sie richtig, so gewinnen Sie, wenn nicht,
gewinne ich".

„Kümmelblättchen", flüsterte R., „alte Bekanntschaft".

Der brünette Jüngling machte das Spiel einige Male langsam und ziemlich unbehilflich vor. Nr. 4 rieth und — stets richtig.

In Nr. 4 regte sich jetzt anscheinend der Versucher, der Spielteufel; er setzte zögernd einen halben Sovereign; rieth und — gewann; der Bankhalter zahlte prompt aus.

„Dieses Spiel", theilte er uns während der Arbeit zuvorkommend mit, „wird jetzt im Criterion (grosser Restaurant in Piccadilly) jeden Abend gespielt; vielleicht kommen die Herren nach dem Theater dorthin; sehr feine Gesellschaft".

„Wollen Sie es nicht auch einmal versuchen?" wandte sich jetzt unser Freund aus Montreal in seiner französischen Stiefmuttersprache zu R.

„Ach nein, ich danke für jetzt", erwiderte dieser verbindlich, „vielleicht heute Abend; ich kenne das Spiel schon; es ist auch in Berlin bereits in der besten Gesellschaft eingeführt, man spielt es dort auf den ersten Clubs".

„Hören Sie", bemerkte jetzt der ehrliche Kanadier dem betriebsamen Orientalen auf englisch, „dieser Herr sagt, in Berlin sei dieses Spiel schon bekannt".

Der Jüngling aus dem Osten und Nr. 4 setzten inzwischen die Vorstellung fort; sie gewannen, verloren und zahlten, ganz wie es sich gehört.

Ein Pfiff! der Zug fuhr langsamer —

R. sah mich schlau und bedeutungsvoll an, die Krisis nahete.

„Wissen Sie", sprach er dann vertrauensvoll zum Kanadier, wieder in dessen geliebter Muttersprache, „verrathen Sie mich nicht an jenen Herrn, es könnte ihn vielleicht kränken — aber der junge Gentleman ist auf dem Irrwege, wenn er uns hier etwas neues lehren will, denn in Berlin —"

— „Station King's Cross", der Zug hielt —

„nennt man dieses schöne Spiel schon lange die »Bauernfalle«, »la trappe des paysans« — —

Wir hatten den Thürgriff bereits in der Hand und, ehe der Rauch von R.'s platzender Bombe im Coupé verflogen war, standen wir draussen und eilten lachend in den, drüben schon wartenden Zug der Metropolitan Eisenbahn.

Der Kanadier aber „schlug sich seitwärts in die Büsche". —

III. Im Nebenhause.

Unsere Rückfahrt, quer von Norden nach Süden durch die
City, erheiterten wir sehr beträchtlich, indem wir uns den Ge-
müthszustand unserer drei in die Irre gegangenen Bauernfänger
und ihre verdutzten Gesichter ausmalten.

Aber die Strafe für diese unchristliche Schadenfreude
folgte auf dem Fusse, denn wir vergassen richtig, in Ludgate
Hill auszusteigen und wieder in den Underground unter dem
Themsequai bei Blackfriars Bridge hinabzutauchen. Plötzlich
lichtete sich jetzt im Fahren der Horizont zu beiden Seiten und
wir donnerten hoch oben auf einer kühnen Gitterbrücke, über
dem mächtigen Strom. Ein prächtiges Bild entrollte sich hier
dem überraschten Auge; dieses Mal jedoch verspürte ich wenig
Neigung, in der Aussicht auf das unabsehbare Getümmel der
Schiffe unter uns, stromauf und stromab, zu schwelgen; ich
flüchtete mich sofort zu Freund Bädekers rother Eisenbahnkarte.

„Neue Irrfahrten, lieber R.", unterbrach ich seine still-
vergnügte Umschau, „wir betreten jetzt sogleich das rechte
Themseufer und werden dort das Vergnügen haben, während der
nächsten Stunde auf der Metropolitan Extension-Bahn ein
höchst bemerkenswerthes Stück der schönen Grafschaft Surrey
zu durchreisen".

„Keine Umkehr mehr?" fragte R. ruhig und resignirt.

„Keine; wir machen zunächst einen ausgiebigen Vorstoss
nach Süden, schwenken dann gegen Westen und kommen erst
bei Battersea wieder nördlich über den Fluss zurück in die
ersehnte Victoria Station".

„Eigentlich wundert mich das gar nicht", erwiderte R.
gelassen, „die Irrfahrten sind heute unser Kismet; was hilft es
dagegen zu kämpfen".

„Möge es wenigstens bei dieser bleiben", wünschte ich —
zweifelnd.

So ergaben wir uns in unser Schicksal, beobachteten den
steten Ab- und Zugang der Mitreisenden und betrachteten die
Scenen, die im raschesten Wechsel an uns vorüberflogen.
Zuerst dicht bevölkerte Fabrikorte, dann ländliche Quartiere,
zuletzt Battersea und sein grossartiger Park. Am lebhaftesten
beschäftigte uns der Wirrwarr der unzähligen, hier parallel

laufenden: Eisenbahnen über, neben und unter uns; überall un-
aufhörliche, unendliche, unermüdlich hin und wieder schiessende
Züge.

Endlich ist, mit der sinkenden Sonne, Victoria Station
erreicht. R. wohnt hier im Grosvenor, dem sogenannten
Terminushotel, ich in Jermynstreet, St. James's; so trennen
wir uns für einige Stunden der nothwendigen Ruhe.

Im Scheiden ruft R. mir nach:

„Also heute Abend auf der N.'schen Botschaft! Es ist
doch Eaton Square, Nr. 28?"

„Richtig", erwiderte ich, „grosser Rout zu Ehren eines
höchsten Herrn, „to meet Royalty" wie man hier sagt, — und
noch dazu mit Musik. Wir fahren wohl besser nicht zusammen,
für mich wäre es ein Umweg, da Du ganz auf der entgegengesetzten Seite von Eaton Square wohnst. — Also! Nr. 28,
Eaton-Square, elf Uhr. — Leb' wohl".

Die Wogen der Strassenfluth trennten uns jetzt und trugen
mich, wie fast täglich, nach Hyde Park Corner. Hier streckte
ich mich auf einen der Pennystühle und erfrischte meine
ermüdeten Sinne im Anschauen der alten Bäume und der
jungen Reiterinnen, die hier in Rotten Row so froh und frei
auf und ab kantern.

––––––––

Es schlug gerade elf Uhr, als ich von Grosvenor Place aus
in Eaton Square einbog. Bekanntlich ist an diesem grössten der
londoner Squares die N'sche Botschaft eines der stattlichsten
Gebäude und berühmt wegen des Glanzes ihrer Festräume.

Bereits hundert Schritte diesseits gerieth ich in die Wagen-
reihe und rückte nun langsam, Schritt vor Schritt, auf. Endlich
erscheint der beleuchtete Eingang. Ein zeltartiger vor-
springender Baldachin, auf beiden Seiten tief herabhangend,
überdacht die Hausthür und den breiten Fusssteig vor ihr;
Gassterne geben blendende Helle. Mir vorauf fährt eine
prächtige, geräumige Staatskutsche; auf dem Gallabocke ein
wohlgenährter Kutscher mit weisser Flügelperrücke, hinten
schweben zwei gepuderte Lakaien in rothen Kniehosen, jeder eine
Wachsfackel in der Hand.

Eine entsprechend vornehme Gesellschaft entladet sich aus
dem gehaltvollen Kasten und steigt die Stufen zur Hausthür hinan;

ich schlüpfe bescheiden hinterdrein. Die grosse Eintrittshalle ist mit grünen Gewächsen und glitzernden Bedienten reich decorirt. Langsam schieben wir uns die Treppe hinauf; kurz vor ihrem oberen Ende steht ein würdevoller Haushofmeistr. Ich gebe ihm meine Karte, mein Name wird, laut und völlig entstellt, ausgerufen und ich lande glücklich auf dem Vorplatze im ersten Stock.

Aber nicht weiter, — eine feste Mauer von schwarz-weissen Herren steht vor mir, fast alle grösser als ich; so sehe ich nur gutgewachsene schwarze Rücken und tadellose blonde angelsächsische Nackenscheitel, sonst nichts.

In der Entfernung ertönt Musik; es klingt wie ein Streichquartett. —

Ich mache einem Attaché Raum, der sich bemüht, ankommende Damen durch's Gedränge zu bringen. —

Die Musik verstummt, ein dumpfes summendes Gemurmel vieler Menschen, die sämmtlich mit gedämpfter Stimme reden, setzt ein. —

Das Gemurmel erstirbt vor dem Geschmetter eines steirischen Liedes mit Jodler. —

Jetzt begrüsse ich einen Botschafts-Secretär, der aus dem inneren Heiligthume kommt, um an der Treppe die Honneurs zu machen. —

Sonst keine bekannte Seele, von R. nichts zu sehen. —

Diese erfrischende Uebung im schweigsamen Stillestehn dauert etwa eine halbe Stunde. Niemand geht fort, denn die Anwesenheit der höchsten Perso fesselt magnetisch allen anderen Sterblichen. —

Um mich zu unterhalten, stelle ich neidische Betrachtungen über R.'s jetzige bevorzugte Lage an, der augenscheinlich in den Musiksaal eingedrungen ist; dann besichtige ich einen alten italienischen Schrank, Cinquecento, Ebenholz mit Elfenbein eingelegt, vorzüglich restaurirt. Hierauf bewundere ich zwei klassische niederländische Bürgermeister, die heute Abend, trotz ihrem frischen Firniss, ganz ungewöhnlich finster aussehen. — — Nun schweigt die Musik zum letzten Male, es entsteht eine kleine Schwankung in der lebendigen Mauer, die mich einschliesst. Vermuthlich wird jetzt der hohe Gast von Sr. Excellenz dem Botschafter in's Büffetzimmer zum Souper

geführt. Lange Zeit wird das wohl nicht wegnehmen, denn
dem Concerte ging bereits ein ausgiebiges „State Dinner"
vorauf. —

Wiederum eine Meeresstille von einer Viertelstunde. —
Endlich hören wir das bekannte Klopfen mit dem
Marschallstabe auf dem Parket. Alles schiebt auf beide Seiten
zurück, um die Gasse zu bilden.

Der Cortège erscheint, unter Vortritt einiger Herren mit
ernster Dienstmiene; — wir verneigen uns tief; — alles vorüber.

Jetzt gelange auch ich in's Büffetzimmer und melde mich
beim Hausherrn; die Excellenz lächelt etwas erschöpft, übrigens
aber befriedigt durch den Verlauf des Abends. Excellenz hofft,
dass ich die Musik gut habe hören können.

„Vorzüglich! ich habe sogar eine von den eigenen
Compositionen Sr. Excellenz erkannt und bewundert". (Das
Programm liess über den hohen Componisten nicht in Zweifel).

— Gnädiger Dank. — .

Somit hätte ich denn einige Caviar Sandwiches und ein
Glas Sparkling Hock redlich verdient; ich geselle mich zu
einer Gruppe von Bekannten und gehe an's Geschäft.

Aber wo ist R.? — nirgendwo zu sehen. — Der Musiksaal bereits verödet. — Er kann doch nicht schon wieder
fort sein? —

Die grosse Wanduhr schlägt Mitternacht, da erscheint R.
in der Thür, wie ein pünktliches Gespenst. Er verbeugt sich
vor dem Hausherrn, stellt sich vor und spricht etwas, das wie
Entschuldigung aussieht. Excellenz lächelt und antwortet;
beruhigender Händedruck; nochmalige Reverenz. Entlassen. —

Darauf tritt Freund R. an uns heran.

„Kommst Du erst jetzt?" frage ich.

„Nachher", raunt er mir zu.

„Wo warst Du denn?"

„Nachher!"

Er sieht verstimmt und hungrig aus.

Ich schweige discret. —

Endlich ziehen wir uns zurück.

Auf der Treppe frage ich wieder: „Nun sage mir aber
doch: wo warst Du denn so lange?"

„Wo ich war? auch auf einem Feste", erwidert er kurz
und etwas schnippisch.

„Aber bei wem?" forschte ich weiter. „Du kennst ja
keine Katze in London".

Freund R. bleibt stehen, sieht mir fest in's Gesicht und sagt:
„Bei wem?! — wenn ich das wüsste! Ich habe keine
Ahnung! — Komm einmal mit mir". —

Wir verlassen das Hotel, R. geht quer über die Strasse;
am Gitter des Square dreht er sich auf dem Absatze herum,
zeigt auf die Thür des Hotels, das wir eben verlassen haben
und ruft mit einer gewissen, mir unverständlichen Indignation
im Tone:

„Dort war ich!"

„Wo? in der Botschaft?"

„Nein! im Nebenhause!"

„Wie ist das möglich?" frage ich weiter.

„Ganz einfach", erwidert er, „sieh es Dir nur an!"

Soweit ich in der Nacht erkennen konnte, waren beide
Häuser, Nr. 28 und Nr. 27 völlig gleichartig, jedoch umgekehrt,
gebaut und zwar in der Art, dass beide Hausthüren unmittelbar neben einander lagen.

Aber — was ist denn das? auch am Nebenhause, Nr. 27
schwebt ein Baldachin über der Thür und auf das Pflaster
herab, Teppiche laufen die Stufen herunter über den Fussteig,
Gassterne strahlen um den geöffneten Eingang und die Halle
zieren Gewächse und Bediente! —

„Jetzt lass Dir erzählen", begann R. wieder, als wir weiter
gingen.

Er schwieg einen Augenblick und rief dann, von seinen
Gefühlen überwältigt, verdriesslich und zugleich lachend:
„Diese war wirklich die tollste unserer Irrfahrten! — Nachdem
wir uns heute getrennt hatten", fuhr er darauf ruhiger fort,
„ging ich, als vorsichtiger Mann, hierher, um die Lage des
Hauses Nr. 28, in dem ich nie gewesen war, noch bei Tageshelle
zu recognosciren".

„Da sieht man sogleich den praktischen Reisenden",
bemerkte ich anerkennend.

R. schien meine Liebenswürdigkeit nicht völlig zu würdigen,
er fuhr fort:

„Also um elf Uhr breche ich vorschriftsmässig aus meinem Victoria Terminus Hotel auf und mache mich auf die Pilgerfahrt".

„Ah, ich verstehe", unterbrach ich, „auf diese Weise kamst Du aus der entgegengesetzten Richtung wie ich, nämlich von Süden her an das Hotel".

„Ja", erwiderte R. mit komischem Pathos, „von Süden her! ›und das war mein Verderben!‹ — Als ich mich der Botschaft nähere, sehe ich Lichtglanz auf die Strasse fallen und gehe an einer Reihe langsam vorrückender Equipagen entlang. Ueber der Hausthür breitet sich ein Baldachin, der tief herab rollt, Teppiche liegen quer über dem Fusssteig, — Alles in schönster Ordnung. Zwei Reihen Bummler bilden Spalier, ich breche durch, Dienerschaft in Galla öffnet die Wagenschläge. Ich sehe eine grossartige Karosse anfahren, Kutscher mit Perrücke, zwei fackeltragende Bediente in schwarzsammtenen Knieehosen hinten auf" — --

„Meine waren von rothem Plüsch", schob ich ein.

„Entsprechend grossartige Persönlichkeiten steigen aus; gewandt schlüpfe ich in ihrem Gefolge in's Hotel".

„Aber ganz wie ich!" bemerkte ich, überrascht durch den fast vollständigen Parallelismus unserer Erlebnisse.

„Ich steige die breite Treppe hinan, überreiche einem feierlichen Buttler meine Karte, mein Name — oder etwas Entsprechendes — wird verkündet.

„Oben an der Treppe empfängt mich eine freundliche ältere Lady, drückt mir die Hand und ist ›glücklich mich zu sehen‹.

„Ich erwidere diese Gefühle und dringe vor bis zum Eingange eines grossen Salons, aus dem Musik ertönt. In der Thür steht eine feste Mauer breitschultriger, schwarz-weisser Engländer mit tadellosen Nackenscheiteln; sie nehmen just mit Andacht eine italienische Arie entgegen. Von Eindringen keine Idee.

„Auch gut", denke ich, „da drinnen ist's heiss — alles stauet sich um die höchste Herrschaft — bleiben wir draussen. Wie sagt mein alter Förster in seinem schwäbischen Hochdeutsch? ›Gehe nicht zu Deinem Förscht, wenn Du nicht gerufen wörscht!« Der Botschafter ist natürlich jetzt unzugänglich, Vorstellung für's erste unmöglich.

„Ich sehe mich nach Dir um".

„Der steckt natürlich fest dadrinnen", denke ich schadenfroh, — „Du weisst ja, dass selbst die beste Musik bei schlechter Ventilation mir ein Greuel ist. Es ist nun einmal meiner Natur zuwider.

„Ich finde ringsum nicht ein bekanntes Gesicht, auch gar keine continentalen Orden; überall leere Knopflöcher oder ein einsames Röslein darin.

„Natürlich", beruhige ich mich selbst, „die Höflinge stecken auch alle drinnen im musikalischen Fegefeuer. Hoffahrt muss Zwang leiden.

„Die italienische Arie ist schliesslich vollständig abgerollt und wird nach Verdienst beklatscht. — Kurze Erholungspause der Zuhörer. —

„Jetzt folgt ein, nicht minder halsbrechendes Violinsolo. —

„Herren und Damen kommen noch immer an; sehr feine Leute, „with handles at their names". Den Ladies hilft ein höflicher junger Herr durch die „drangvoll fürchterliche Enge" und hinein in den Musikhimmel.

„Aha!" denke ich, „der Attaché vom Dienst!"

„Ich nähere mich dem jungen Diplomaten und stelle mich vor.

„Beg your pardon", erwiderte er sehr höflich, „I don't speak German".

„Merktest Du denn noch nichts?" frug ich mit steigender Spannung.

„Nein! — was sollte ich denn daran merken? Allerdings wunderte mich der Attaché, der nicht die officielle Sprache seines Staates sprach; aber, lieber Himmel, bei den dortigen polyglotten Zuständen — —

„Gut, — es vergeht wohl eine volle Viertelstunde; vom Saale aus brummt jetzt ein Violoncell; es kommen noch einige Herren die Treppe herauf; immer noch keine Ausländer, nur englisches Vollblut. Sie schütteln der freundlichen älteren Lady die Hand und murmeln einige Entschuldigungen wegen zu späten Erscheinens, dabei höre ich mehrere Male das Wort „next door" fallen. — —

„Ich weiss nicht warum? aber allgemach beschleicht mich ein gewisses Unbehagen in dieser trostlosen Oede. Es überläuft mich so, als ob irgend etwas nicht in Ordnung wäre: Ich manövrire also unwillkürlich wieder der Treppe zu.

„Das Violoncell hat inzwischen — mit obligatem Schlussbeifall — ausgelitten.

„Einige Ladies gehen fort; eine von ihnen lässt das Musikprogramm liegen. Ich bemerke hübsche Vignetten darauf, spitzbübische Amoretten, die mich auszulachen scheinen, — ich habe es zum ewigen Andenken eingesteckt. — Um die Zeit hinzubringen, verfolge ich die schon genossenen Nummern des italienischen Musiksalates von unten herauf; wir arbeiteten soeben drinnen bereits an Nr. 14; ich steige endlich bis zu Nr. 1 hinauf — — jetzt fällt mein Blick zufällig auf die alleroberste Reihe — es flimmert mir vor den Augen! meine Stirn wird kalt — feucht! — — da steht: »Nr 27 Eaton Square!«"

„Kein Irrthum: Nr. 27! — — —

„Also darum hatte mich die freundliche ältere Lady mehrere Male so sonderbar gemustert, ohne mich weiter anzureden!

„Darum konnte der Attaché kein Deutsch!!

„Ich war seit einer Stunde ein ungebetener Gast in einem wildfremden Hause!!! — Oh!!! — —

„Jetzt die Treppe hinab; auf halber Höhe begegnet mir unser Botschaftssecretär F."

„Wo ist denn eigentlich die Hoheit und das ganze hohe Gefolge?" frug ich thörichter Weise, in meiner äussersten Verwirrung.

„Er sieht mich verdutzt an und sagt langsam: „Im Nebenhause sind sie, in der N'schen Botschaft, Nr. 28. Uebrigens geht dort alles soeben fort, desshalb komme ich noch rasch hierher, konnte natürlich nicht früher — wegen der Hoheit.

„Aber um's Himmels Willen", frage ich ängstlich weiter, „wo bin ich denn hier?"

„Im Nebenhause, in Nr. 27, mein Bester, bei Mrs. T.; sehr liebenswürdige gastfreie Frau, giebt mit Vorliebe musikalische Monsterrouts mit Italienern. Dort oben steht sie und lächelt wohlwollend auf uns herab".

„Der Secretair sah dabei so fürchterlich trocken und kühl aus — mir perlte der Schweiss auf der Stirn.

„Soll ich zurück und mich entschuldigen? oder soll ich ihr lieber morgen einen Besuch machen?"

„Ei, das ist nicht nöthig; so etwas kommt in London öfters vor. Sie sind der Erste nicht. Lassen Sie sich morgen bei Mrs. T. melden, so riskiren Sie noch eine liebenswürdige Einladung zum Dinner; — man ist hier so gastfrei".

„Nein, ich danke schön", rief ich, „ich will mich hier nicht zum zweiten Male als »stolid German« auslachen lassen. Gute Nacht.

„Ich flog die Treppe hinab mit einem sehr unsicheren Gefühle in Betreff meiner Rückendeckung. Unten wollte mich der Buttler durchaus an das Büffet geleiten, das mir aus dem geöffneten Diningroom entgegenstrahlte".

„Das ist nicht für mich!" rief ich und stürmte aus dem Hause".

Ich liess dem armen Freunde zunächst Zeit, um Athem zu schöpfen.

„Was sagte denn der Botschafter"? frug ich darauf weiter, „ich sah, wie Du ihm Dein Missgeschick beichtetest".

„Nun, er sagte: es müsste eigentlich polizeilich verboten sein, in zwei solchen Nachbarhäusern, wie Nr. 27 und 28, gleichzeitig einen grossen Rout zu geben. Während des ganzen Abends seien die Wagen aus den beiden entgegengesetzten Richtungen durch einander gefahren, die Kutscher hätten geschimpft und die Policemen nicht gewusst, wo ihnen der Kopf stehe! Uebrigens seien auch bei ihm einige fremde Gesichter aufgetaucht, aber sofort wieder unter — da sie ortskundiger gewesen". —

„Diese letztere Mittheilung: dass ich Leidensgenossen gehabt, beruhigte mich etwas, wenigstens so weit, dass ich wieder zugänglich für Sandwiches und kalten Sekt wurde.

„Armer Freund, Du thust mir wirklich leid", sagte ich tröstend, um den guten R. noch kräftiger in seiner Selbstachtung wieder herzustellen, fügte ich milde hinzu: „das hätte mir eben so gut passiren können, wenn ich nicht zufällig von Norden hergekommen wäre". —

„Wenn nur nicht die verd— Baldachine und die Bummler gewesen wären", grollte R., „denn die beiden zusammen schlossen jede Aussicht ab, so dass man keine Ahnung vom Nebenhause hatte". —

Wir standen am Kreuzwege in Buckingham Palace Road.

„Soll ich Dich bis an Dein Hotel bringen?" frug ich gutmüthig.

„Nein, ich danke", erwiderte er lachend, aber doch ein wenig empfindlich, „ich bin zwar heute sehr confus, und dazu todtmüde, indessen mein Hotel und mein Bett denke ich trotzdem nicht zu verfehlen. — Aber diese letzte war doch die allertollste von allen unseren heutigen Irrfahrten!"

Ein Tag in Oxford.

I.

London und Oxford.

Der Abend dunkelte bereits, als der Schnellzug der Great Western Bahn die riesige Halle der Paddington Station verliess. Noch in der letzten Minute war ich hastig hineingeschlüpft. Denn heute abermals, wie fast täglich während der letzten Wochen, hatte ich mich in dem drangvollen rauschenden Wirrwar verloren, der an jedem schönen Nachmittage des Frühlings und der Season zwischen fünf und sieben Uhr am Hyde Park Corner aus- und einrollt.

Indessen — um ehrlich zu sein — die eigentlichen Magnete, die mich hier unwiderstehlich anzogen, waren die dichten Reiterschwärme der schlanken jungen Misses und der prächtigen blonden Kinder. — Ein völlig neues und darum doppelt fesselndes Bild für den Festländer! Vom dunklen Reitkleide knapp umspannt und, die jungen Damen, das volle glatt gescheitelte Haar in dickem Zopfe unter dem hohen schwarzen Hute einfach aufgesteckt, die Kinder mit frei nachflatternden Locken, so tummelte sich dieser lachende Frühling in Rotten Row, dem breiten, fast unabsehbar langen Reitwege durch Hyde Park, im flottesten Tempo, fast ohne jede Zügelführung, lustig und lebensfrisch auf und ab. Als sei der Sattel ihr natürliches Element, so völlig unbefangen, ja! unbewusst, entfaltet hier die junge Engländerin ihre kräftige sichere biegsame Grazie. Dieses Landes schöne Kinder muss man zu Pferde sehen, um sie voll bewundern zu können, gleich wie der Schwan sein Element begehrt: den Wasserspiegel! Als Folie dienen dieser frischen rosigen Jugend die scharf gezeichneten Typen des aristokratischen männlichen Englands, die sich an

14*

dem sonnigen Juninachmittage auf dem weltbekannten
schmalen Streifen zwischen Rotten Row und dem südlichen
Fahrwege von Hyde Park zusammenfinden. Auf den Penny-
stühlen sich wiegend oder über die Eisenstange der Ballustrade
gelehnt, schauen sie hier den, mit ihrem männlichen Gefolge
oder auch allein, hin und wieder kanternden Reiterinnen nach
und kritisiren mit Kennermiene die werthvollen bedächtigen
Park-Hacks der älteren Gentlemen oder das hochedle Vollblut,
auf dem hinter seinem Herrn der Groom im gelben Ledergurte
Parade trabt. Drüben werden dann die, in endlosen geschlossenen
Reihen vom Albert Memorial her langsam vorrückenden
schweren und leichten Equipagen und ihre stattlich reizvollen
wie ihre imposant würdevollen Insassinnen: der, zur reifen
Pracht entwickelte Sommer und der fruchtschwere Herbst englischer Frauenschönheit — mit kühler Höflichkeit gleichmüthig—
begrüsst oder stumm und ernst angestarrt und gemustert. —

Plötzlich wurde ich jetzt der nahenden Abfahrtsstunde
gewahr und eilte, mich widerwillig losreissend, heimwärts, die
glänzende Piccadilly Strasse hinauf, meinem gastlichen Hotel,
dem Brunswick in Jermynstreet zu. Auch hier in Piccadilly ein
voller hochgeschwollener, dumpf brausender Strom, welcher die
gleichen endlosen Menschenwellen hin und her treibt. Ich
stehe am Ufer, rathlos und hülflos. Drüben winken St. James's
und Jermyn Street. Kein Steg und kein Nachen. Aber mitten
im Strome ragt, ernst und einsam, ein dunkler Pfeiler, an dem
sich die unendlichen Wogen willig und fügsam theilen. Die
stille Figur erhebt die Hand mit dem weithin sichtbaren weissen
baumwollenen Handschuh und, wie durch einen Zauberschlag
steht jedes Pferd und jedes Rad in ruhigem Gehorsam still, zu
beiden Seiten weit hinaus. Es bildet sich vor uns eine trockne
Furth, die sichtbare Vorsehung geleitet uns selbst hindurch und
hinter uns, wie einst hinter den Kindern Israel, branden die
unendlichen Wogen wieder durcheinander. Der londoner
Policeman! mir stets eine der imposantesten Erscheinungen in
dem imponirenden England; wahrhaft gross durch die Einfachheit seiner Mittel und die Unwiderstehlichkeit seiner Wirkung;
die verkörperte Macht des Gesetses, durch die ein freies Volk
sich selbst beherrscht.

Aufathmend stehe ich am anderen Ufer, nochmals im

Scheiden auf die glänzenden rollenden Fluthen zurückblickend und abermals erneuert sich mir mit unverminderter Stärke der Eindruck, den ich schon am ersten Tage in diesem Centralstrudel des englischen Highlife empfangen hatte:

„Vieles, das Meiste von dem, was England Schönes und Grosses zeigt, mag auch anderswo angetroffen, auch wohl übertroffen werden: Rotten Row an einem schönen Nachmittage in der vollen Season steht einzig da in der Welt!"

Aber alle diese Massenhaftigkeit in ihren ununterbrochenen Wirbeln wirkt — gleich der vielberufenen „unendlichen Melodie" von Bayreuth — verwirrend, überwältigend, erlahmend. Nach einigen Wochen steten Umhertreibens, unausgesetzten Sehens, Hörens und Lernens, tritt Sättigung ein, die bald zur abgestumpften Uebersättigung werden würde. Die geistige Badekur, die den verschlafenen deutschen Kleinstädter erfrischte und wieder belebte, ist vorläufig beendigt; der angehäufte Stoff muss jetzt in Ruhe verdauet und angeeignet werden. Uns befällt Londonmüdigkeit und wir verlangen nach einfacherer Nahrung, nach geistiger Landluft, nach einer abschliessenden Pause in diesem ungeheuern hastigen Durcheinander des endlosen fieberhaft gehetzten Tontumultes, in dem die Millionen ringender Stimmen der Riesenstadt zusammenbrausen. Also: »change of air«! das grosse englische Heilmittel gegen jede Verstimmung des Körpers wie der Seele. —

So folgte ich gern der Aufforderung: liebe, alte Freunde in Oxford wiederzusehen und dort eine Erinnerung aus der Kindheit aufzufrischen, die, wie ein geträumtes Wunder in zauberischem Glanze viele Jahre und viele spätere mächtige Eindrücke überdauert hatte. —

Mit dem rollenden Zuge war ich jetzt der Station glücklich entrückt, trotzdem aber noch längere Zeit hindurch im Bereiche der Metropole, noch nicht »auf dem Lande«. Bekanntlich fährt ein Schnellzug der Great Western etwa sechzig Kilometer in der Stunde und dennoch raseten wir wohl noch eine volle Viertelstunde durch Tunnel unter Kellern hin und durch enge, tiefe gemauerte Einschnitte, über denen die Häuser thurmhoch emporragten; über Hausdächer fort, zwischen einem Walde schlanker gebündelter Schornsteine; durch Aussenbahnhöfe; über oder unter uns eine andere, ebenfalls durch hin- und herschiessende Züge belebte Bahn. Wir durchschneiden jetzt die bekannte, unaufhörlich im Zickzack vorwärts wandernde Zone, auf welcher Stadt und Land den nie rastenden Grenzkrieg führen; ihre Signatur ist ein breiter Wall von Schmutz und Unordnung, unter dem die vorrückende Stadt das saubere, grüne, gartenreiche Land nach und nach begräbt und erstickt. Allmälig lockert sich das Gedränge der Gebäude; Gärten, Felder, Weideflächen schieben sich ein, mit Hecken umschlossen und von einzelnen breitästigen alten Bäumen beschattet. Jetzt durchfliegen wir kleine Stationen, vorbei an langgestreckten niedrigen Tribünen für den massenhaften localen Verkehr der Vorstädter, die an jedem Morgen mit dem bekannten schwarzen Reisetäschchen in die City und Abends wieder herausfahren. Dann folgen suburbane Colonien von Villen, wo die Familien jener, täglich zwischen Land und Stadt hin und wieder schwingenden Geschäftsleute in frischer Luft zu frischen Menschen aufwachsen. Weiterhin zeigen sich Wiese, Wald und Wasser in ungestörter Naturfrische und nun erscheint endlich auch die grossartige Mischung dieser Drei: der Park, der den erleuchteten Herrensitz, am Ende jener vornehmen zweihundertjährigen Ulmenallee, breit umlagert. Jetzt sind wir wirklich auf dem Lande — wir sind im Freien.

Der Vollmond überfluthete die gartenhafte, baumreiche Landschaft um Oxford, als ich auf der Station von meinem Gastfreunde empfangen wurde. Unser Weg, in die ziemlich entlegene Vicarage (Pfarrhaus) von St. Paul, führte uns sofort zu jenen wunderbaren Bildern der Vergangenheit, die Oxford einzig in seiner Art bewahrt hat. Die Strassen, schon still und leer, verlieren rasch das moderne Gesicht der Bahnhofsvorstadt; bald sehen wir zur rechten die grauen, achthundertjährigen Thürme des normannischen Kastells, erbaut im Jahre 1071 auf den Grundmauern eines noch älteren sächsischen Königspalastes; im bleichenden Mondlichte steigen sie starr und drohend empor. Hüben und drüben treten Kirchen heran: St. Michael, ein sächsisches Bauwerk, älter als die Eroberung von 1066, und St. Mary Magdalen, noch im normannischen Baustyle des zwölften Jahrhunderts; schwere einschiffige Hallen, mit dem uns fremd gewordenen, viereckigen, stumpfen, ursprünglich durch ein hölzernes Spitzdach abgeschlossenen, erst in späterer gothischer

Zeit krenelirten Thurme; mit den kleinen, besser zur Vertheidigung als zur Beleuchtung geeigneten Fenstern, in ihren vorgothischen, noch nicht durch Strebepfeiler belebten Mauern. Dann rückt links eine graue, zugleich schloss- und klosterartige Sandsteinmasse heran: Balliol College, gestiftet schon um 1200, mit spitzen Giebeln, entlang dem Kranzgesimse und mit breiten Zinnen auf dem schweren Eingangsthurm. Die Hauptfront ist durch reiche, dreiseitig vorspringende Erker verziert, die kunstvolles Masswerk zeigen, ähnlich den schönen Chörlein zu Nürnberg. Daneben Trinity College, mit römischen Säulen und einem hohen Thurme geschmückt, dessen Plattform wiederum colossale Steinfiguren überragen, die im Mondlichte wie frei schwebend erscheinen; ein Bau der italienischen Spätrenaissance.

Und nun schliesst sich hier, in Broad Street, rechts und links, ein wunderbarer Reichthum mittelalterlicher Architektur zusammen, umgeben von grünen baumbeschatteten Gärten und alten breiten dunklen Alleen; eine einzig originelle Reihefolge, die im ungewissen nächtlichen Lichte uns der nüchternen Wirklichkeit entrückt und zurückversetzt in die romantischen Zeiten der Tudors und Stuarts. Altes und Neues fliesst in der »mondbeglänzten Zaubernacht« verwirrend in einander und hält Sinn und Urtheil gefangen. Denn gerade die neueste Architektur kehrt am täuschendsten zu den alten classischen Formen des englisch-gothischen Baustils zurück. Der stolze Thurm zu unserer Rechten über der Einfahrt von Exeter College und das ganze Gebäude, ein imposantes englisch-gothisches Schloss, sind erst in den Jahren 1855 bis 1858 gebaut, aber auf dieser Stelle hausten schon vor vier Jahrhunderten die Studirenden der »deutschen Nation« in ihrer Hall (Herberge).

Daneben folgt ein Gebäude im Elisabethstile, dieser originellen Mischung der perpendikulären Linien der Spätgothik mit dem Schmucke der Renaissance: das reiche Ashmolean Museum. Ihm schliesst sich ein überragender Halbrundbau an aus der Roccocoperiode; sein Name ist Sheldonian Theater, im innern ein weiter kirchenhafter Raum, der bei den jährlichen grossen akademischen Feierlichkeiten der »Commemoration« mehr als dreitausend Theilnehmer fasst.

Vom reichvergoldeten Gitter vor dem Hauptportale, an dem wir entlang fahren, starrt uns auf schweren Pfeilern eine

schiessende Züge belebte Bahn. Wir durchschneiden jetzt die
bekannte, unaufhörlich im Zickzack vorwärts wandernde Zone,
auf welcher Stadt und Land den nie rastenden Grenzkrieg
führen; ihre Signatur ist ein breiter Wall von Schmutz und
Unordnung, unter dem die vorrückende Stadt das saubere,
grüne, gartenreiche Land nach und nach begräbt und erstickt.
Allmälig lockert sich das Gedränge der Gebäude; Gärten,
Felder, Weideflächen schieben sich ein, mit Hecken umschlossen
und von einzelnen breitästigen alten Bäumen beschattet. Jetzt
durchfliegen wir kleine Stationen, vorbei an langgestreckten
niedrigen Tribünen für den massenhaften localen Verkehr der
Vorstädter, die an jedem Morgen mit dem bekannten schwarzen
Reisetäschchen in die City und Abends wieder herausfahren.
Dann folgen suburbane Colonien von Villen, wo die Familien
jener, täglich zwischen Land und Stadt hin und wieder schwingenden Geschäftsleute in frischer Luft zu frischen Menschen aufwachsen. Weiterhin zeigen sich Wiese, Wald und Wasser in
ungestörter Naturfrische und nun erscheint endlich auch die
grossartige Mischung dieser Drei: der Park, der den erleuchteten
Herrensitz, am Ende jener vornehmen zweihundertjährigen
Ulmenallee, breit umlagert. Jetzt sind wir wirklich auf dem
Lande — wir sind im Freien.

Der Vollmond überfluthete die gartenhafte, baumreiche
Landschaft um Oxford, als ich auf der Station von meinem
Gastfreunde empfangen wurde. Unser Weg, in die ziemlich
entlegene Vicarage (Pfarrhaus) von St. Paul, führte uns sofort
zu jenen wunderbaren Bildern der Vergangenheit, die Oxford
einzig in seiner Art bewahrt hat. Die Strassen, schon still und leer,
verlieren rasch das moderne Gesicht der Bahnhofsvorstadt; bald
sehen wir zur rechten die grauen, achthundertjährigen Thürme des
normannischen Kastells, erbaut im Jahre 1071 auf den Grundmauern eines noch älteren sächsischen Königspalastes; im
bleichenden Mondlichte steigen sie starr und drohend empor.
Hüben und drüben treten Kirchen heran: St. Michael, ein
sächsisches Bauwerk, älter als die Eroberung von 1066, und
St. Mary Magdalen, noch im normannischen Baustyle des
zwölften Jahrhunderts; schwere einschiffige Hallen, mit dem uns
fremd gewordenen, viereckigen, stumpfen, ursprünglich durch ein
hölzernes Spitzdach abgeschlossenen, erst in späterer gothischer

Zeit krenelirten Thurme; mit den kleinen, besser zur Vertheidigung als zur Beleuchtung geeigneten Fenstern, in ihren vorgothischen, noch nicht durch Strebepfeiler belebten Mauern.
Dann rückt links eine graue, zugleich schloss- und klosterartige
Sandsteinmasse heran: Balliol College, gestiftet schon um 1200,
mit spitzen Giebeln, entlang dem Kranzgesimse und mit breiten
Zinnen auf dem schweren Eingangsthurm. Die Hauptfront ist
durch reiche, dreiseitig vorspringende Erker verziert, die kunstvolles Masswerk zeigen, ähnlich den schönen Chörlein zu Nürnberg. Daneben Trinity College, mit römischen Säulen und einem
hohen Thurme geschmückt, dessen Plattform wiederum colossale
Steinfiguren überragen, die im Mondlichte wie frei schwebend
erscheinen; ein Bau der italienischen Spätrenaissance.

Und nun schliesst sich hier, in Broad Street, rechts und
links, ein wunderbarer Reichthum mittelalterlicher Architektur
zusammen, umgeben von grünen baumbeschatteten Gärten und
alten breiten dunklen Alleen; eine einzig originelle Reihefolge,
die im ungewissen nächtlichen Lichte uns der nüchternen
Wirklichkeit entrückt und zurückversetzt in die romantischen
Zeiten der Tudors und Stuarts. Altes und Neues fliesst in der
»mondbeglänzten Zaubernacht« verwirrend in einander und hält
Sinn und Urtheil gefangen. Denn gerade die neueste Architektur kehrt am täuschendsten zu den alten classischen Formen
des englisch-gothischen Baustils zurück. Der stolze Thurm zu
unserer Rechten über der Einfahrt von Exeter College und das
ganze Gebäude, ein imposantes englisch-gothisches Schloss,
sind erst in den Jahren 1855 bis 1858 gebaut, aber auf dieser
Stelle hausten schon vor vier Jahrhunderten die Studirenden
der »deutschen Nation« in ihrer Hall (Herberge).

Daneben folgt ein Gebäude im Elisabethstile, dieser
originellen Mischung der perpendikulären Linien der Spätgothik
mit dem Schmucke der Renaissance: das reiche Ashmolean
Museum. Ihm schliesst sich ein überragender Halbrundbau
an aus der Roccocoperiode; sein Name ist Sheldonian Theater,
im innern ein weiter kirchenhafter Raum, der bei den jährlichen
grossen akademischen Feierlichkeiten der »Commemoration«
mehr als dreitausend Theilnehmer fasst.

Vom reichvergoldeten Gitter vor dem Hauptportale, an
dem wir entlang fahren, starrt uns auf schweren Pfeilern eine

schiessende Züge belebte Bahn. Wir durchschneiden jetzt die
bekannte, unaufhörlich im Zickzack vorwärts wandernde Zone,
auf welcher Stadt und Land den nie rastenden Grenzkrieg
führen; ihre Signatur ist ein breiter Wall von Schmutz und
Unordnung, unter dem die vorrückende Stadt das saubere,
grüne, gartenreiche Land nach und nach begräbt und erstickt.
Allmälig lockert sich das Gedränge der Gebäude; Gärten,
Felder, Weideflächen schieben sich ein, mit Hecken umschlossen
und von einzelnen breitästigen alten Bäumen beschattet. Jetzt
durchfliegen wir kleine Stationen, vorbei an langgestreckten
niedrigen Tribünen für den massenhaften localen Verkehr der
Vorstädter, die an jedem Morgen mit dem bekannten schwarzen
Reisetäschchen in die City und Abends wieder herausfahren.
Dann folgen suburbane Colonien von Villen, wo die Familien
jener, täglich zwischen Land und Stadt hin und wieder schwingenden Geschäftsleute in frischer Luft zu frischen Menschen aufwachsen. Weiterhin zeigen sich Wiese, Wald und Wasser in
ungestörter Naturfrische und nun erscheint endlich auch die
grossartige Mischung dieser Drei: der Park, der den erleuchteten
Herrensitz, am Ende jener vornehmen zweihundertjährigen
Ulmenallee, breit umlagert. Jetzt sind wir wirklich auf dem
Lande — wir sind im Freien.

Der Vollmond überfluthete die gartenhafte, baumreiche
Landschaft um Oxford, als ich auf der Station von meinem
Gastfreunde empfangen wurde. Unser Weg, in die ziemlich
entlegene Vicarage (Pfarrhaus) von St. Paul, führte uns sofort
zu jenen wunderbaren Bildern der Vergangenheit, die Oxford
einzig in seiner Art bewahrt hat. Die Strassen, schon still und leer,
verlieren rasch das moderne Gesicht der Bahnhofsvorstadt; bald
sehen wir zur rechten die grauen, achthundertjährigen Thürme des
normannischen Kastells, erbaut im Jahre 1071 auf den Grundmauern eines noch älteren sächsischen Königspalastes; im
bleichenden Mondlichte steigen sie starr und drohend empor.
Hüben und drüben treten Kirchen heran: St. Michael, ein
sächsisches Bauwerk, älter als die Eroberung von 1066, und
St. Mary Magdalen, noch im normannischen Baustyle des
zwölften Jahrhunderts; schwere einschiffige Hallen, mit dem uns
fremd gewordenen, viereckigen, stumpfen, ursprünglich durch ein
hölzernes Spitzdach abgeschlossenen, erst in späterer gothischer

Zeit krenelirten Thurme; mit den kleinen, besser zur Vertheidigung als zur Beleuchtung geeigneten Fenstern, in ihren vorgothischen, noch nicht durch Strebepfeiler belebten Mauern.
Dann rückt links eine graue, zugleich schloss- und klosterartige
Sandsteinmasse heran: Balliol College, gestiftet schon um 1200,
mit spitzen Giebeln, entlang dem Kranzgesimse und mit breiten
Zinnen auf dem schweren Eingangsthurm. Die Hauptfront ist
durch reiche, dreiseitig vorspringende Erker verziert, die kunstvolles Masswerk zeigen, ähnlich den schönen Chörlein zu Nürnberg. Daneben Trinity College, mit römischen Säulen und einem
hohen Thurme geschmückt, dessen Plattform wiederum colossale
Steinfiguren überragen, die im Mondlichte wie frei schwebend
erscheinen; ein Bau der italienischen Spätrenaissance.

Und nun schliesst sich hier, in Broad Street, rechts und
links, ein wunderbarer Reichthum mittelalterlicher Architektur
zusammen, umgeben von grünen baumbeschatteten Gärten und
alten breiten dunklen Alleen; eine einzig originelle Reihefolge,
die im ungewissen nächtlichen Lichte uns der nüchternen
Wirklichkeit entrückt und zurückversetzt in die romantischen
Zeiten der Tudors und Stuarts. Altes und Neues fliesst in der
»mondbeglänzten Zaubernacht« verwirrend in einander und hält
Sinn und Urtheil gefangen. Denn gerade die neueste Architektur kehrt am täuschendsten zu den alten classischen Formen
des englisch-gothischen Baustils zurück. Der stolze Thurm zu
unserer Rechten über der Einfahrt von Exeter College und das
ganze Gebäude, ein imposantes englisch-gothisches Schloss,
sind erst in den Jahren 1855 bis 1858 gebaut, aber auf dieser
Stelle hausten schon vor vier Jahrhunderten die Studirenden
der »deutschen Nation« in ihrer Hall (Herberge).

Daneben folgt ein Gebäude im Elisabethstile, dieser
originellen Mischung der perpendikulären Linien der Spätgothik
mit dem Schmucke der Renaissance: das reiche Ashmolean
Museum. Ihm schliesst sich ein überragender Halbrundbau
an aus der Roccocoperiode; sein Name ist Sheldonian Theater,
im innern ein weiter kirchenhafter Raum, der bei den jährlichen
grossen akademischen Feierlichkeiten der »Commemoration«
mehr als dreitausend Theilnehmer fasst.

Vom reichvergoldeten Gitter vor dem Hauptportale, an
dem wir entlang fahren, starrt uns auf schweren Pfeilern eine

schiessende Züge belebte Bahn. Wir durchschneiden jetzt die
bekannte, unaufhörlich im Zickzack vorwärts wandernde Zone,
auf welcher Stadt und Land den nie rastenden Grenzkrieg
führen; ihre Signatur ist ein breiter Wall von Schmutz und
Unordnung, unter dem die vorrückende Stadt das saubere,
grüne, gartenreiche Land nach und nach begräbt und erstickt.
Allmälig lockert sich das Gedränge der Gebäude; Gärten,
Felder, Weideflächen schieben sich ein, mit Hecken umschlossen
und von einzelnen breitästigen alten Bäumen beschattet. Jetzt
durchfliegen wir kleine Stationen, vorbei an langgestreckten
niedrigen Tribünen für den massenhaften localen Verkehr der
Vorstädter, die an jedem Morgen mit dem bekannten schwarzen
Reisetäschchen in die City und Abends wieder herausfahren.
Dann folgen suburbane Colonien von Villen, wo die Familien
jener, täglich zwischen Land und Stadt hin und wieder schwingenden Geschäftsleute in frischer Luft zu frischen Menschen aufwachsen. Weiterhin zeigen sich Wiese, Wald und Wasser in
ungestörter Naturfrische und nun erscheint endlich auch die
grossartige Mischung dieser Drei: der Park, der den erleuchteten
Herrensitz, am Ende jener vornehmen zweihundertjährigen
Ulmenallee, breit umlagert. Jetzt sind wir wirklich auf dem
Lande — wir sind im Freien.

Der Vollmond überfluthete die gartenhafte, baumreiche
Landschaft um Oxford, als ich auf der Station von meinem
Gastfreunde empfangen wurde. Unser Weg, in die ziemlich
entlegene Vicarage (Pfarrhaus) von St. Paul, führte uns sofort
zu jenen wunderbaren Bildern der Vergangenheit, die Oxford
einzig in seiner Art bewahrt hat. Die Strassen, schon still und leer,
verlieren rasch das moderne Gesicht der Bahnhofsvorstadt; bald
sehen wir zur rechten die grauen, achthundertjährigen Thürme des
normannischen Kastells, erbaut im Jahre 1071 auf den Grundmauern eines noch älteren sächsischen Königspalastes; im
bleichenden Mondlichte steigen sie starr und drohend empor.
Hüben und drüben treten Kirchen heran: St. Michael, ein
sächsisches Bauwerk, älter als die Eroberung von 1066, und
St. Mary Magdalen, noch im normannischen Baustyle des
zwölften Jahrhunderts; schwere einschiffige Hallen, mit dem uns
fremd gewordenen, viereckigen, stumpfen, ursprünglich durch ein
hölzernes Spitzdach abgeschlossenen, erst in späterer gothischer

Zeit krenelirten Thurme; mit den kleinen, besser zur Vertheidigung als zur Beleuchtung geeigneten Fenstern, in ihren vorgothischen, noch nicht durch Strebepfeiler belebten Mauern.
Dann rückt links eine graue, zugleich schloss- und klosterartige
Sandsteinmasse heran: Balliol College, gestiftet schon um 1200,
mit spitzen Giebeln, entlang dem Kranzgesimse und mit breiten
Zinnen auf dem schweren Eingangsthurm. Die Hauptfront ist
durch reiche, dreiseitig vorspringende Erker verziert, die kunstvolles Masswerk zeigen, ähnlich den schönen Chörlein zu Nürnberg. Daneben Trinity College, mit römischen Säulen und einem
hohen Thurme geschmückt, dessen Plattform wiederum colossale
Steinfiguren überragen, die im Mondlichte wie frei schwebend
erscheinen; ein Bau der italienischen Spätrenaissance.

Und nun schliesst sich hier, in Broad Street, rechts und
links, ein wunderbarer Reichthum mittelalterlicher Architektur
zusammen, umgeben von grünen baumbeschatteten Gärten und
alten breiten dunklen Alleen; eine einzig originelle Reihefolge,
die im ungewissen nächtlichen Lichte uns der nüchternen
Wirklichkeit entrückt und zurückversetzt in die romantischen
Zeiten der Tudors und Stuarts. Altes und Neues fliesst in der
»mondbeglänzten Zaubernacht« verwirrend in einander und hält
Sinn und Urtheil gefangen. Denn gerade die neueste Architektur kehrt am täuschendsten zu den alten classischen Formen
des englisch-gothischen Baustils zurück. Der stolze Thurm zu
unserer Rechten über der Einfahrt von Exeter College und das
ganze Gebäude, ein imposantes englisch-gothisches Schloss,
sind erst in den Jahren 1855 bis 1858 gebaut, aber auf dieser
Stelle hausten schon vor vier Jahrhunderten die Studirenden
der »deutschen Nation« in ihrer Hall (Herberge).

Daneben folgt ein Gebäude im Elisabethstile, dieser
originellen Mischung der perpendikulären Linien der Spätgothik
mit dem Schmucke der Renaissance: das reiche Ashmolean
Museum. Ihm schliesst sich ein überragender Halbrundbau
an aus der Roccocoperiode; sein Name ist Sheldonian Theater,
im innern ein weiter kirchenhafter Raum, der bei den jährlichen
grossen akademischen Feierlichkeiten der »Commemoration«
mehr als dreitausend Theilnehmer fasst.

Vom reichvergoldeten Gitter vor dem Hauptportale, an
dem wir entlang fahren, starrt uns auf schweren Pfeilern eine

Reihe antiker Hermen, griechische Weise und römische
Caesaren, geisterhaft entgegen.

Den Schluss dieser wundersamen Denkmälerstrasse aus
acht Jahrhunderten bildet wiederum ein dorisch-italienischer
Palast des Roccoco mit hochaufstrebendem Säulenportale:
Clarendon Building, mehrere Generationen hindurch die Herberge des Verkündigers und Verewigers der oxonischen Weisheit: des Universitäts-Buchdruckers. Die Kosten dieses stattlichen Bauwerks wurden zum grössten Theile aus dem Ertrage
von Lord Clarendons einst berühmten Buche „Geschichte der
Rebellion" bestritten.

Wir verlassen jetzt Broad Street und eine dunkle Allee
uralter Linden nimmt uns in Parkstreet auf; zu beiden Seiten
sehen wir weite Gärten, in denen die, vom ungewissen fahlen
Mondlichte übergossenen grauen College-Fassaden sich grell
gegen die scharfen tiefen Schatten der dichten Baum- und
Buschgruppen und der mächtig überragenden schwärzlichen
Libanoncedern absetzen. Nochmals tritt uns ein massives von
einem kräftigen, viereckigen, spitz zulaufenden Thurme über-
ragtes gothisches Bauwerk entgegen, dessen Front an die
herrlichen Stadthäuser von Brügge und Brüssel erinnert: das
University-Museum. Dann folgt, dem weiterstreckten neuen
städtischen Parke entlang, eine Reihe rother spitzgiebliger
ganz moderner Cottages, jede in einem Gärtchen, und vor einer
der stattlichsten, der Vicarage von St. Paul, erfreut mich der
herzlichste Willkommen. —

Als ich am andern Morgen, durch die frühe Sonne geweckt,
mein Giebelzimmer verliess, erwarteten meine freundlichen
Wirthe mich schon beim Frühstücke auf der Terrasse über dem
Hausgarten hinter der Cottage. Ein auserwähltes Plätzchen
und eine überraschende, grossartige Aussicht. Unmittelbar zu
unseren Füssen das saubere Gärtchen der Vicarage, ein frischer
Rasenplatz mit blühenden Rhododendren, gelben pontischen
Azaleen und einzelnen fast kugelförmigen Exemplaren der
Thuja aurea besetzt. Darüber hinaus fällt der Boden westlich
nach dem Flussthale ab und wir übersehen ein Stück des herr-
lichen alten Parkes von Wadham College, mit stillem Busch-
werke, rauschenden alten Hochstämmen und offenen grünen
Plätzen, auf denen buntscheckige schwere Milchkühe üppig

grasen und beschaulich wiederkäuen. Aber das alles ist nur untergeordneter Vorder- und Mittelgrund. Denn diese idyllische Landschaft wird von einem Walde der wunderbarsten Architektur überragt, die hier unseren Gesichtskreis rings einfasst und abschliesst. Zur Rechten des Bildes: Wadham College, der Nachbar der Vicarage, ein stattlicher Gebäudecomplex mit Spitzgiebeln, viereckigen gothischen Fenstern und hohen Schornsteinbündeln. Nur die peinlich regelmässigen Krenelirungen des Gesimses und des hohen breiten Thurms verrathen ein wenig den zu abstrakten Idealismus der neuesten Restauration. Daneben tritt, nach links, aus einer Gruppe erhabener Cedern und Douglasfichten ein mächtiges gothisches Castell hervor. Seine Zinnen sind durch zahlreiche hohe schlanke, spitz auslaufende und mit dem bekannten gothischen Blattwerke, den sogenannten Bossen oder Frauenschuhen verzierte Fialen unterbrochen und von einem mächtigen Bergfried (Keep) beherrscht, dessen Plattform dann wieder mit spitzen Pfeilerthürmen verschiedener Grösse gekrönt ist. Dieses reiche schlossartige Gebäude ist die „Divinity School" und unter den vielen prächtigen Hallen Oxfords ist die von Divinity School eine der prächtigsten, vor allem wegen ihrer kunstreichen Decke. Das Licht fällt durch hohe breite mit perpendiculärem Maasswerke verstabte Fenster, die mit niedrigen Spitzbögen überwölbt sind. Die gesprengte flache Decke wird von gedrückten Tudorbögen getragen. Die Schlusssteine der Gewölbekappen zwischen diesen starken Quergurten sind tief herabgesenkt; sie bilden eine lange Folge schwerer Zapfen, die sich im Aufsteigen fächerartig mit vielfach getheilten Rippen ausbreiten und durch ihre anscheinende Kühnheit, vereint mit gediegener Festigkeit, eine feierliche Wirkung hervorrufen. Oben im Gewölbe sind reiche sternförmige Maasswerkmuster ausgeführt. Die tief herabhangenden Zapfen sind an ihrer Spitze wiederum mit Figürchen in Bilderblenden unter kleinen Baldachinen verziert. Die Thüren sind mit dem geschweiften Spitzbogen, dem sogenannten Eselsrücken, überwölbt, der den spätgothischen reichen Blätterfries der Tudorblume (Eppichblatt) trägt und bis zur Stärke einer Wimberge vortritt.

Diese berühmte Hall stammt aus der besten Zeit der englischen Späthgothik (1450). Als das Parlament durch die

Pest aus London vertrieben war, sass hier das Unterhaus. Während mehrer Jahrhunderte hielten die vier Facultäten der Universität in diesem ·Prachtbaue ihre Prüfungen: Theologie (Divinity), Medicin, Jurisprudenz (Law) und die „freien Künste" (Arts), letztere etwa gleichbedeutend mit unsrer philologischen und philosophischen Facultät.

Links neben Divinity School erhebt sich die stolze, über fünfundvierzig Meter hohe Kuppel der Radcliffe Bibliothek. Sie deckt eine Rotunde von mehr als dreissig Metern Durchmesser, reich geschmückt mit korinthischen Säulen. Doctor Radcliffe, der Leibarzt König Wilhelm III., liess diesen mächtigen Kuppelbau im Jahre 1740 für 800,000 Mark zum Besten seiner Facultät aufführen; jetzt ist die Bibliothek entfernt und die ganze innere monumentale Rotunde dient, ähnlich der des Britisch Museum zu London, den Medicinern als Lesezimmer. Nur fünfzigtausend Bände sind zum Handgebrauche zurück geblieben.

Einen schlagenden Gegensatz zu diesem Riesen des Roccoco bildet sein Nachbar zur Linken, die schlanke hohe Spitze des edlen gothischen Thurms der schönen Universitätskirche St. Mary the Virgin aus dem Jahre 1300; diese hoffen wir heute noch näher kennen zu lernen. Hinter ihr ragt aus der Entfernung der stumpfe, in viele zierliche Fialen auslaufende Thurm der Chapel des alten Merton College. Noch weiter zur Linken streben die zahlreichen vielgestaltigen Thürme von All Souls College empor und mit ihnen schliesst das wunderbare Bild. —

Mein freundlicher Wirth, Mr. L., der Vicar von St. Pauls Kirche, beobachtete mit sichtlicher Befriedigung die Wirkung dieses ausserordentlichen, zugleich friedlichen und grossartigen Anblicks.

„Sie werden einen starken Contrast finden", begann er, „zwischen der wogenden Unruhe von London und der halb ländlichen, halb ehrwürdigen Stille von Oxford. Wir sind hier ein Stück Mittelalter, auf eine Insel gerettet und vom reissenden Strome der Gegenwart verschont: Häuser wie Menschen".

„Noch ist bei mir dieser Gegensatz allerdings nicht völlig durchgedrungen", erwiderte ich; „bis jetzt überwiegt noch die Bezauberung des Auges. Wie fremdartig reizvoll, wie wundersam erscheint diese innige lebendige Vereinigung der heiteren grünen englischen Baum- und Parklandschaft, mit dieser dichten Anhäufung von Thürmen, Spitzen, Kuppeln und Zinnen, von düsteren grauen mit Epheu überrankten Gebäudemassen, so reich und fein verziert und dabei tüchtig und solide wie für die Ewigkeit".

„Nun ja", stimmte Mr. L. ein, „in England steht Oxford ohne Gleichen da, sowohl was seine Architektur, als was seine Geschichte betrifft. Und auch der Continent, soweit ich ihn kenne, bietet kaum etwas Aehnliches, mit Ausnahme vielleicht der grossen italienischen Städte. Bekannt sind wir allerdings weit weniger in der Welt als Florenz und Venedig, trotz Bädekers warmer Empfehlung; das habe ich wahrgenommen, als ich vor Jahren in Leipzig während einiger Sommermonate deutsche und klassische Philologie trieb. Man weiss bei Ihnen nur, dass wir in Oxford — sowohl Stadt als Universität — sehr mittelalterlich sind, und man meint nebenher, dass wir hier in allerlei sonderbaren protestantischen Klöstern lustig leben aber — eigentlich nicht übermässig viel studiren".

Ich glaubte widersprechen zu sollen, jedoch Mr. L. fuhr fort: „Alt ist unsere Stadt nun freilich, wenn ich auch nicht unbedingt für die Entdeckungen eines localpatriotischen Forschers einstehen möchte, nach dessen Berechnungen Oxford von einem alten Britenkönig Memphric im Jahre 1009 vor Christi Geburt, also noch 38 Jahre vor der Erbauung des Tempels Salomonis, gegründet ist. Dass aber König Alfred während der Jahre 870 bis 886 in Oxford residirte, ist eine beglaubigte, geschichtliche Thatsache".

„Ist denn König Alfred wirklich der Stifter der Universität?"

„Ja, der Sage nach", erwiderte Mr. L. „und allerdings hat man im Jahre 1872 den tausendjährigen Geburtstag der „Alma Mater" gebührend gefeiert. Indessen waren es wohl nur einige Schulen, die Oxford Alfred dem Grossen verdankte. Die Gründung der eigentlichen Universität jedoch fällt nicht früher als in das Jahr 1250, wo „University College" gestiftet wurde".

„Und" fragte ich weiter, „ist aus diesem ersten und ältesten University College die Universität Oxford hervorgegangen?"

„Da muss ich Sie von vornherein vor einem, im Auslande

sehr verbreiteten Irrthum warnen, nämlich vor der Verwechselung der Universität und der Colleges. Die „Universität Oxford" ist eine Corporation ähnlich den deutschen Universitäten. Sie bietet den Studirenden Unterrichtsmittel durch die Vorlesungen ihrer Facultätsprofessoren, durch ihre Bibliotheken, Anstalten und Sammlungen; sie examinirt und ertheilt akademische Würden und Grade (degrees). Auch übt sie die allgemeine Polizei aus, nicht nur über die Akademiker, sondern auch vielfach über die Einwohner. Die „Colleges", die Collegienhäuser, bieten den Studenten Wohnung, Ernährung, Stipendien, passende Gesellschaft, disciplinarische Aufsicht, Unterricht, und später Nachhülfe in ihren selbstständigen Studien".

„Also wäre", warf ich fragend ein, „das College etwa einem Convicte zu vergleichen, wie es bei uns in Tübingen für protestantische, anderswo für katholische Theologen besteht?"

„Immerhin", erwiderte mein Gastfreund, „es umfasst jedoch eine weit vielseitigere Gemeinschaft als jene: es ist zugleich ein protestantisches weltliches Stift, am ähnlichsten vielleicht den ehemaligen grossen Abteien der Benedictiner. „Qui non religiosi, religiosi viverent"; klösterliches Leben ohne Gelübde setzte der Stifter von Merton College als Zweck seiner Schöpfung. Die Colleges haben ihre, von der Universitätsbehörde völlig unabhängige Verfassung und Verwaltung. Ihr gewähltes Haupt heisst Rector, Master, Präsident oder Dean (Dekan). Die Mitglieder des Kapitels sind die Fellows". — —

„Indessen", unterbrach sich Mr. L. hier selbst „das alles möchte ich Ihnen lieber durch die Anschauung erklären. An Ort und Stelle werden Sie viel leichter ein klares Bild davon bekommen: was ein College ist. Wir wollen jetzt das alte Oxford bei Tage und im Sonnenschein sehen und sie sollen sich überzeugen, dass das mittelalterliche Gespenst von gestern Abend noch lebt und Fleisch und Blut hat".

Während wir gingen, nahm mein Gastfreund von neuem das Wort:

„Ich führe Sie hier auf Feldwegen zur Stadt, denn ich möchte Ihnen zum Beginn unserer Wanderung sogleich eines der schönsten uhd bedeutendsten Bilder zeigen unter allen, die das malerische Oxford aufzuweisen hat. — Sehen Sie hier!" rief er, als wir aus einer schmalen Allee auf die grosse Heerstrasse einbogen, welche früher der belebte Weg von London her war: „das ist Magdalen College, eine der edelsten Perlen der alten Oxonia!"

Wir näherten uns dem kleinen Flusse Cherwell, welcher hier getheilt eine grüne Insel umfasst und weiter unten an der Stadt mit dem grösseren Isis zur Themse zusammenfliesst. Vor uns führt eine lange stattliche alte Steinbrücke über beide Flussarme und unmittelbar am jenseitigen Ufer steigt rechts ein mächtiger viereckiger Thurm stolz in die Luft, wohl fünfzig Meter hoch; seine stumpfe Plattform ist mit kleinen, spitz zulaufenden Pfeilerthürmchen reich verziert.

Links der Brücke streckt sich eine lange tiefe Terrasse über dem Flusse hin, beschattet von ungewöhnlich grossen weit herabhangenden Trauerweiden, die wieder von noch höheren Bäumen überragt werden: der botanische Garten.

„Nicht wahr, das ist schön!" sagte mein Führer, „mich ergreift es jedes Mal mächtig, wenn ich vor dieses Bild trete und deshalb bringe ich gern jeden Fremden zuerst hierher. Der Thurm vor uns ist nun bald vierhundert Jahre alt und ebenso alt ist das grossartige Magdalen College, das im Jahre 1456 von William von Waynflete, Bischof von Winchester, gestiftet wurde. Er war Lord Kanzler von England unter dem Könige Eduard IV., dessen Söhne ihr schlimmer Onkel Richard III. im Tower von London bekanntlich ermorden liess. Die 180 Fuss lange Brücke, auf der wir stehen, ist jünger, aber die Ueberbrückung hier ist sehr alt, denn sie wird bereits im Jahre 1004 erwähnt. Wären Sie einige Wochen früher hier gewesen, am 1. Mai, so hätten Sie schon Morgens 5 Uhr mit mir hierher wandern müssen und dann die Brücke und die ganze Umgebung dicht von Menschen besetzt gefunden. Alsdann geht nämlich auf der Plattform des Thurms eine sehr merkwürdige, unvordenklich alte Ceremonie vor sich: der „Maimorgen-Hymnus" wird dort oben gesungen. Diese Feier war schon uralt, als König Heinrich VII. um 1480 für dieselbe eine jährliche Rente von 200 Mark stiftete. Der jetzige lateinische Text des Gesanges stammt aus dem Anfange des vorigen Jahrhunderts, aber zu Grunde liegt wahrscheinlich noch die Erinnerung an die alte heidnische Sonnenfeier unserer gemeinschaftlichen Vorväter".

„Sehr wahrscheinlich", bemerkte ich, „denn auch in vielen Gegenden Deutschlands knüpft der zähe Conservatismus der Volkserinnerung heute noch Maifeste an die alten heidnischen Cultusstätten: vor allen die berühmte Hexenfahrt auf den Brocken in der Mainacht. Im Maimorgen-Hymnus also besässen wir ein Stück alter gemeinsamer angelsächsischer Tradition" —

„Zum Schlusse", unterbrach mein Führer diese prähistorischen Reminiscenzen, „blasen alle Zuhörer auf traditionellen kleinen Blechtrompeten und vollführen damit eine gräuliche Katzenmusik. Darin liegt ebenfalls eine geschichtliche Erinnerung, nämlich an die Alarmhörner der Bürger und Lehrlinge von Oxford bei ihren grossen historischen Riots („Keilereien") mit den Studenten: Town versus Gown, Stadt gegen Chorrock. Letztere gaben ihr Signal „Gown into Town Bursche heraus", mit den Collegeglocken". —

Jetzt aber wollen wir eintreten, damit Sie endlich erfahren, wie ein College von innen aussieht.

II.

Magdalen College.

Das tiefe, gewölbte Eingangsthor von Magdalen College führt uns in einen grossen, viereckigen Hof, den Great Quadrangle, umgeben von der edelsten Architektur des fünfzehnten Jahrhunderts. Rings herum läuft der Kreuzgang, erhellt durch niedrige, breite, von flachen Spitzbögen überwölbte Fenster; über ihm steht zu unsrer Linken die Capelle, auf den drei anderen Seiten ruht ein Stockwerk mit den Wohnungen des President und der Fellows. Die lange Flucht vor uns wird durch einen kurzen, schweren, mit Zinnen und Fialen gekrönten Thurm unterbrochen, den uralter Epheu bis oben hinauf überwuchert hat. Zwischen je zwei Fenstern des Kreuzganges springen schmale Pfeiler vor, welche Steinfiguren tragen. Indem ich näher heran ging, überraschten diese Bildwerke mich, nach der Reihe, durch ihre fremdartige und unverständliche Erscheinung.

„Was bedeuten denn jene grotesken Ornamente?" musste ich fragen, „ich sehe wohl, es sind Menschenzerrbilder und Fabelthiere, aber alles ist so fratzenhaft und närrisch-seltsam dargestellt".

„Ja", erwiderte mein Führer lächelnd, „was bedeuten die wohl? Sie stehen hier vor einem der grossen Geheimnisse von Oxford. Ueber die Auslegung dieser Steinpuppen tobt schon seit Jahrhunderten heisser Streit unter den Kunstgelehrten. Man hat sie studirt wie Hieroglyphen. Einige Skeptiker behaupten zwar: sie seien weiter nichts, als schlechte Witze des Steinmetzen, aber ein patriotischer Fellow von Magdalen hat, jetzt gerade vor zweihundert Jahren, über diese Ungethüme

ein dickes, gelehrtes Buch geschrieben, dessen langer Titel
also beginnt: »Oedipus Magdalensis, Explicatio Figurarum etc.«
Dieser Oedipus packt nun die Sphinx folgendermassen an: »hier
dieser Narr mit Schellenkappe zeigt uns das Schicksal des
Studenten, der es nicht zu einer der drei vorhergehenden
Figuren gebracht hat, nämlich: Advocat, Arzt, Geistlicher; hier
das schwimmende Hypopotamos mit seinem Jungen auf dem
Rücken, ist das Sinnbild des sorgsamen Tutors oder Lehrers,
der seinen Zögling sicher durch die Sümpfe der academischen
Versuchungen trägt«. Dann folgen die Laster, welche der
studirende Jüngling zu fliehen hat: der Währwolf — Gewalt-
thätigkeit, der Greif — Habsucht, der Hund — Schmeichelei,
diese beiden Boxer — Streitsucht und so fort. „Tiefer Sinn
liegt oft im kindischen Spiele!" sagt nicht so einer Ihrer grossen
Dichter?"

„Es sind Hieroglyphenbilder ohne Text, diese gothischen
Caricaturen", bemerkte ich, „man könnte sie auch einfach:
»Rebus« nennen; ich wusste allerdings nicht, dass deren Erfindung
so alt sei".

„Dort, in dem epheubewachsenen Thurme vor uns", fuhr
Mr. L. fort, „befinden sich noch die Wohnzimmer des Stifters,
des Bischofs Waynflete, mit herrlichen, alten Arrastapeten, nach
Entwürfen von Hans Holbein d. J. Lassen sie uns jetzt für
einige Minuten in die Kapelle treten".

„Sie bemerken", begann mein Führer wieder, nachdem
unsere Augen sich an das gedämpfte Licht gewöhnt hatten,
das durch die prächtigen Glasmalereien der breiten verstabten
Fenster fiel, „Sie bemerken wohl jene kunstreiche, durchbrochene
Steinbrüstung, die den geräumigen hohen Chor von der verhältnissmässig beschränkten Antechapel, hier streng abscheidet.
Dort oben in den reichgeschnitzten, eichenen Chorstühlen, zu
beiden Seiten der korinthischen Säulen des Altars aus der
Renaissance, sitzen die hohen Häupter des College. Hier unten
hat die Gemeinde freien Zutritt. Dieser wird fleissig benutzt,
denn Magdalen Chapel ist berühmt wegen seines vorzüglichen
Chorgesanges, der auf einer alten Stiftung für sechszehn Sänger
beruht. Durch die kunstvollen Stein- und Holzarbeiten, die
musterhaften Glasmalereien der Fenster, die sehr grossen und
schweren alten Messingleuchter und eine Reihe älterer spanischer

Gemälde, macht das ganze Schiff wirklich einen vornehmen, warmen, harmonischen Eindruck".

„Es ist alles so besonders wohl erhalten und sauber hier", bemerkte ich, „Die Bilderstürmerei der Puritaner" erwiderte der Reverend, „hatte auch hier zu Cromwells Zeiten viel zerschlagen und verwüstet. Vor einigen Jahren liess das College die Chapel restauriren. Kenner behaupten: die Vorzüglichkeit der alten Arbeit trete jetzt erst recht hervor; die Rechnung betrug gegen 600,000 Mark".

Von der Chapel aus betraten wir den sogenannten Vorhof, an welchen die Wohnungen der Undergraduates liegen. So heissen die Studenten, so lange sie noch nicht den ersten akademischen Grad eines „Bachelor of Arts" erworben haben. Am entgegengesetzten Ende dieses Hofes führt ein enger Ausgang in die Gärten.

„Betrachten Sie ja die schwerfällige, steinerne Kanzel hier im Winkel" sagte mein Führer. „Sie ist ächtes Alterthum, denn sie stammt vom Bischof Waynflete selbst. Hier wurde jährlich am Johannistage zu Ehren des Heiligen der Wildniss eine Predigt gehalten und dafür der ganze Hof mit Binsen und Gras bestreut, um die Wüste zu versinnlichen. Ob es dabei auch Honig und Heuschrecken für die Zuhörer gab, weiss ich nicht".

„In die sehenswerthe Hall von Magdalen, den grossen Esssaal, führe ich Sie nicht, da Sie in einer ähnlichen heute speisen werden; wir wollen lieber einen Gang durch die Gärten von Magdalen und die berühmten Water Walks am Cherwell machen. Ihr Areal ist ungewöhnlich für einen Stadtgarten: 150 Morgen; noch sehenswerther sind sie wegen ihrer alten Baumriesen, malerisch üppigen Gruppen und schönen Wasserpartien. Das ist ja wohl Ihre specielle Schwärmerei?"

Ein weiter Park nahm uns auf und zeigte uns alle die wechselnden Schönheiten, die mich in den englischen Gärten stets mit frischer Bewunderung und stärkender Erfrischung erfüllen. Vor der südlichen Gartenfront des College liegt hier eine breite Terrasse. Von dieser führen Stufen in ein Blumenparterre hinab, dessen Mittelpunkt, ein ehemaliges, geräumiges Wasserbecken, zu einer Felsgruppe aufgewölbt und mit den jetzt so modernen Saxifragen, mit Sempervivum, Escheverien und ähnlichen interessanten Berg- und Steinbewohnern reich besetzt ist. Diese Mittelgruppe ist bewacht von vier, ziemlich sechs Fuss hohen, mächtigen kugelförmigen Thujas. Von hier aus laufen, um den kurzen, dichten Rasen die schmalen Blumenbeete, ein weites doppeltes Quadrat bildend, jetzt in der Frühjahrspracht der blauen Vergissmeinnicht, eingefasst mit rothen Silenen und von breiten Streifen weisser Vergissmeinnicht quer durchkreuzt. In der Mitte von jedem der beiden Quadrate glüht auf einem grossen gewölbten, sternförmigen Beete das kräftige, warme Roth der Tausendschön. Die umgebende geräumige Rasenfläche ist mit hohen Dracaenen und mit den lang- und breitblätterigen Musen des Paradieses verziert.

„Jene Glasthüren", erklärte mein Gastfreund, „führen von der Terrasse in den Common Room, das grosse Clubzimmer der Fellows und Tutors; ein geheiligter Raum, den kein Undergraduate betreten darf. Nicht wahr, die gelehrte Colonie ist nicht so übel untergebracht?"

„Das Bild der vornehmen, gesicherten Zurückgezogenheit", erwiderte ich, „ein wahrer Luxus an Ruhe und Beschaulichkeit; das verkörperte Ideal des klösterlichen Gelehrtenlebens in den ehemaligen, reichen, jetzt schon sagenhaft gewordenen Abteien!"

An den Blumengarten schliesst sich eine ausgebreitete, kaum absehbare Lawn; die offene Grasfläche ist mit einzelnen, hohen Araucarien und Wellingtonien besetzt, deren unterste, breiteste Aeste auf dem Rasen ruhen. Bald aber nehmen uns dichtere, dunkle Waldgruppen auf, dazwischen Weideplätze für vertrautes Roth- und Dammwild, friedlich daneben zahmes buntes Hornvieh von Hirten gehütet; rieselnde Bäche; ein stiller See. Hie und da akademische Jugend; einige einsiedlerisch im Grase oder im flachen Boote ausgestreckt und im Schatten eines weitästigen Uferbaumes lesend; andere in lebhaft bewegten, heiteren Gruppen auf einer offenen Lawn mit Bogen nach grossen Scheiben schiessend, ein sehr beliebter nationaler Sport.

Nachdem wir wohl eine halbe Stunde gewandert waren, blieb Mr. L. stehen.

„Hier ist gut ruhen, meinen Sie nicht? hier wollen wir im

Schatten jener herabhangenden, mächtigen Eschen rasten und
uns an der murmelnden Kühlung dieses eiligen Arms des
Cherwell erfrischen. Der Fleck hier ist geweihter Boden; er
heisst „Addison's Walk", nach unserem berühmten Dichter und
Essayisten, dem Herausgeber des klassischen „Spectator", der
um das Jahr 1700 hier studirte. — Betrachten Sie jene
bukolische Idylle vor uns, es sind ächte Alderneykühe von der
Insel Jersey; man sieht es an den schmalen, hirschartigen
Köpfen. — Dort im Hintergrunde überragt der hohe Thurm,
unser alter Bekannter, selbst die höchsten Baumgipfel".

Als wir uns gelagert hatten, begann ich wieder: „Sie
müssen mir noch einige Fragen gestatten. Ich weiss jetzt
freilich: wie ein College von aussen aussieht, aber die innere
Einrichtung und das Leben darin, ich möchte sagen: der Betrieb des College ist mir noch nicht ganz klar".

„Ich hoffe, das alles wird Ihnen durch den Anschauungs-
unterricht während des heutigen Tages verständlich werden",
erwiderte mein Gastfreund. — „Nun, was wünschen Sie zu
wissen?"

„Znnächst also: wohnt und lebt jeder Student in einem
solchen College?"

„Nicht alle, aber weitaus der grösste Theil. In den
ältesten Zeiten der Universität gab es keine Colleges. Die
Studenten wohnten in kleinen Herbergen (Halls) zusammen.
Es sollen deren einmal zweihundert hier gewesen sein; die
Frequenz der Universität war schon früh sehr bedeutend;
aus dem Jahre 1209 werden dreitausend Studenten gemeldet.
Nach und nach wurden, um Zucht und Ordnung in das wilde
Leben zu bringen, die Colleges gestiftet, das älteste »University
College« im Jahre 1250, das jüngste »Keble College« erst 1868,
Sie sehen also: der Werdeprocess von Oxford ist noch nicht
erschöpft. Von den alten Halls bestehen nur noch vier, als
Ueberreste der früheren grösseren »akademischen Freiheit«,
wie man in Deutschland sagt".

„Bis vor zehn Jahren nun musste, während vier Jahrhunderten, jeder Studirende einem dieser Convicte angehören;
jetzt dürfen sie auch in gewissen bürgerlichen Häusern der
Stadt, welche dafür vom Vicekanzler concessionirt sind, wohnen.
Diese »Unattached« oder Wilden stehen indessen ebenfalls unter

15*

disciplinarischer Aufsicht. Um 10 Uhr Abends muss jeder
Studiosus in der Regel zu Hause sein. Der verantwortliche Wirth
hat darüber eine Liste zu führen. Solcher Wilden haben wir bereits einige Hunderte. Sie schlagen sich so im ganzen billiger
durch, als in den Colleges, wo meistens zu viel Comfort und
Luxus herrscht, namentlich fallen dort zu viele unvermeidliche
Vergnügungs- und Ehrenausgaben vor. Man schätzt den
Bedarf eines anständig, ohne Extravaganzen, lebenden Studenten
in Oxford auf 5 bis 6000 Mark. Dazu kommt aber noch, dass
das akademische Jahr eigentlich nur sieben bis acht Monate
dauert, während der übrigen Zeit sind Ferien. Ein flotter
oxforder Student ist also ein Luxus, den sich nur wohlhabende
Väter gestatten können. Diesen Missstand hat man sehr wohl
empfunden und auf Abhülfe gesonnen. So wurde Keble College
gegründet für eine ärmere Klasse von Studenten, »welche dort
wirklich ernstlich studiren sollen bei einfacher und religiöser
Lebensweise« so heisst es im Stiftungsbriefe. Nebenbei waltet
aber auch die extrem hochkirchliche Richtung in Keble vor,
entsprechend seinem Namen, denn Dr. Keble war eines der
Häupter unserer Extremen und vor vierzig Jahren einer der
Führer des bekannten »Tractarian Movement«. — Was man
aber hier unter »ärmerer Klasse« versteht, können Sie daraus
abnehmen, dass jeder Student in Keble über 1600 Mark für
Wohnung, Unterhalt und Unterricht bezahlt, immer nur während
sieben und einem halben Monat. — Und wie kam das Geld
für Keble College zusammen? Das ist charakteristisch und
wird Sie interessiren. Zunächst brachten Beiträge von frommen,
wohlthätigen Privatleuten über eine Million Mark. Ein reicher
Rheder, Mr. Gibbs, baute die Chapel, sie kostete ebenfalls mehr
als eine Million. Einer anonymen Wohlthäterin war bald die
ursprüngliche Esshalle zu klein, sie bauete eine neue auf ihre
Kosten und fügte eine Bibliothek hinzu, beide in den grössten
Dimensionen. Mrs. Combe gab zweimal hunderttausend Mark
für ein grosses Bild von Holman Hunt »Christus, das Licht der
Welt« zur Ausschmückung der Bibliothek. Die Erben des
Feldmarschalls Gomm stifteten ein Kapital von dreimal hunderttausend Mark für Stipendien. Das alles geschah für hundert
und fünfzig »ärmere Studenten«".

„Halten Sie ein", bat ich, „mir schwindelt! Das nennt man

»bescheidene Verhältnisse«? England ist wirklich zu reich geworden! — Wie viel Mitglieder zählt denn überhaupt die Universität Oxford?"

„Studenten", meinte Mr. L. „werden wir etwa 2500 haben; aber dazu die Mitglieder der »University«, die 48 Professoren, und die eingeschriebenen Angehörigen sämmtlicher Colleges, also die Fellows, ferner die Tutors und die Lecturers (beaufsichtigende Lehrer und Fachlehrer): alle .diese rechnen sich gewiss auf mehr als 9000 Köpfe zusammen".

„Wieder eine der grossen Ziffern, an die man sich in England erst zu gewöhnen hat", unterbrach ich erstaunt, „die Universität muss doch ungeheuer reich sein, da so viele Menschen auf ihr und von ihr reichlich leben. Wie verhält es sich wohl damit?"

„Dabei müssen wir wieder unterscheiden", erklärte Mr. L. „Die »University« hat nur eine jährliche Einnahme von etwa 600,000 Mark. Weit grösser aber ist der Reichthum der Colleges. Sie besitzen zusammen eine Grundfläche von etwa 200,000 Morgen und beziehen eine Rente von etwa 4 1/2 Millionen Mark. Die gesammte jährliche Einnahme der Universität Oxford, in Ihrem deutschen Sinne, also einschliesslich aller Colleges, wird sich auf etwa 9,200,000 Mark belaufen".

„Das sind Summen", musste ich bekennen, „von denen wir für deutsche Verhältnisse einfach keinen Begriff haben".

„Ja, es ist etwa der Betrag unserer königlichen Civilliste", bemerkte Mr. L. zur Vergleichung. „Uebrigens dürfen Sie auch den grossen Unterschied nicht vergessen, dass die Colleges von Oxford nach dem Willen ihrer Stifter nicht allein Studirende ausbilden sollen. Sie sind namentlich auch bestimmt, älteren bereits graduirten Männern, die im reiferen Alter ihre Studien fortsetzen, eine auskömmliche, förderliche Existenz zu geben. So nimmt das, im Jahre 1437 gegründete All Souls College stiftungsmässig gar keine Studenten auf, sondern nur Graduirte; dabei hat es ein jährliches Einkommen von etwa 360,000 Mark. Früher waren zu den meisten dieser Präbenden (Fellowships) nur jüngere Mitglieder des College selbst berufen, seit neuerer Zeit findet aber fast überall freier Wettbewerb durch Prüfungen statt. Diese Fellows also wohnen und leben im College und haben nebenbei eine bescheidene baare Einnahme von 4000 bis 8000, selbst bis 11,000 Mark; ein Theil von ihnen ist zugleich als Tutors (beaufsichtigende Lehrer) thätig und verdoppelt dadurch etwa sein Einkommen. Einige übernehmen auch wohl benachbarte Pfarreien. Von den übrigen wird vorausgesetzt, dass sie ihre Musse gelehrten Studien widmen".

„Gestern Abend habe ich, in Voraussicht Ihrer Wissbegierde, einige Notizen üher diese Finanzfrage zusammengestellt, die Ihnen vielleicht die Sache veranschaulichen werden. Danach hat: Magdalen College

1. jährliche Einnahme ....480,000 Mark
2. der Gehalt des President beträgt ....50,000 „
3. Gehalt der 30 Fellows, jeder, ...6 bis 8,000 „
4. Ausgabe für Stipendiaten, Scholars ....56,000 „
5. Zahl der Studenten (1878)................101 Studenten
6. Patronatspfarren des College.............42 Pfarren
7. deren Jahreseinkommen ....490,000 Mark
8. Landbesitz des College ....16,800 Morgen

Während ich noch mit diesen überraschenden Zahlen kämpfte, nahmen Mr. L.'s Mittheilungen eine andere Gedankenreihe auf.

„Es ist eine merkwürdige Continuität", so begann er wieder, „in dem Leben und der Lebensfähigkeit eines solchen College. Was ist nicht alles gleichzeitig mit Magdalen »für die Dauer« gegründet und gestiftet worden und was steht davon noch heute lebendig aufrecht? Selbstverständlich zeigt diese selten zähe, lange, und im ganzen aufsteigende Lebenslinie auch mannigfache vorübergehende Depressionen, sie bewegt sich in Curven von guten und schlechten Zeiten. Und wie sich alles in unserer kleinen Welt hier wiederholt! Im Jahre 1500 wüthete in Oxford die Pest und Magdalen stand beinahe verlassen; dazu kam die allgemeine Verwilderung aus den erst kürzlich beendigten, hundertjährigen Rosenkriegen. So entspann sich unter anderem damals auch eine pädagogische Bewegung unter den Studenten gegen das Griechische. Die Gegner nannten sich »Trojaner« und lieferten als schlagende »argumenta ad hominem« den Griechen ernste Strassengefechte um diese hier noch heute vielumstrittene Frage". —

„Auch die englischen Könige hatten, namentlich in früheren Jahrhunderten, vielfache Beziehungen zu Magdalen. Später erhob sich Christ Church College zu vornehmerer Stellung als Heinrich VIII. es mit der bischöflichen Kathedrale verband. Unter den verschiedenen königlichen Besuchen macht mir immer die Erinnerung an den armen Prinzen Arthur, Sohn Heinrich VII. und Zögling von Magdalen, einen wehmüthigen Eindruck. Sein Leben verlief so furchtbar hastig. Mit 12 Jahren war er Student in Magdalen, erst 14 Jahre alt wurde er mit Katharina von Arragonien vermählt und kaum 15 Jahre alt starb er schon. Seine Wittwe wurde die Gemahlin seines Bruders, Heinrichs VIII., der dann plötzlich wegen dieser Ehe die bekannten Gewissensbisse bekam — als er das liebenswürdige Hoffräulein Anna Boleyn kennen lernte".

„Und diese königlichen Gewissensbisse", wagte ich vorsichtig zu fragen, „waren ja wohl der erste Anstoss zur Trennung der englischen Kirche von Rom?"

„Nun", erwiderte mein geistlicher Freund, „Uebelwollende haben das allerdings behauptet, aber die Bewegung hatte doch einen tieferen Ursprung; sie lag in der aus Wittenberg herüberwehenden Luft und im englischen Volkscharakter. Wir ertragen nun einmal keine Art von Fremdherrschaft". „Auch wir Deutschen nicht" stimmte ich ein, „so wenig jetzt »italienische« wie ehedem »französische«". —

„Also, dieser arme Prinz Arthur kam durch Oxford und wohnte als Gast des President in den schönen Thurmzimmern von Magdalen. Seltsam erscheint uns heute die Bewirthung, mit der er hier gefeiert wurde. Des Prinzen Schlafzimmer war sorgfältig mit frischen Binsen gestreut; man setzte ihm vor: ein Gericht Hechte und ein Gericht Schleien; als Gastgeschenk erhielt er ein Paar Handschuhe; die Erfrischung bestand in Rothwein, Claret und Sect". Es war dieses im Jahre 1501, vermuthlich während der Fasten, einige Monate vor seinem jähen Tode. —

„Weniger erfreulich verliefen die Beziehungen des College zu König Jakob II., der sich bei seiner Thronbesteigung (1685) als römischer Katholik bekannt hatte. Er befahl dem College: einen notorischen Papisten Namens Farmer zum President zu wählen. Dieses wurde verweigert und Dr. Hough gewählt.

Darauf erneuerter Befehl statt des letzteren: den katholischen Dr. Parker zu wählen. Gleicher Widerstand. Der allerungnädigste Herr citirte nun (1687) sämmtliche dreissig Fellows von Magdalen vor sein königliches Antlitz und hielt ihnen folgende fulminante Standrede: „Ihr seid ein widerspenstiges aufrührerisches College, Ihr! Ist das die vielberühmte Loyalität Eurer englischen Staatskirche? Macht, dass Ihr fortkommt — und merkt's Euch: Ich, der König, will dass Ihr gehorcht!"

„Fünfundzwanzig Fellows blieben fest und wurden verjagt, ebenso ihr standhafter President. Der nun gewählte President Parker hatte indessen wenig Freude an seiner neuen Würde. Allgemeiner passiver Widerstand im College. Der Thürhüter warf die Schlüssel zur Erde, der Haushofmeister wollte Dr. Houghs Namen nicht aus dem Speisebuche streichen, kein Schlosser fand sich in Oxford, um die verschlossene Wohnung des President zu öffnen. Niemand wollte die Messe lesen und bedienen. Die Undergraduates — jugendliche Märtyrer — wurden mit Ruthen gestäupt und im Speisebuche gestrichen, wodurch sie ihren Term (ihr Präsenzzeugniss für eine gewisse Zeit) verloren. Eine komische Berühmtheit erlangte einer von ihnen: Edward Anne. Er hatte in jugendlichem Feuereifer eine versificirte nachhorazische Satyre auf das Messopfer in lateinischen Hexametern verbrochen. Zur Strafe wurde er in der Hall öffentlich gepeitscht und erlitt einen Streich für jeden Vers. Gewiss bereute es der arme Edward jetzt schmerzlich, dass er sich nicht mit einem bissigen Epigramm oder einem spitzigen Vierzeiler begnügt hatte".

„Wie tiefsinnig", citirte ich unwillkürlich, „ist doch Goethes weise Regel: „In der Beschränkung zeigt sich der Meister". —

„Nach sechs Monaten papistischen Gewaltregiments", fuhr Mr. L. fort, „war der arme Parker richtig todt geärgert! Zwei Jahre darauf ging es mit dem papistischen Könige ebenfalls zu Ende; der standhafte Hough zog wieder ein und wurde bald auch Bischof von Oxford".

Mein hochwürdiger, staatskirchlicher Freund verweilte augenscheinlich bei dieser kleinen Märtyrerhistorie mit besonderer Genugthuung. —

Nach einigem Schweigen, während dessen wir das in der Entfernung äsende Wild beobachteten, fuhr er fort:

„Der Wildstand, der uns hier so vertraut umgiebt, erinnert mich an eine komische Wilddiebsgeschichte aus Magdalen. Im Jahre 1556 — Sie sehen wie lebendig uns hier die Vergangenheit ist — also, im Jahre 1556 hatten einige Studenten des College im nahen Schotover Forest Hirsche gewilddiebt. Lord Norreys, der Lord Lieutenant der Grafschaft, sperrte sie dafür ein, von Rechtswegen. Ihre Commilitonen sannen trotzdem auf Rache. Lord Norreys kam einige Zeit darauf nach Oxford und wohnte im Gasthaus zum Bären. Die Studiosen machten vorläufig einen Angriff auf sein Gefolge und bearbeiteten dasselbe mit eichenen Prügeln — die persönliche Abrechnung mit Sr. Lordschaft blieb vorbehalten. Der Vicekanzler und hohe Senat warfen sich energisch zwischen die Streitenden und schickten die Magdalen Männer in ihr College zurück. Ruhe herrschte wieder in Oxford.

Einige Tage darauf zog Lord Norreys nach London weiter; er musste also Magdalen passiren, um die lange Brücke über den Cherwell zu gewinnen. Jetzt kam die Rache. Die Studios standen oben auf ihrem hohen Thurme und hatten dort Erdklösse, Rasenstücke und Steine aufgehäuft. Diese Wurfgeschosse flogen plötzlich hageldicht auf die, unten gedrängt und wehrlos vorbeiziehenden Mannen herab; viele wurden getroffen und beschädigt. Lord Norreys sass zu seinem Heile in einem gedeckten Wagen und kam glücklich hindurch. — Nun aber folgte auch die Strafe; sie fiel eigenthümlich aus: ein Theil der Missethäter wurde relegirt, oder wie man hier officiell sagt: „rusticated", aufs Land geschickt; die anderen mussten zur Busse ein Jahr länger studiren als in ihrem Plane lag. So lebte das lustige Altengland in Oxford. —

III.
High Street.

— —

Nur widerwillig verliessen wir die kühlen Water Walks von Magdalen und betraten die grosse Verkehrsader Oxfords: High Street. In einer kaum merklichen Curve durchschneidet die wunderbare, sechshundertfünfzig Meter lange Strasse wie ein mächtiger Strom die Stadt und gewährt durch ihre Breite von etwa dreissig Metern dem Wanderer stets eine weiterstreckte Fernsicht. Englands Dichter haben diesen „majestätischen Stolz der Stadt" vielfach besungen und selbst Walter Scott der schottische Patriot, erklärt — von der Wahrheit überwältigt —: „Ohne Zweifel ist die High Street von Edinburgh die grossartigste Strasse in Grossbritannien, mit Ausnahme jedoch der High Street von Oxford". Aber auch das unparteiische, internationale Urtheil unseres berühmten Landsmann Wagen in seinem classischen Werke: „Kunst und Künstler in England" lautet: „die High Street in Oxford hat nicht ihres Gleichen in der Welt". Noch ein anderer Reisender, der vieler Menschen Länder gesehen hatte und jedenfalls ein Mann von nicht gewöhnlichem Geschmack und Kunstsinn war, der „Verstorbene", schreibt in seinen einst so berühmten, jetzt vergessenen Briefen an die „Freundin Julie": „Oxford ist eine originelle Stadt. Es giebt hier Stellen, wo man sich ganz in's fünfzehnte Jahrhundert versetzt glaubt, weil man durchaus nichts als Denkmale dieser Zeit um sich versammelt sieht".

Während wir langsam vorwärts wandern, entrollt sich vor uns ein immer reicheres, ungewöhnlicheres, in Wahrheit ein einziges Bild: längs den beiden Strassenfronten sehen wir weithinaus eine Reihenfolge nebeneinander gerückter Klöster,

Castelle, Schlösser und Kirchen, lauter grossartige und vornehme Bauten der Vergangenheit; dazwischen behäbige, meist stattliche, moderne Wohnhäuser. Fast alle diese Gebäude stehen geräumig frei, umgeben von schönen, alten Gärten. Der durchschlagende Charakter des Baustils ist der rüstige und verständige, solide Monumentalbau der englischen Gothik, fest gelagert unter der Herrschaft der Horizontallinie. Dazwischen schiebt sich etwas Renaissance ein, auch wohl Roccoco; beides jedoch ist in England, namentlich aber im eigenartigen Oxford, nie völlig zur Herrschaft oder nur zur selbständigen Entwickelung gelangt und die neuesten Neubauten und Restaurationen des Alten tragen wieder in strenger Nachahmung den Typus des vierzehnten und fünfzehnten Jahrhunderts. Die Strasse vor uns ist ein Muster von Reinlichkeit und Ruhe; zu beiden Seiten öffnen sich Nebengassen und gewähren Ausblicke auf weite Grasflächen, auf stille Gärten hinter schweren, alten Eisengittern, auf schattige Spaziergänge; im Hintergrunde hohe graue Thürme und dichte mehrhundertjährige Rüsteralleen. Alle diese Strassen und Gassen sind nicht gradlinig regelmässig, wie im neuen Westend von London, sie sind aber auch nicht bedrängend eng wie in der City; mässig breit und fast stets anmuthig sanft gewunden, geben sie der Stadt das Gepräge der alten, historisch gewordenen, natürlich gewachsenen und noch wachsenden Niederlassung. Nirgends Fabriken, kein Geräusch, keine hässlichen, rauchenden Essen, keine Armuth und dabei 44,000 Einwohner.

In der Hauptstrasse weiter wandernd, blicken wir durch hohe, von schweren, beinahe würfelförmigen, stumpfen Thürmen beherrschte Thore in weite viereckige, grasbewachsene Höfe oder hinauf in einen Wald von Fialen und Kreuzrosen, der an den Portalen und Thürmen gothischer Kirchen emporklimmt. Die Staffage zu diesem mittelalterlichen Stadtbilde geben anständig gekleidete Männer und Frauen, ruhige Bürger, flotte, frische, kräftige, junge Studiosen, in mehr oder weniger gewagtem Kleiderschnitt und grellen Farben, begleitet von zahlreichen, sehr kleinen und sehr grossen Hunden reinster Rasse. Vor allem aber beschäftigt uns die mittelalterliche, halbgeistliche, officielle Tracht der Universität: „der Gown", vom kurzen,

III.
High Street.

Nur widerwillig verliessen wir die kühlen Water Walks von Magdalen und betraten die grosse Verkehrsader Oxfords: High Street. In einer kaum merklichen Curve durchschneidet die wunderbare, sechshundertfünfzig Meter lange Strasse wie ein mächtiger Strom die Stadt und gewährt durch ihre Breite von etwa dreissig Metern dem Wanderer stets eine weiterstreckte Fernsicht. Englands Dichter haben diesen „majestätischen Stolz der Stadt" vielfach besungen und selbst Walter Scott der schottische Patriot, erklärt — von der Wahrheit überwältigt —: „Ohne Zweifel ist die High Street von Edinburgh die grossartigste Strasse in Grossbritannien, mit Ausnahme jedoch der High Street von Oxford". Aber auch das unparteiische, internationale Urtheil unseres berühmten Landsmann Wagen in seinem classischen Werke: „Kunst und Künstler in England" lautet: „die High Street in Oxford hat nicht ihres Gleichen in der Welt". Noch ein anderer Reisender, der vieler Menschen Länder gesehen hatte und jedenfalls ein Mann von nicht gewöhnlichem Geschmack und Kunstsinn war, der „Verstorbene", schreibt in seinen einst so berühmten, jetzt vergessenen Briefen an die „Freundin Julie": „Oxford ist eine originelle Stadt. Es giebt hier Stellen, wo man sich ganz in's fünfzehnte Jahrhundert versetzt glaubt, weil man durchaus nichts als Denkmale dieser Zeit um sich versammelt sieht".

Während wir langsam vorwärts wandern, entrollt sich vor uns ein immer reicheres, ungewöhnlicheres, in Wahrheit ein einziges Bild: längs den beiden Strassenfronten sehen wir weithinaus eine Reihenfolge nebeneinander gerückter Klöster,

Castelle, Schlösser und Kirchen, lauter grossartige und vornehme Bauten der Vergangenheit; dazwischen behäbige, meist stattliche, moderne Wohnhäuser. Fast alle diese Gebäude stehen geräumig frei, umgeben von schönen, alten Gärten. Der durchschlagende Charakter des Baustils ist der rüstige und verständige, solide Monumentalbau der englischen Gothik, fest gelagert unter der Herrschaft der Horizontallinie. Dazwischen schiebt sich etwas Renaissance ein, auch wohl Roccoco; beides jedoch ist in England, namentlich aber im eigenartigen Oxford, nie völlig zur Herrschaft oder nur zur selbständigen Entwickelung gelangt und die neuesten Neubauten und Restaurationen des Alten tragen wieder in strenger Nachahmung den Typus des vierzehnten und fünfzehnten Jahrhunderts. Die Strasse vor uns ist ein Muster von Reinlichkeit und Ruhe; zu beiden Seiten öffnen sich Nebengassen und gewähren Ausblicke auf weite Grasflächen, auf stille Gärten hinter schweren, alten Eisengittern, auf schattige Spaziergänge; im Hintergrunde hohe graue Thürme und dichte mehrhundertjährige Rüsteralleen. Alle diese Strassen und Gassen sind nicht gradlinig regelmässig, wie im neuen Westend von London, sie sind aber auch nicht bedrängend eng wie in der City; mässig breit und fast stets anmuthig sanft gewunden, geben sie der Stadt das Gepräge der alten, historisch gewordenen, natürlich gewachsenen und noch wachsenden Niederlassung. Nirgends Fabriken, kein Geräusch, keine hässlichen, rauchenden Essen, keine Armuth und dabei 44,000 Einwohner.

In der Hauptstrasse weiter wandernd, blicken wir durch hohe, von schweren, beinahe würfelförmigen, stumpfen Thürmen beherrschte Thore in weite viereckige, grasbewachsene Höfe oder hinauf in einen Wald von Fialen und Kreuzrosen, der an den Portalen und Thürmen gothischer Kirchen emporklimmt. Die Staffage zu diesem mittelalterlichen Stadtbilde geben anständig gekleidete Männer und Frauen, ruhige Bürger, flotte, frische, kräftige, junge Studiosen, in mehr oder weniger gewagtem Kleiderschnitt und grellen Farben, begleitet von zahlreichen, sehr kleinen und sehr grossen Hunden reinster Rasse. Vor allem aber beschäftigt uns die mittelalterliche, halbgeistliche, officielle Tracht der Universität: „der Gown", vom kurzen,

III.

High Street.

— -

Nur widerwillig verliessen wir die kühlen Water Walks von
Magdalen und betraten die grosse Verkehrsader Oxfords: High
Street. In einer kaum merklichen Curve durchschneidet die
wunderbare, sechshundertfünfzig Meter lange Strasse wie ein
mächtiger Strom die Stadt und gewährt durch ihre Breite von
etwa dreissig Metern dem Wanderer stets eine weiterstreckte
Fernsicht. Englands Dichter haben diesen „majestätischen Stolz
der Stadt" vielfach besungen und selbst Walter Scott der
schottische Patriot, erklärt — von der Wahrheit überwältigt —:
„Ohne Zweifel ist die High Street von Edinburgh die grossartigste Strasse in Grossbritannien, mit Ausnahme jedoch der
High Street von Oxford". Aber auch das unparteiische, internationale Urtheil unseres berühmten Landsmann Wagen in
seinem classischen Werke: „Kunst und Künstler in England"
lautet: „die High Street in Oxford hat nicht ihres Gleichen in
der Welt". Noch ein anderer Reisender, der vieler Menschen
Länder gesehen hatte und jedenfalls ein Mann von nicht
gewöhnlichem Geschmack und Kunstsinn war, der „Verstorbene",
schreibt in seinen einst so berühmten, jetzt vergessenen Briefen
an die „Freundin Julie": „Oxford ist eine originelle Stadt. Es
giebt hier Stellen, wo man sich ganz in's fünfzehnte Jahrhundert
versetzt glaubt, weil man durchaus nichts als Denkmale dieser
Zeit um sich versammelt sieht".

Während wir langsam vorwärts wandern, entrollt sich vor
uns ein immer reicheres, ungewöhnlicheres, in Wahrheit ein
einziges Bild: längs den beiden Strassenfronten sehen wir weithinaus eine Reihenfolge nebeneinander gerückter Klöster,

Castelle, Schlösser und Kirchen, lauter grossartige und vornehme Bauten der Vergangenheit; dazwischen behäbige, meist stattliche, moderne Wohnhäuser. Fast alle diese Gebäude stehen geräumig frei, umgeben von schönen, alten Gärten. Der durchschlagende Charakter des Baustils ist der rüstige und verständige, solide Monumentalbau der englischen Gothik, fest gelagert unter der Herrschaft der Horizontallinie. Dazwischen schiebt sich etwas Renaissance ein, auch wohl Roccoco; beides jedoch ist in England, namentlich aber im eigenartigen Oxford, nie völlig zur Herrschaft oder nur zur selbständigen Entwickelung gelangt und die neuesten Neubauten und Restaurationen des Alten tragen wieder in strenger Nachahmung den Typus des vierzehnten und fünfzehnten Jahrhunderts. Die Strasse vor uns ist ein Muster von Reinlichkeit und Ruhe; zu beiden Seiten öffnen sich Nebengassen und gewähren Ausblicke auf weite Grasflächen, auf stille Gärten hinter schweren, alten Eisengittern, auf schattige Spaziergänge; im Hintergrunde hohe graue Thürme und dichte mehrhundertjährige Rüsteralleen. Alle diese Strassen und Gassen sind nicht gradlinig regelmässig, wie im neuen Westend von London, sie sind aber auch nicht bedrängend eng wie in der City; mässig breit und fast stets anmuthig sanft gewunden, geben sie der Stadt das Gepräge der alten, historisch gewordenen, natürlich gewachsenen und noch wachsenden Niederlassung. Nirgends Fabriken, kein Geräusch, keine hässlichen, rauchenden Essen, keine Armuth und dabei 44,000 Einwohner.

In der Hauptstrasse weiter wandernd, blicken wir durch hohe, von schweren, beinahe würfelförmigen, stumpfen Thürmen beherrschte Thore in weite viereckige, grasbewachsene Höfe oder hinauf in einen Wald von Fialen und Kreuzrosen, der an den Portalen und Thürmen gothischer Kirchen emporklimmt. Die Staffage zu diesem mittelalterlichen Stadtbilde geben anständig gekleidete Männer und Frauen, ruhige Bürger, flotte, frische, kräftige, junge Studiosen, in mehr oder weniger gewagtem Kleiderschnitt und grellen Farben, begleitet von zahlreichen, sehr kleinen und sehr grossen Hunden reinster Rasse. Vor allem aber beschäftigt uns die mittelalterliche, halbgeistliche, officielle Tracht der Universität: „der Gown", vom kurzen,

III.

High Street.

Nur widerwillig verliessen wir die kühlen Water Walks von Magdalen und betraten die grosse Verkehrsader Oxfords: High Street. In einer kaum merklichen Curve durchschneidet die wunderbare, sechshundertfünfzig Meter lange Strasse wie ein mächtiger Strom die Stadt und gewährt durch ihre Breite von etwa dreissig Metern dem Wanderer stets eine weiterstreckte Fernsicht. Englands Dichter haben diesen „majestätischen Stolz der Stadt" vielfach besungen und selbst Walter Scott der schottische Patriot, erklärt — von der Wahrheit überwältigt —: „Ohne Zweifel ist die High Street von Edinburgh die grossartigste Strasse in Grossbritannien, mit Ausnahme jedoch der High Street von Oxford". Aber auch das unparteiische, internationale Urtheil unseres berühmten Landsmann Wagen in seinem classischen Werke: „Kunst und Künstler in England" lautet: „die High Street in Oxford hat nicht ihres Gleichen in der Welt". Noch ein anderer Reisender, der vieler Menschen Länder gesehen hatte und jedenfalls ein Mann von nicht gewöhnlichem Geschmack und Kunstsinn war, der „Verstorbene", schreibt in seinen einst so berühmten, jetzt vergessenen Briefen an die „Freundin Julie": „Oxford ist eine originelle Stadt. Es giebt hier Stellen, wo man sich ganz in's fünfzehnte Jahrhundert versetzt glaubt, weil man durchaus nichts als Denkmale dieser Zeit um sich versammelt sieht".

Während wir langsam vorwärts wandern, entrollt sich vor uns ein immer reicheres, ungewöhnlicheres, in Wahrheit ein einziges Bild: längs den beiden Strassenfronten sehen wir weithinaus eine Reihenfolge nebeneinander gerückter Klöster,

Castelle, Schlösser und Kirchen, lauter grossartige und vornehme Bauten der Vergangenheit; dazwischen behäbige, meist stattliche, moderne Wohnhäuser. Fast alle diese Gebäude stehen geräumig frei, umgeben von schönen, alten Gärten. Der durchschlagende Charakter des Baustils ist der rüstige und verständige, solide Monumentalbau der englischen Gothik, fest gelagert unter der Herrschaft der Horizontallinie. Dazwischen schiebt sich etwas Renaissance ein, auch wohl Roccoco; beides jedoch ist in England, namentlich aber im eigenartigen Oxford, nie völlig zur Herrschaft oder nur zur selbständigen Entwickelung gelangt und die neuesten Neubauten und Restaurationen des Alten tragen wieder in strenger Nachahmung den Typus des vierzehnten und fünfzehnten Jahrhunderts. Die Strasse vor uns ist ein Muster von Reinlichkeit und Ruhe; zu beiden Seiten öffnen sich Nebengassen und gewähren Ausblicke auf weite Grasflächen, auf stille Gärten hinter schweren, alten Eisengittern, auf schattige Spaziergänge; im Hintergrunde hohe graue Thürme und dichte mehrhundertjährige Rüsteralleen. Alle diese Strassen und Gassen sind nicht gradlinig regelmässig, wie im neuen Westend von London, sie sind aber auch nicht bedrängend eng wie in der City; mässig breit und fast stets anmuthig sanft gewunden, geben sie der Stadt das Gepräge der alten, historisch gewordenen, natürlich gewachsenen und noch wachsenden Niederlassung. Nirgends Fabriken, kein Geräusch, keine hässlichen, rauchenden Essen, keine Armuth und dabei 44,000 Einwohner.

In der Hauptstrasse weiter wandernd, blicken wir durch hohe, von schweren, beinahe würfelförmigen, stumpfen Thürmen beherrschte Thore in weite viereckige, grasbewachsene Höfe oder hinauf in einen Wald von Fialen und Kreuzrosen, der an den Portalen und Thürmen gothischer Kirchen emporklimmt. Die Staffage zu diesem mittelalterlichen Stadtbilde geben anständig gekleidete Männer und Frauen, ruhige Bürger, flotte, frische, kräftige, junge Studiosen, in mehr oder weniger gewagtem Kleiderschnitt und grellen Farben, begleitet von zahlreichen, sehr kleinen und sehr grossen Hunden reinster Rasse. Vor allem aber beschäftigt uns die mittelalterliche, halbgeistliche, officielle Tracht der Universität: „der Gown", vom kurzen,

III.
High Street.

Nur widerwillig verliessen wir die kühlen Water Walks von Magdalen und betraten die grosse Verkehrsader Oxfords: High Street. In einer kaum merklichen Curve durchschneidet die wunderbare, sechshundertfünfzig Meter lange Strasse wie ein mächtiger Strom die Stadt und gewährt durch ihre Breite von etwa dreissig Metern dem Wanderer stets eine weiterstreckte Fernsicht. Englands Dichter haben diesen „majestätischen Stolz der Stadt" vielfach besungen und selbst Walter Scott der schottische Patriot, erklärt — von der Wahrheit überwältigt —: „Ohne Zweifel ist die High Street von Edinburgh die grossartigste Strasse in Grossbritannien, mit Ausnahme jedoch der High Street von Oxford". Aber auch das unparteiische, internationale Urtheil unseres berühmten Landsmann Wagen in seinem classischen Werke: „Kunst und Künstler in England" lautet: „die High Street in Oxford hat nicht ihres Gleichen in der Welt". Noch ein anderer Reisender, der vieler Menschen Länder gesehen hatte und jedenfalls ein Mann von nicht gewöhnlichem Geschmack und Kunstsinn war, der „Verstorbene", schreibt in seinen einst so berühmten, jetzt vergessenen Briefen an die „Freundin Julie": „Oxford ist eine originelle Stadt. Es giebt hier Stellen, wo man sich ganz in's fünfzehnte Jahrhundert versetzt glaubt, weil man durchaus nichts als Denkmale dieser Zeit um sich versammelt sieht".

Während wir langsam vorwärts wandern, entrollt sich vor uns ein immer reicheres, ungewöhnlicheres, in Wahrheit ein einziges Bild: längs den beiden Strassenfronten sehen wir weithinaus eine Reihenfolge nebeneinander gerückter Klöster,

Castelle, Schlösser und Kirchen, lauter grossartige und vornehme Bauten der Vergangenheit; dazwischen behäbige, meist stattliche, moderne Wohnhäuser. Fast alle diese Gebäude stehen geräumig frei, umgeben von schönen, alten Gärten. Der durchschlagende Charakter des Baustils ist der rüstige und verständige, solide Monumentalbau der englischen Gothik, fest gelagert unter der Herrschaft der Horizontallinie. Dazwischen schiebt sich etwas Renaissance ein, auch wohl Roccoco; beides jedoch ist in England, namentlich aber im eigenartigen Oxford, nie völlig zur Herrschaft oder nur zur selbständigen Entwickelung gelangt und die neuesten Neubauten und Restaurationen des Alten tragen wieder in strenger Nachahmung den Typus des vierzehnten und fünfzehnten Jahrhunderts. Die Strasse vor uns ist ein Muster von Reinlichkeit und Ruhe; zu beiden Seiten öffnen sich Nebengassen und gewähren Ausblicke auf weite Grasflächen, auf stille Gärten hinter schweren, alten Eisengittern, auf schattige Spaziergänge; im Hintergrunde hohe graue Thürme und dichte mehrhundertjährige Rüsteralleen. Alle diese Strassen und Gassen sind nicht gradlinig regelmässig, wie im neuen Westend von London, sie sind aber auch nicht bedrängend eng wie in der City; mässig breit und fast stets anmuthig sanft gewunden, geben sie der Stadt das Gepräge der alten, historisch gewordenen, natürlich gewachsenen und noch wachsenden Niederlassung. Nirgends Fabriken, kein Geräusch, keine hässlichen, rauchenden Essen, keine Armuth und dabei 44,000 Einwohner.

In der Hauptstrasse weiter wandernd, blicken wir durch hohe, von schweren, beinahe würfelförmigen, stumpfen Thürmen beherrschte Thore in weite viereckige, grasbewachsene Höfe oder hinauf in einen Wald von Fialen und Kreuzrosen, der an den Portalen und Thürmen gothischer Kirchen emporklimmt. Die Staffage zu diesem mittelalterlichen Stadtbilde geben anständig gekleidete Männer und Frauen, ruhige Bürger, flotte, frische, kräftige, junge Studiosen, in mehr oder weniger gewagtem Kleiderschnitt und grellen Farben, begleitet von zahlreichen, sehr kleinen und sehr grossen Hunden reinster Rasse. Vor allem aber beschäftigt uns die mittelalterliche, halbgeistliche, officielle Tracht der Universität: „der Gown", vom kurzen,

III.

High Street.

Nur widerwillig verliessen wir die kühlen Water Walks von Magdalen und betraten die grosse Verkehrsader Oxfords: High Street. In einer kaum merklichen Curve durchschneidet die wunderbare, sechshundertfünfzig Meter lange Strasse wie ein mächtiger Strom die Stadt und gewährt durch ihre Breite von etwa dreissig Metern dem Wanderer stets eine weiterstreckte Fernsicht. Englands Dichter haben diesen „majestätischen Stolz der Stadt" vielfach besungen und selbst Walter Scott der schottische Patriot, erklärt — von der Wahrheit überwältigt —: „Ohne Zweifel ist die High Street von Edinburgh die grossartigste Strasse in Grossbritannien, mit Ausnahme jedoch der High Street von Oxford". Aber auch das unparteiische, internationale Urtheil unseres berühmten Landsmann Wagen in seinem classischen Werke: „Kunst und Künstler in England" lautet: „die High Street in Oxford hat nicht ihres Gleichen in der Welt". Noch ein anderer Reisender, der vieler Menschen Länder gesehen hatte und jedenfalls ein Mann von nicht gewöhnlichem Geschmack und Kunstsinn war, der „Verstorbene", schreibt in seinen einst so berühmten, jetzt vergessenen Briefen an die „Freundin Julie": „Oxford ist eine originelle Stadt. Es giebt hier Stellen, wo man sich ganz in's fünfzehnte Jahrhundert versetzt glaubt, weil man durchaus nichts als Denkmale dieser Zeit um sich versammelt sieht".

Während wir langsam vorwärts wandern, entrollt sich vor uns ein immer reicheres, ungewöhnlicheres, in Wahrheit ein einziges Bild: längs den beiden Strassenfronten sehen wir weithinaus eine Reihenfolge nebeneinander gerückter Klöster,

Castelle, Schlösser und Kirchen, lauter grossartige und vornehme Bauten der Vergangenheit; dazwischen behäbige, meist stattliche, moderne Wohnhäuser. Fast alle diese Gebäude stehen geräumig frei, umgeben von schönen, alten Gärten. Der durchschlagende Charakter des Baustils ist der rüstige und verständige, solide Monumentalbau der englischen Gothik, fest gelagert unter der Herrschaft der Horizontallinie. Dazwischen schiebt sich etwas Renaissance ein, auch wohl Roccoco; beides jedoch ist in England, namentlich aber im eigenartigen Oxford, nie völlig zur Herrschaft oder nur zur selbständigen Entwickelung gelangt und die neuesten Neubauten und Restaurationen des Alten tragen wieder in strenger Nachahmung den Typus des vierzehnten und fünfzehnten Jahrhunderts. Die Strasse vor uns ist ein Muster von Reinlichkeit und Ruhe; zu beiden Seiten öffnen sich Nebengassen und gewähren Ausblicke auf weite Grasflächen, auf stille Gärten hinter schweren, alten Eisengittern, auf schattige Spaziergänge; im Hintergrunde hohe graue Thürme und dichte mehrhundertjährige Rüsteralleen. Alle diese Strassen und Gassen sind nicht gradlinig regelmässig, wie im neuen Westend von London, sie sind aber auch nicht bedrängend eng wie in der City; mässig breit und fast stets anmuthig sanft gewunden, geben sie der Stadt das Gepräge der alten, historisch gewordenen, natürlich gewachsenen und noch wachsenden Niederlassung. Nirgends Fabriken, kein Geräusch, keine hässlichen, rauchenden Essen, keine Armuth und dabei 44,000 Einwohner.

In der Hauptstrasse weiter wandernd, blicken wir durch hohe, von schweren, beinahe würfelförmigen, stumpfen Thürmen beherrschte Thore in weite viereckige, grasbewachsene Höfe oder hinauf in einen Wald von Fialen und Kreuzrosen, der an den Portalen und Thürmen gothischer Kirchen emporklimmt. Die Staffage zu diesem mittelalterlichen Stadtbilde geben anständig gekleidete Männer und Frauen, ruhige Bürger, flotte, frische, kräftige, junge Studiosen, in mehr oder weniger gewagtem Kleiderschnitt und grellen Farben, begleitet von zahlreichen, sehr kleinen und sehr grossen Hunden reinster Rasse. Vor allem aber beschäftigt uns die mittelalterliche, halbgeistliche, officielle Tracht der Universität: „der Gown", vom kurzen,

schwarzen, ärmellosen, fliegenden Mäntelchen des Studenten, bis zu den langen, weiten, würdigen, mit verschiedenfarbigen Aufschlägen und Litzen in Sammet und Seide verbrämten Chorröcken, der zu akademischen Graden und Würden gereiften Herren. Alle tragen die bekannte „Trenchercap", bestehend aus einer, dem Kopfe eng anliegenden, schwarzen, schirmlosen Haube, mit in die Stirn herabschiessender Schnippe und darüber ein viereckiger, brettartiger Deckel, einem flachgedrückten Ulanentschapka nicht unähnlich, von dessen Mittelpunkte, die schwere, schwarze Quaste herabschwingt. Einige dieser gelehrten Würdenträger grüssten meinen Begleiter im Vorbeigehen.

„Bitte, sagen Sie mir", frug ich wissbegierig, „was bedeuten die verschiedenen Abzeichen an den Costümen dieser Herren?" „Oh, weh!" erwiderte Mr. L. lachend, „plagen Sie sich damit ja nicht. Die Costümgesetze von Oxford sind äusserst verwickelt: nach Graden, Facultäten, Gelegenheiten und sogar nach Oertlichkeiten und Jahreszeiten. Sie würden da in ein wahres Labyrinth von Stoff und Schnitt, von Besatz und Aufschlag in allen Farben des Regenbogens gerathen. Selbst die Studenten haben unterschiedliche Abzeichen an Mantel und Kappe. Die Commoners sind einfach schwarz; die Gentleman-Commoners, solche die in einigen Colleges eine höhere Pension bezahlen, tragen einen Litzenbesatz und ein Futter von rosa Seide; die Noblemen, nämlich die Söhne eines Herzogs, Marquis oder Earl, welche noch schwerer bezahlen müssen, sind durch goldene Litzen und Goldquasten an der Kappe ausgezeichnet.

„Das reizt nun den Witz der anderen und so pflegen sie den jungen Füchsen (freshmen, also wörtlich: Frischlinge) aufzubinden: diese Goldquasten seien Strafabzeichen für hartnäckige Trunkfälligkeit".

In nächster Nähe von Magdalen gelangten wir an einen ausgedehnten Neubau, der sich schon in seinen Grundwerken, als ein bedeutender monumentaler Schmuck für High Street darstellte.

„Hier sehen Sie", bemerkte Mr. L., „ein Gebäude, welches die arme Universität selbst, nicht eines der reichen Colleges, errichten lässt. Es soll ausschliesslich zur Abhaltung der Examina dienen, mit denen wir hier sehr reichlich gesegnet sind; man kommt eigentlich gar nicht aus ihnen heraus, bis man nicht in den Ruhehafen eines Fellowship eingelaufen ist. Doch davon später, wir wollen jetzt fürbass gehen. Uebrigens sind jedenfalls die Kosten dieses Gebäudes seinem wichtigen Zwecke entsprechend, denn der bewilligte Anschlag beläuft sich auf 1,260,000 Mark".

' Ich nahm jetzt unsere frühere Unterhaltung im Garten von Magdalen College wieder auf: „Sie haben mich bereits einige Blicke in die grosse Lehranstalt Oxford thun lassen und ich kann mir nun die allgemeinen Umrisse eines College ungefähr feststellen. Aber welche Stellung hat denn zu und über diesen neunzehn grossartigen Stiftungen die eigentliche Universität? Darüber bitte ich noch um eine kurze Belehrung".

„Das Verhältniss einem Fremden klar zu machen, ist vielleicht nicht so ganz leicht", erwiderte mein liebenswürdiger Führer. „Oxfords Organismus ist oft mit einem planlos gewachsenen, verwickelten und verzwickten, gothischen Gebäude verglichen, in welchem man allein durch Einleben heimisch, ja! auch nur orientirt wird. Indessen ich verspreche mit Ihrem Mephisto, als er den jungen Schüler so wirksam über die Geheimnisse der Faust'schen Universität aufklärte: „Was ich vermag, soll gern geschehen". Also, ich möchte sagen: die Universität steht nicht eigentlich über den Colleges; es sind sogar Stimmen laut geworden, welche beklagen, dass sie von ihnen überwuchert sei! Aber dennoch umfasst sie die Colleges, vereinigt und ergänzt sie, ja! setzt sie auch, als Bildungsmittel, fort".

„Die Universität hat an ihrer Spitze den Kanzler. Es ist ein Ehrenposten, den fast immer ein sehr vornehmer Edelmann inne hat, jetzt der Marquis von Salisbury. Das sichtbar regierende Haupt ist der Vicekanzler, den der Kanzler jährlich aus den Häuptern der Colleges wählt. Unter ihm fungirt ein zahlreicher Stab von Beamten. Bei diesen befinden sich, bereits seit 1355, sogar zwei „Marktaufseher", welche die Nahrungsmittel, nebst den Maassen und Gewichten, auf dem Fleisch- und Gemüsemarkte controlliren. In Oxford sind selbst hierzu nur graduirte Gelehrte brauchbar. Nun kommen wir endlich zu dem eigentlich lehrenden Körper; er besteht jetzt aus achtundvierzig Professoren. Diese sind indessen sehr ungleich auf die verschiedenen Facultäten vertheilt, denn alle diese Professuren beruhen im wesentlichen auf Stiftungen aus ältester bis in die neueste Zeit. In den letzten dreissig Jahren wurden diese Professuren etwa auf das doppelte vermehrt; für einige benutzte man die Einkünfte von gerade frei werdenden Fellowships in überreichen Colleges. Aus diesen Ursprüngen erklären sich auch die seltsamen, nur dem Eingeweihten verständlichen Namen. So giebt es mehrere „Regius Professuren", nämlich solche, die von verschiedenen englischen Königen gestiftet wurden: die älteste, von Heinrich VIII. (1535), die jüngste, von der Königin Victoria (1842). Der Gehalt ist anständig: 30,000 Mark. Dann hören Sie vom „Lady Margaret Professor" reden; er ist ein Theologe, im Jahre 1502 von Margaret, Gräfin von Richmond, Mutter König Heinrich VII., gestiftet und ebenfalls mit 30,000 Mark dotirt. Ich will Ihnen nun noch beispielsweise den „Ireland Professor" nennen, er wurde für Exegese der heiligen Schrift von einem Dr. Ireland im Jahre 1847 gestiftet, mit etwa 6300 Mark Einkommen; ferner den „Corpus Professor", der vom Corpus Christi College für lateinische Literatur gegründet ist; den „Laudian Professor", im Jahre 1636 vom Erzbischof Laud für das Arabische gestiftet, den „Slade Professor", für die schönen Künste, nebst dem „Heather Professor" für Musik.

„Die Vertheilung der Professoren auf die verschiedenen Facultäten könnte Ihnen verwunderlich erscheinen; es gibt nämlich nur 4 juristische und 5 medicinische, daneben 9 theologische Professuren. In dieser Beziehung werden allerdings jetzt Reformen angestrebt, durch welche der Stab der Professoren systematisch verstärkt werden soll. Ueber die Bedürfnissfrage sind alle einverstanden, denn der College-Unterricht ist doch immerhin sehr theuer und in manchen Fächern, z. B. in der Jurisprudenz und den Naturwissenschaften, nothwendig unzureichend".

„Es ist wohl im grossen etwa derselbe Fehler, wie wenn jeder junge Mensch seine völlige gelehrte Ausbildung durch einen oder zwei besondere Hauslehrer bekäme?" warf ich fragend ein.

„Nicht ganz so schlimm", stimmte Mr. L. im allgemeinen zu, „aber in vielen Punkten verstösst die alte klösterliche Einrichtung des Unterrichts gegen die natürlichen Gesetze einer vernünftigen Arbeitstheilung. Deshalb haben sich auch in neuester Zeit viele Colleges soweit zusammengethan, dass die Undergraduates des einen den Unterricht im andern benutzen können. Dadurch wird der Wetteifer tüchtiger Lehrer angeregt, namentlich wird jungen strebsamen Tutors ein kleines Feld der Concurrenz eröffnet. — Nun kommt aber die leidige Geldfrage! Die Colleges sollen nämlich zur Durchführung der Lehrreform einen Theil ihrer Einnahmen, etwa 12 Procent, opfern und in die Universitätskasse einzahlen! Bekanntlich ist Selbstreform für Corporationen eine noch weit schwierigere Aufgabe als für Individuen. Sie können sich also leicht vorstellen, dass und warum die Colleges über diesen Geldpunkt schon seit einer Reihe von Jahren eifrig und gewissenhaft nachdenken, ohne bis jetzt zum Beschlusse gekommen zu sein".

„Ja", stimmte ich verständnissvoll ein, „das kann ich mir sehr deutlich vorstellen. Ein orthodoxer Conservativer würde es sogar als eine Immoralität bekämpfen müssen, dass der letzte Wille frommer Stifter durch solche Neuerungen missachtet wird!"

„Bis jetzt also", fuhr Mr. L. in seiner Auseinandersetzung fort, „bis jetzt hört der eigentliche College-Student so gut wie gar keine öffentlichen Vorlesungen; die Undergraduates werden schulmässig nach ihrer Reife in Klassen eingetheilt und von den Tutors des College nach bestimmten Büchern, gewissermassen privatim, in demjenigen unterrichtet, was sie für ihr zeitweilig bevorstehendes Examen bedürfen. Diese Examina folgen, wie Stationen, in bestimmten Zeiträumen. Zunächst wird, vor der Immatriculation, eine sehr leichte Aufnahmeprüfung verlangt. Dann folgen im ersten Term die „Responsions", in der akademischen Sprache auch „Smalls" oder „Littlego, kleiner Gang" genannt. Nach einem Studium von anderthalb bis zwei Jahren, also von sechs bis acht Terms, macht man die „Moderations", auch kurzweg „Mods" genannt, und zwar nach eigener Wahl: entweder in den klassischen oder in den mathematisch naturwissenschaftlichen Fächern".

„Nach drei Jahren droht dann das Schlussexamen, „Greats" oder „Great Go, grosser Gang". Für dieses giebt es eine Reihe verschiedener Fächer oder „Schools". Alte Geschichte und Philosophie, die sogenannten Literae humaniores; neuere

Geschichte; Mathematik; Jurisprudenz; Naturwissenschaften; Theologie. Das Examen braucht nur in einer „School" bestanden zu werden, jedoch befassen sich Studenten von wirklich wissenschaftlichem Streben gewöhnlich mit verschiedenen Fächern, gleichzeitig oder nacheinander.

„Auf diese drei Examina nun: Smalls, Mods und Greats kann man von zwei verschiedenen Standpunkten aus hinarbeiten. Entweder man will nur einfach durchkommen und seinen Grad als Bachelor of Arts schlicht und recht erwerben, dann begnügt man sich mit einem „Pass" Examen und enthält den Grad eines B. A. als „Pass Degree". Oder aber man strebt in jedem Examen neben dem „Degree" nach Honours". Dafür unterwirft man sich einer schwereren Prüfung und kämpft um die Ehre von Nummern: I, II, III; man wird klassificirt; alsdann heisst das Examen: „Class" oder „Honour Examination". Wer nun die „Greats" mit „Honours" besteht, wird ein „First" oder ein „Second" oder, wenn er sich in mehreren Fächern prüfen liess, wohl auch beides zugleich, z. B. First in neuerer Geschichte und Second in Mathematik. Höchst selten ist ein „Double First", eine Nr. I in zwei Fächern zugleich; dieser Erfolg ist ein so grosser, dass er den Examinirten durch sein ganzes späteres Leben begleitet. Gelegentlich werden Sie von diesem oder jenem bedeutenden älteren Manne immer noch wieder rühmend erwähnt finden: „er war in Oxford ein Double First".

„Nebenbei haben wir nun noch Examina für Freistellen und Stipendien „Scholarships oder Exhibitions", später dann für die Fellowships in den Colleges u. s. w. —"

„Sie sehen wohl: der, unseren Studenten genau vorgeschriebene Bildungs- und Leidensweg ist ein ziemlich verwickelter und weicht wesentlich ab von den freieren Bahnen auf deutschen Universitäten".

„Im späteren Laufe unseres Gelehrtenlebens werden wir auch noch „Bachelor of Civil Law, of Medicine, of Divinity"; höher hinauf: „Master of Arts" oder Doctor in einer der drei anderen Facultäten. Besonders begnadigten Talenten winkt nebenher noch der „Bachelor und Doctor of Music", eine Ehre, welcher Ihr unsterblicher Mozart und selbst Ihr zukünftiger Wagner zu Hause nicht theilhaftig werden kann".

„Leider aber", fuhr Freund L. fort, „geben sich viele unserer jungen Leute nicht einmal die Mühe, ihren Grad als B. A. zu erwerben. Sie begnügen sich mit den »Preisen«, für welche die Examina begrenzter und leichter sind. Von diesen Preisen kann ich Ihnen nur sagen, dass ihre Zahl Legion ist, dass sie sämmtlich auf wohlgemeinten Stiftungen beruhen, unendlich verschieden sind und zusammen eine sehr bedeutende Summe Geldes betragen; wie man sagt etwa siebzigtausend Mark jährlich. Ueber die Zweckmässigkeit ihrer Wirkung sind die Meinungen getheilt. Man klagt wohl, dass sie ihre Bestimmungen als Mittel zum Lernen verloren haben und ein unberechtigter Selbstzweck geworden sind.

„Doch nun genug von diesen trockenen Geschichten. Wir sind jetzt in High Street und wollen vor allem unsere Augen gebrauchen.

„Betrachten Sie zunächst drüben auf der linken Seite jenes langgestreckte Gebäude. Die zwei schweren Zinnenthürme, welche seine drei Stockwerke — eine seltene Höhe in Oxford — überragen und die gleichmässige Verzierung des Dachgesimses mit kleinen halbrunden Giebelchen geben ihm völlig das Aussehen eines burgartigen Schlosses. Wir nennen das „Castellated style"; es fehlt zum feudalen Herrensitze nur der hohe Bergfried. Die letzte gothisirende Restauration dieser imponirenden, sanft gebrochenen, 90 Meter langen Front ist noch nicht alt, sie wurde erst 1877 beendigt; das Gebäude stammt aus Cromwells Zeit; desto älter aber ist das College selbst. Es rühmt sich der Gründung durch König Alfred den Grossen und feierte im Jahre 1872 sein tausendjähriges Stiftungsfest. Unsere Historiker freilich schütteln dazu ihre Köpfe und setzen den Geburtstag von „University College" in das Jahr 1250. Aber sonderbarer Weise haben die Tausendjährigen ein richterliches Erkenntniss der King's Bench für sich".

„Wie so?" fragte ich, „der King's Bench? das ist ja höchst interessant; vielleicht liesse sich diese Art, historische Streitfragen aufzuklären, mit grossem Nutzen für die Wissenschaft verallgemeinern".

„Die Sache machte sich ganz einfach", erläuterte Mr. L., „Jedes College hat nämlich einen Visitator, welcher meistens vom Stifter designirt ist. Bei königlichen Stiftungen steht die

Visitation der Krone zu. Letztere nahm im Jahre 1726 dieses Patronatrecht auch bei University in Anspruch wegen der Stiftung durch König Alfred. Damals remonstrirte University, da sein urkundlicher Stifter William von Durham (1250) sei. Die King's Bench entschied jedoch für die Krone. So steht nun König Alfred rechtskräftig fest und im Jahre 1872 wurde das Millennium gefeiert".

„Ein vorzüglicher Präcedenzfall", musste ich anerkennen. „Es ist wirklich Schade, dass die jetzige Queen's Bench diesen Zweig der Jurisprudenz nicht mehr cultivirt. Wie angenehm wäre das für die vielerlei historischen Fragezeichen, z. B. Romulus und Remus, Schliemanns Troja, das Bisthum des h. Petrus, den biederen Wilhelm Tell und ähnliche blutlose Schatten, die noch immer ohne richtige Legitimationspapiere durch die Weltgeschichte schwanken. Sie alle könnten dann „rechtskräftig" festgestellt werden und der gelehrte Streit hätte endlich einmal ein Ende".

„Wenden wir uns jetzt auf die rechte Seite", fuhr mein geistlicher Freund fort, ohne seine Theilnahme an meinem wissenschaftlichen Bedauern zu bezeugen. — „Hier werden wir aus der Gothik in das vorige Jahrhundert versetzt. Dieser griechisch-italienische Palast, University grade gegenüber, mit den zwei vorspringenden Seitenflügeln und der sonderbaren Kuppellaterne über dem mittleren Eingange, ist „Queen's College". Aber in diesem modernen Hause wohnen ebenfalls mehr als fünfhundert Jahre Collegegeschichte. Als die Stifterin (1340) gilt die Königin Philippa, Gemahlin Eduard III., die — wie die Sage geht — das berühmte blaue Strumpfband verlor, aus welchem sich durch die eheliche Galanterie des Königs der Hosenbandorden entspann. Uebrigens ist das Gebäude in seiner Art reich und grossartig; leider! fehlt uns hier in Oxford der Geschmack daran; indessen als Gegensatz zu den umliegenden Burgen ist der italienische Palast immer eine Zierde für Highstreet. Und die alten Sitten sind hier in dem neuen Gebäude ganz besonders treu bewahrt worden. Bei Tafel präsidirt noch heute, nach Urväter Brauch, der Provost in der Mitte und an ihn schliessen sich zu beiden Seiten, nach der „Anciennetät", die Fellows und Scholars (Stipendiaten). Zum Mahle ruft sie noch heute ein kriegerisches Trompetensignal.

Der Bläser, eines der Mitglieder, heisst noch jetzt „der Herold",
weil er ehemals bei dieser feierlichen Handlung ein Herolds-
wamms trug. Früher fanden sich täglich Tischgäste ein, stets
dreizehn; nur Bettler, Blinde, Taube und Lahme waren geladen;
sie wurden mit Brot, Bier, Suppe und Fisch gespeist.

„An jedem Weihnachtstage öffnet sich die grosse Hall von
Queen's für jedermann. Mit Trompetenschall wird ein riesiger.
Eberkopf hereingetragen, bekränzt mit vergoldeten Lorbeer-
zweigen. Der Provost und die Fellows ziehen feierlich vorauf.
Der Vorsänger stimmt ein altes englisch-lateinisches Lied an;
wir nennen diese Mischlieder: »maccaronische« Poesie. Es ist
eine Art Glosse über folgenden Vers:

Caput apri defero	Den Kopf des Ebers bring ich hier
Reddens laudes domino.	Und danke Gott dem Herrn dafür.
Qui estis in convivio	Die Ihr erschienen seid zum Feste,
Servite cum cantico!	Singt mit uns: „Lob dem Herrn", Ihr Gäste!

Der unehrerbietige Studiosus ändert die letzte Strophe so:

Servitur cum sinapio   Schweinskopf mit Senfsauce ist das beste".

„Ueber die Entstehung dieses uralten Gebrauches geht
folgende Sage. Ein Schüler von Queen's ging im Jahre 1376 —
Sie sehen hier wiederum, wie genau wir unsere Vorgeschichte
kennnen — im Shotover Forest bei Oxford spazieren und
studirte aus einer mächtigen Pergamentrolle den Aristoteles.
Da wurde er von einem wilden Eber angegriffen; waffenlos,
in der höchsten Noth, stiess er der Bestie seine Pergamentrolle
in den Rachen bis tief in den Schlund hinab mit dem lauten
Rufe: »Graecum est, das ist Griechisch«! Und das Ungeheuer
erstickte an der überwältigenden Deduction des Weisen von
Stagyra. Ein altes Kirchenfenster bewahrt noch in einem
Gemälde diesen klassischen Vorgang.

„Wahrscheinlich jedoch haben wir hier abermals ein
interessantes Ueberbleibsel des uralten, vielleicht gar des
babylonischen Sonnendienstes. Bei diesem wurde bekanntlich
zum Feste der Winter-Sonnenwende dem Sonnengotte Adonis
ein Eber geopfert, weil Adonis an diesem Tage von einem
Eber zerrissen war. Unsere heidnischen Voreltern feierten ja
ebenfalls diese Wintersonnenfeste — den Jul — und erst im
vierten Jahrhundert setzte sich unser christlicher Weihnachten
an diese, von Urzeit her bereitete, festliche Stätte".

„Man muss gestehen", erkannte ich an, „Sie sind hier

16*

conservativ; das ist schon das zweite heidnische Fest, dem wir heute im allerchristlichsten Oxford begegnen. — Und welch ein herrlicher Fall wäre das für die Queen's Bench: »Aristoteles gegen Adonis«!"

„Am Schlusse des Festes", so beendigte der Freund dieses merkwürdige Kapitel über Queens College, „wird von allen Anwesenden folgender origineller alter Weihnachtsgesang gesungen, dessen Urtext sonderbarer Weise zuerst in einem alten deutschen Choralbuche aus dem Jahre 1570 aufgefunden ist. Die Rückübersetzung in's Deutsche würde etwa lauten:

1.
In dulci jubilo
Lasst uns anbeten froh.
Seht unseres Herzens Herrn
In praesepio;
Hell leuchtet unser Stern
Matris in gremio.
Alpha es et O,
Alpha es et O.

2.
O Jesu parvule!
Mein Herz verlangt nach Dir,
Hör' mich, ich fleh' zu Dir
O puer optime.
Mein Gebet komm zu Dir:
O princeps gloriae,
Trahe me post te.

3.
O patris caritas,
O nati lenitas!
Alle sind wir verdorben
Per nostra crimina,
Doch Du hast uns erworben
Coelorum gaudia.
O wären wir dort oben,
O wären wir dort oben.

4.
Ubi sunt gaudia?
Wo, wenn nicht dort?
Höret der Engel Sang,
Nova cantica,
Höret der Glocken Klang
In regis curia.
O, dass wir wären dort,
O, dass wir wären dort.

IV.
St. Mary the Virgin.

Inzwischen waren wir die Strasse weiter hinauf geschritten und standen abermals vor einem gothischen Kastelle.

„Dieses ist »All Souls College«, gestiftet nach der Schlacht von Agincourt (1415) für die Seelen aller, in dem hundertjährigen Kriege mit Frankreich gefallenen Engländer".

Ich betrachtete die Verhältnisse des stattlichen Gebäudes, das sich entschieden durch die Reinheit seines Stiles auszeichnet: nur zwei Stockwerke also Ueberwiegen der Horizontallinie; ein schwerer, stumpfer mit Zinnen gekrönter Thurm, übrigens aber spitze Giebel auf dem Dache; verzierte vorspringende Erker; unregelmässig vertheilte, einzelne und gekuppelte, viereckige Fenster, deren Umfassung die gothische Gliederung der Rundstäbe und Hohlkehlen zeigt.

„Das College ist im Jahre 1438 von einem Erzbischof Chichele von Canterbury gestiftet", erläuterte mein Führer. „Es ist reich dotirt, mit etwa 400,000 Mark jährlich, alles aus Grundbesitz. Hier giebt es gar keine Studenten; die Stiftung ist nur für genossenschaftliches Zusammenleben graduirter Gelehrter bestimmt, für einen „Warden" und siebenundzwanzig Fellows. Eine besondere Eigenthümlichkeit der Statuten ist, dass bei den Präbenden zunächst Nachkommen des Stifters und seines Bruders berücksichtigt werden sollen. Das giebt nun unglaubliche Schwierigkeiten und endlosen Streit. Die Familie der Chichele ward fruchtbar und mehrte sich; im Jahre 1765 wurden diese bevorzugten Nachkommen bereits von beinahe 1200 Familien aufgewiesen. — Das College hat jetzt die Ehre, Ihren ausgezeichneten Landsmann, den grossen

Sprachforscher Max Müller zu seinen Mitgliedern zu zählen — aber nicht, weil er zur Chichele-Sippe gehörte. — Doch ich bemerke, Sie folgen mir nur noch mit getheilter Aufmerksamkeit, ihre Augen schweifen bereits weiter hinaus".

„Allerdings", gestand ich ehrlich ein, „und ich rechne dafür auf Ihre Nachsicht. Die Menge der bedeutenden Eindrücke an diesem Platze überwältigt und zerstreuet; jetzt eben fesselte mich die seltsam schöne Kirche dort vor uns".

„Sie haben Recht", bestätigte Mr. L., „St. Mary the Virgin ist ein merkwürdiges Gebäude. Zunächst schon die Stellung von Süden nach Norden und mit der westlichen Langseite hart an der Strasse. Hier stand bereits seit 1139 eine normannische Kirche. Der nördliche hohe Chor mit den langgestreckten schlichten Lanzetfenstern wurde 1460 fertig und zu Ende des fünfzehnten Jahrhunderts war die dreischiffige Halle vollendet. Die starken Zinnenbrüstungen, welche die Horizontalgesimse, sowohl des hohen Mittelschiffs, als der niedrigen Seitenschiffe krönen, erinnern eigentlich an den Profanbau. Das bis an die Deckbögen aufsteigende gegitterte Stabwerk der Fenster, von denen die unteren — die der Seitenschiffe — geblendet sind, charakterisirt bereits den sogenannten perpendiculären Stil der Spätgothik. Das riesige Fenster dort an der Nordseite über dem niedrigen ursprünglichen Eingange ist durch die Fülle seines reichen Masswerkes von grosser decorativer Schönheit. Das Juwel von St. Mary ist indessen der Thurm, erbauet im Jahre 1300. Sehen Sie nur wie schlank sein achteckiger, lang ausgezogener Helm aus dem wechselvollen Fialenspiele des vierseitigen Unterbaues himmelan schiesst, bei 70 Meter hoch; und die reichen Zierrathe: Bögen, Wimberge, Fialen. Alles ist mit unendlichem Blattwerke — das Handwerk nennt es: Krabben oder Bossen — überwuchert und überall spriesst die vierflügelige Kreuzblume hervor!"

„Der Baustein muss vorzüglich sein" bemerkte ich, in den Ausbruch der gerechten Bewunderung einstimmend, „man sieht keine Verwitterung".

„Das ist wieder eine der ausserordentlichen Leistungen unseres grossen neugothischen Meisters Sir Gilbert Scott. Grade hier hatte die Verwitterung im höchsten Masse Ueberhand genommen. Man entschloss sich daher, die ganze Kirche abzuschälen. Der alte Stein wurde Stück für Stück, etwa 35 Ctm. tief weggehauen und kunstvoll durch eine neue festgefugte Decke ersetzt. Das grosse Werk ist erst im vorigen Jahre vollendet. Gelungen ist's, aber es kostete auch 400,000 Mark".

Unsere Augen verweilten lange auf dem prächtigen imposanten Bau; endlich suchte mein Blick den Eingang. Ausserordentlich überrascht rief ich aus:

„Wie sonderbar nimmt sich gegen diese reiche Gothik der grosse Eingang hier an der Strassenseite aus: der reinste italienische Zopf! Stören Sie diese gewundenen Säulen nicht, die den grossen Barokschnörkel des Portals tragen? Und dazwischen, von einem zopfigen Architravgiebel überragt, das unschöne Steinbild: die Jungfrau mit dem Kinde, das wiederum sein eigenes Crucifix in der Hand hält"!

„Das hässliche Portal ist bei der Restauration sorgfältig conservirt worden", erwiderte mein Führer, denn es ist ein Stück unserer Geschichte. Es· wurde errichtet im Jahre 1637 unter dem Erzbischof Laud. Einige Jahre später machten ihm die Puritaner den Prozess wegen Verdachts des Papismus und diese Jungfrau mit dem Kinde, deren Gegenwart an der, wenn auch protestantischen, Marienkirche völlig motivirt war, bildete einen der schwersten Anklagepunkte. Wie Sie wissen, wurde Laud von den bilderstürmenden Eiferern verurtheilt und auf Tower Hill hingerichtet; er war bereits einundsiebzig Jahre alt".

„Man sieht: Intra peccatur et extra", bemerkte ich, „keine religiöse Partei ist sicher vor verrücktem Fanatismus und vor Inquisitionsgelüsten".

Der Reverend schüttelte sanft misbilligend den Kopf. „Lassen Sie uns jetzt eintreten; in der Kirche werde ich Ihnen eine Gegenrechnung machen gegen die Excesse der Ultrareformirten, bei der Ihre deutsche latitudinarische Unparteilichkeit doch etwas zu kurz kommen möchte".

Die'hohe, kühle, halbdunkle Halle nahm uns auf und wir schritten das Schiff entlang bis an die Stufen, die zum Chore hinaufführen. Ein breiter Stein, in den eine grosse Metallplatte eingelassen war, fesselte hier meine Aufmerksamkeit. Ich bückte mich und las: „Hier ist beigesetzt Amy Robsart, die Gemahlin von Lord Robert Dudley, am 22. September 1560.

„Wie?" fragte ich erstaunt, „ruht hier wirklich die vielbeweinte Heldin von „Kenilworth", die ihr herzloser Gatte, der schöne Leicester, so heimtückisch ermorden liess?"

„Nun", beruhigte mich mein Führer, „ganz so schlimm war der Handel nicht. Walter Scott legt freilich dem Gatten diese Blutschuld auf's Gewissen, jedoch irrthümlich; die geschichtliche Forschung hat ihn davon freigesprochen, diesmal ohne die Queen's Bench. Die arme Amy stürzte allerdings durch die aufgezogene Fallbrücke hinab und kam um, es geschah indessen lediglich durch ihre eigene Unvorsichtigkeit. Lord Leicester war verzweifelt über ihren jähen Tod und liess sie hier — er war damals Kanzler der Universität — mit grossem Pompe begraben".

„Aber ich hatte eigentlich eine andere Tragödie im Sinne", fuhr mein geistlicher Freund fort, „die sich hier in der Universitätskirche abspielte. Es war im Jahre 1555 zur Zeit der »blutigen« Mary. Diese nationale Schreckgestalt war im Grunde eine durchaus rechtschaffene und keineswegs einfältige Frau, aber eine leidenschaftlich bigotte, spanische Papistin, gestachelt durch ihre Anhänglichkeit an die Sache ihrer Mutter, der verstossenen Königin Katharina von Arragonien, und an ihre eigene — Geburt, deren Rechtmässigkeit mit der alten Lehre stand und fiel. In nicht ganz vier Jahren kamen durch ihre religiösen Verfolgungen beinahe vierhundert Protestanten in England um's Leben. Den Schluss dieses massenhaften Autodafé's bildeten die »edlen drei Märtyrer« die Bischöfe Cranmer, Latimer und Ridley. Hier auf dieser Stelle standen sie vor dem Inquisitionstribunale und bekannten, den sicheren Tod vor Augen, furchtlos ihren Glauben. Cranmer hatte vorher eine Zeit lang geschwankt und bedenkliche Zugeständnisse gemacht. Hier aber entlastete er sein Gewissen durch seinen berühmt gewordenen Widerruf. Einen solchen Sturm erregten seine Worte unter den Zuhörern, dass sein geistlicher Richter, der Cardinal Pole ihm endlich mit dem durchschlagendsten aller Argumente dazwischen fuhr: »Stopft dem Ketzer den Mund und führt ihn ab!« Dann folgte die grosse Excommunication und die drei wurden dem weltlichen Gerichte überliefert, denn das canonische Recht sagt, in seiner bekannten christlichen Milde gegen alle Ketzer: »Ecclesia non sitit sanguinem, die Kirche dürstet nicht nach Blut«. Einige Wochen später bestiegen sie den Scheiterhaufen, Ridley zuerst. Als die Flammen bereits emporzüngelten rief Latimer: ' »Seid getrost, Master Ridley, und haltet Euch wie ein Mann. Wir werden heute ein Licht anzünden, das, mit Gottes Hilfe, in England niemals wieder verlöschen soll« Und dies Wort wurde erfüllt. — Da haben Sie die Gegenrechnung".

„Einen seltsamen Eindruck macht das Kostenverzeichniss der Execution; es ist bei den Acten aufbewahrt worden. Das Holz für die Scheiterhaufen kostete 37 Mark; die Henkersmahlzeit machte ausserdem eine bescheidene Zeche von 2 Mark für Brot, Bier, Austern, Salm, Wein, Käse und Birnen. Im ganzen hatte die Stadt Oxford für das ihr aufgedrängte Autodafé, das sie mit Thränen und Jammern ausrichtete, über 1200 Mark ausgelegt und obendrein hinterher die grösste Noth ihren Vorschuss von der glaubenseifrigen Regierung ersetzt zu bekommen". —

Nach einer stummen Pause der Betrachtung fuhr mein geistlicher Freund in seinen Erinnerungen fort: „Was ist alles schon in dieser Kirche vorgegangen. Hier predigte vor jetzt gerade fünfhundert Jahren John Wicliff, der grosse Bibelübersetzer und Doctor Evangelicus, der Morgenstern der Reformation, seine ketzerischen Sätze: »dass die heilige Schrift über der Lehre der Kirche stehe, dass der Apostel Petrus nicht höher stehe als die anderen, dass der Papst nicht mehr Gewalt habe als jeder Priester". Fünf donnernde Bullen schleuderte Gregor XI. gegen ihn; Wicliff jedoch starb ruhig in seiner Pfarrei Lutterworth und wurde in der dortigen stattlichen Kirche feierlich beigesetzt. Aber sein sterbliches Theil wenigstens sollte nicht in geweihtem Frieden ruhen. Nach beinahe fünfzig Jahren wurden seine Gebeine wieder herausgerissen, verbrannt und der vorbeifliessende Avon entführte die Asche". —

So endete der grosse Vorläufer der Reformation, ohne nachhaltigen Erfolg, denn es fehlte seiner Bibelübersetzung ein wesentlicher Bundesgenosse: Der Buchdrucker!

„Auf derselben Kanzel von St Mary stand, vier Jahrhundert später im Jahre 1734, ein nachreformatischer und erfolgreicherer Reformator: John Wesley, in Christ Church erzogen, damals ein hochkirchlicher Tory und Jacobit. Mit seinem Bruder Charles und einigen anderen jungen, gleich ihnen Beiden erweckten Männern bildete er bald darauf eine Gesellschaft, welcher die innere Wiederbelebung der damals stark veräusserlichten Kirche von England am Herzen lag. Die Spötter nannten sie: »der heilige Club«, und später: »die Methodisten«, weil sie die in den Statuten der Universität vorgeschriebene Studien-Methode pünktlich innehielten. Aus dieser religiösen Vereinigung innerhalb der Kirche entwickelte sich allmälig, hauptsächlich durch die unvernünftige Opposition der Bischöfe, welche sie aus der Mutterkirche hinaustrieb, die Secte der Wesleyaner oder Methodisten. Einen Grundzug ihrer Richtung bildete die Lehre von unserer Wiedergeburt zum Christen durch die innere Bekehrung und Heiligung, im Gegensatze zu der mystischen Wirkung der rein äusserlichen Taufe. Es sind stille, beschauliche gottesfürchtige übrigens kirchlich liberale Leute, diese Wesleyaner, die sich vielleicht am meisten mit den ehemaligen deutschen Pietisten berühren".

„Diese Bewegung hatte, wie Sie wohl wissen, einen ungeheuren, einen weltweiten Erfolg. Vor gerade hundert Jahren (1777) wurde hier die erste Wesleyan Chapel gebaut, zu Anfang dieses Jahrhunderts zählte die Gesellschaft etwa achtzigtausend Mitglieder, jetzt rechnet sich diese vollständig organisirte Kirche in ihren verschiedenen Schattirungen auf etwa vierzehn Millionen Seelen in allen Welttheilen; in den Vereinigten Staaten leben, nach der letzten Zählung, etwa zehn Millionen. In England ist es eine Kirche hauptsächlich der armen und bescheidenen Leute, in den oberen Klassen ist sie wenig verbreitet. Sie ist kein Wallfahrtsort für Pilger, Prinzen und Touristen, denn sie ist weder romantisch noch pittoresk; eine flache, etwas nüchterne Landschaft, aber ausserordentlich fruchtbar und fleissig angebaut. Die Zahl ihrer Anhänger hier zu Lande ist sicher auf drei und eine halbe Million anzuschlagen. Ihr Budget enthielt im Jahre 1876 folgende Ausgabeposten:

für auswärtige Mission ....3,000,000 Mark
für innere Mission.........................800,000 „
für Ausbildung von Geistlichen
in drei Colleges........................300,000 „
für Erziehung von Kindern der Geistlichen....450,000 „
für Kapellenbauten ....5,500,000 „

zusammen 10,050,000 Mark

„Das ist jedenfalls kein todter Glaube, der solche Werke thut", erwiderte ich. „Wie gross ist denn jetzt wohl die Zahl der Wesleyan Chapels in Grossbrittanien?"

„Man findet sie überall, namentlich in den grossen Städten", erwiderte Mr. L. „kürzlich las ich irgendwo ihre Zahl auf etwa dreizehntausend Kapellen und Betsäle berechnet".

„Nun wahrhaftig", unterbrach ich ihn. „Die Brüder Wesley können mit vollstem Rechte sagen:

„Es kann die Spur von meinen Erdetagen
Nicht in Aeonen untergehn!" —

„Ganz gewiss", bestätigte der Reverend, „der Austritt der Wesleys aus der englischen Kirche war ohne allen Zweifel die nachhaltigste und folgenreichste Bewegung, welche wir seit der Reformation durchgemacht haben". —

„Noch von einem anderen Pfarrer von St. Mary, der uns ebenfalls verlassen hat", fuhr er fort, „will ich Ihnen zum Schlusse erzählen. Fünfzehn Jahre hindurch stand er auf dieser Kanzel hier über uns, von 1828 bis 1843, und predigte mit unwiderstehlicher Logik das Credo der Kirche von England: der Doctor Newman. Seine ehemaligen Freunde und jetzigen Gegner halten ihn immer noch für einen der begabtesten und persönlich wirkungsvollsten Männer seines Zeitalters, obschon sie den abnormen Ausgang seiner theologischen Entwickelung tief beklagen. Allerdings konnten sich seine Erfolge niemals auch nur entfernt mit den Spuren messen, die John und Charles Wesley der Kirche so tief eingedrückt haben. Bekanntlich gehörte Newman vor fünf und vierzig Jahren zu den Führern der hochkirchlichen „Tractaten-Bewegung". Diese entwickelte sich zunächst streng dogmatisch gegen das protestantische Princip der freien Forschung und gegen die steigenden Reformbestrebungen der liberalen kirchlichen Partei. Die „Tractarians" vertraten mit Geist und Energie die göttliche Natur und

Autorität der Kirche. Zuletzt aber richteten sich diese Tractate auch gegen die neununddreissig Artikel unserer Kirche und wurden daher, mit der von Newman geschriebenen berühmten Nr. XC, durch die kirchlichen Oberen verboten. Ihn selbst führte diese Hochfluth von dem ursprünglichen, rationalistisch-calvinistischen Ausgangspunkte seiner Jugend, im Jahre 1845 bis nach Rom und in den Vatican".

„Es führt zwar nicht", unterbrach ich, „wie man wohl behauptet hat, ein jeder Weg nach Rom, dieser aber sehr leicht. Gewissen, schroff dogmatisch angelegten Köpfen und von Natur intoleranten Gemüthern erscheint schliesslich, im Wirbelsturme der Theologien, der ihnen den Leitstern des einfachen Christenthums verdunkelte, der absolute St. Petrus als der einzig sichere Steuermann, der sie in den ersehnten Hafen der Gewissheit — über das ewig Ungewisse — führen könne; — — bei Ihnen indessen noch häufiger als bei uns in Deutschland".

Der Reverend ging auf diese kleine polemische Schluss-bemerkung nicht weiter ein, sondern fuhr fort:

„Im Jahre 1834 als Vicar von St. Mary war Doctor Newman noch so correct staatskirchlich, dass er sich weigerte, eine junge Dame zu trauen, weil sie eine Baptistin und nicht orthodox nach den Vorschriften der englischen Kirche getauft war. Als er später übertrat, wurde er, wir hier verlautete, selber nochmals getauft »der Sicherheit wegen«. Schon in seiner Jugendzeit hiess der streitbare Theologe der „alte Löwe von Oriel College".

„Im vorigen Jahre (1878) sah er Oxford nach mehr als dreissig Jahren zum ersten Male wieder; sein ursprüngliches College „Trinity" hatte ihn zum Ehren-Fellow ernannt. Er besuchte auch seinen alten Streitgenossen im Tractatenkampfe, den Doctor Pusey. Dieser jedoch ist bekanntlich auf halbem Wege, noch innerhalb unserer Kirche, stehen geblieben und verwirft jetzt seine Nachkommenschaft, die Ritualisten, die aus seinen Lehren das Bedürfniss eines sinnlich ausgeführten und wirkungsvoll geschmückten Gottesdienstes ableiten".

„Nun ist der ehemalige Pfarrer der Universitätskirche von Oxford — römischer Cardinal!"

„Und wahrscheinlich ein »liberaler«, fügte ich hinzu „der im Conclave auf der »äussersten Linken« sitzt".

„Dem vorigen Papste Pius IX war er stets verdächtig", fuhr Mr. L. bestätigend fort; „er hatte sich erlaubt, in einer seiner bereits katholischen Schriften von „Mariolatrie" zu reden und Bedenken gegen die Moral des heiligen Alphons von Liguori zu äussern. Denn dieser jüngste und jetzt gewichtigste „Doctor Ecclesiae" lehrt bekanntlich die Zulässigkeit der Lüge und des Meineids. Nur mit knapper Noth entging Newman dafür dem Index. Man sieht: er ist eben, trotz alledem, ein Engländer und ein Gentleman geblieben; diese Zwei stecken ihm doch zu tief im Blute und solch eine angeborene Einseitigkeit schlägt dann immer wieder heraus und durchbricht den aufgesetzten päpstlichen Kosmopolitismus".

„Goethe sagt irgendwo", erwiderte ich — abermals meinem üblen Hange zum Citiren nachgebend —: „Was einem angehört, wird man nicht los, und wenn man es wegwürfe". Uebrigens verstehe ich sehr wohl, dass man sich in Rom scheuete, gegen einen Convertiten aufzutreten, der bei einer grossen Zahl gebildeter Engländer als hohe Autorität für geistliche Fragen galt und der — ansteckend wirkte. Sie erinnern sich wohl, was kürzlich Döllinger von Newman gesagt hat: »er ist ohne Zweifel die glänzendste und werthvollste Erwerbung, welche die römische Kirche seit der Reformation gemacht hat«. — Nun, wer weiss? die Reihe der römischen Heiligen ist noch nicht geschlossen; jedenfalls giebt es darunter manche, die es wahrhaftig weit weniger verdienten. — Aber man sieht doch wieder, dass es, trotz allen »sacrifici dell' intelletto« im Grunde unmöglich bleibt: das Selbstdenken völlig abzuthun, wenn wir es einmal von Jugend auf betrieben hatten — und nun gar so eifrig betrieben hatten und mit so hervorragenden Mitteln". — —

Draussen vor der Kirche empfing uns bereits die volle Mittagssonne eines in diesem Jahre seltenen klaren Junitages; die Strasse lag glänzend, aber still und leer vor uns.

Während wir noch im Schatten des hohen Zopfportales verweilten, sagte Mr. L., sich umschauend: „Nicht wahr, High Street sieht recht respectabel aus? und im ganzen macht es diesem Aussehen Ehre. In früheren Jahren ging es indessen mitunter auch laut und unfriedlich zu und namentlich die Stelle hier vor St. Mary's Kirche war häufig der Schauplatz heftiger Kämpfe zwischen »Gown und Town«".

»Zwischen Studenten und Knoten«, übersetzte ich in's heidelberger Deutsch; „ich kenne das aus Erfahrung, wir nannten das eine „Holzerei". Es setzte dabei oft blutige Köpfe".

„Hier in Oxford gab es mehr „schwarze und blaue Augen", denn diese „Riots" werden meistens kunstgemäss mit unserer nationalen Duellwaffe, der Faust, ausgefochten. In alten Zeiten schlug man sich jedoch nicht blos nach den Regeln „der edlen Kunst der Selbstvertheidigung", sondern in tödtlichem Ernst mit blanker Waffe.

So geschah es am 10. Februar 1354 am Feste der heiligen Scholastica. Einige Studenten, es waren Mitglieder der Landsmannschaft „Süd-Nation" und sie hassten demnach die „Schotten" und die „Welschen"; — also einige „Southerners" bummelten an diesem Feiertage Highstreet entlang. Unter ihnen sind die Namen von Walter de Springhouse, Will de la Hyde, David Stoke und Roger de Chesterfield der Nachwelt aufbewahrt worden. Sie trugen — vermuthlich wegen der Carnevalszeit — „bachische Masken" mit Hörnern, die aus dicken Wergperrücken hervorragten; an der Seite führten sie kurze gebogene Hirschfänger und einige hatten musikalische Instrumente mit sich: Dudelsäcke und Guitarren. Singend und spielend zogen die fidelen Brüder daher und fielen endlich dort hinten in Carfax — ein Quadrivium oder Vierort, wo die Kornmarktstrasse High durchschneidet — in eine Weinkneipe ein, genannt: der Swindlestock, bei John Croyden, etwa dort, wo jetzt das Wirthshaus zum Goldenen Kreuz steht. Sie liessen sich nieder, wurden bald guter Dinge und sangen unter Begleitung ihrer Instrumente folgendes uraltes Lied:

> „Mihi est propositum in taberna mori",
> „Vinum sit appositum morientis ori —".

„Das uralte Lied ist mir bekannt", fiel ich ein, „vor dreissig Jahren sangen wir es noch in Heidelberg. Es geht so weiter:

> „Ut dicant, cum venerint, angelorum chori:
> „Deus sit propitius huic potatori!"

„Ich kenne sogar eine Uebersetzung davon, die also lautet:.

> „Freunde hört! beschlossen ist's!' hier sterb' ich, in der Schänke;
> „Stellet dann zu Häupten mir 'nen Humpen mit Getränke,
> „Dass der Engel sel'ger Chor, findend mich beim Becher,
> „Singe: Herr! sieh gnädiglich auf den frommen Zecher! —"

Mein Zuhörer bewunderte gebührend die gelungene Uebertragung und fuhr dann in Prosa fort:

„Wirkten nun die schönen Gedanken über das baldige
selige Abscheiden zu kräftig erhebend oder lag es im schwindel-
haften Namen der Schenke — genug, der Wein behagte der
Gesellschaft bald nicht mehr, sie hiessen ihn „Krätzer" und
dann den Wirth einen „Schmierer". Dieser remonstrirte ent-
rüstet und, nachdem der aufrichtigen Worte genug gewechselt
waren, wollte man „endlich Thaten sehen": die flotten Bursche
machten kurzen Prozess und warfen dem Weinzapf ihre schweren
zinnernen Trinkkannen an den Kopf!

„Jetzt erwachte der gekränkte Bürgerstolz. Die Alarmhörner ertönten, die Glocken läuteten Sturm und eine der
furchtbarsten „Town und Gown" Schlachten, welche die Geschichte Oxfords kennt, hub an. Als es Abend wurde, hatte
Gown die Oberhand. Aber am anderen Morgen erhielt Town
Succurs aus den umliegenden Ortschaften, die Schlacht begann
von neuem und endete — wie die Chronik so poetisch schreibt: —
›um die Zeit, wo man die Zugochsen aus dem Joche spannt‹,
mit einer vollständigen Niederlage der Universität unter den
härteren Fäusten der Bauern. Die Studenten zählten vierzig
Todte, die „Philister" deren drei und zwanzig. So gross war
die Wuth der letzteren, dass sie, umgekehrt wie ihre Vorväter
einst dem Simson thaten, alle Cleriker, die in ihre Hände fielen,
skalpirten, soweit deren Tonsur reichte, während sie das
männliche Haupthaar verschonten. Es war jedoch für die Stadt
ein Pyrrhussieg. König Eduard III. hielt strenges Gericht. Er
belastete sie mit einer langen Reihe von Leistungen und Ab-
tretungen zu gunsten der Universität. Fortan bekam diese
auch die Strassen- und Marktpolizei. Zur Sühne für die drei
und sechzig Todten musste ferner der Mayor von Oxford mit
zwei und sechzig Bürgern jedes Jahr am Scholasticatage in der
Universitätskirche einer Seelenmesse für die vierzig gefallenen
Studenten beiwohnen und dazu vierzig Pfennige erlegen. Und
diese Demüthigung der besiegten Sieger erhielt sich bis in
unser Jahrhundert, abgesehen natürlich von der Todtenmesse".

„Das nenne ich historische Continuität!" erwiderte ich,
„und wie erlosch dieser ehrwürdige Gebrauch? —"

„Er wurde im Jahre 1825 aufgehoben, aber nur gegen einen,

von jedem neuen Mayor zu leistenden Eid, »dass die Stadt die alten Privilegien der Universität respectiren wolle«. Und diese allerletzte Spur der „Holzerei" von 1346 ist erst 1854 abgeschafft".

„Man sieht doch", bemerkte ich scherzend, „welch unberechenbares Unheil aus dem abscheulichen Weinschmieren entstehet; freilich hätte ich nicht gedacht, dass diese, angeblich moderne Industrie schon vor fünfhundert Jahren im soliden Oxford betrieben wäre".

„Aber", fügte ich hinzu, „ernstlich gesprochen, ich beneide Sie um den starken lebensfähigen Conservatismus, der sich auch in solchen, Jahrhunderte alten und noch lebenden Traditionen zeigt. Ja! ich beneide und beglückwünsche Sie aufrichtig darum: denn diese unzerrissene Continuität der Generationen und Jahrhunderte ist zweifellos eine der stärksten Wurzeln robuster und ausdauernder nationaler Gesundheit".

„Nun", erwiederte mein englischer Gastfreund, sichtlich angenehm durch meine Worte berührt, „unter Ihren Ansichten über England gefällt mir diese jedenfalls viel besser, als was Sie vorhin über unsere Neigung zum Convertitenthum andeuteten. Und, glauben Sie mir, alle diese nach Rom „Zurückkehrenden" sehen wir ohne Sorge für uns davonziehen, wenn auch nicht ohne Bedauern für sie selbst".

„Jetzt aber wollen wir die heisse Strasse überschreiten — und drüben im kühlen grünen Hofe von St. Mary Hall unseren gemeinschaftlichen Freund seinen Studien entführen".

V.

Englische Bildungsmittel zu Lande.
Cricket Match und Debattirslub.

In dem traulichen, gartenhaften Hofe von St. Mary Hall trat uns der Freund entgegen, den ich bereits in der Heimath kennen und schätzen gelernt hatte. Nach dem ersten herzlichen Händeschütteln sagte Mr. D., ebenfalls ein Reverend und einer der Tutors in der Hall:

„Wie bedaure ich es, dass Sie diesesmal nur einen Tag bei uns verweilen können; Oxford gewinnt wirklich bei näherer Bekanntschaft. Um so fleissiger wollen wir aber unseren einzigen Tag ausnützen. Was wollen Sie sehen? Ich zeige Ihnen unser weltbekanntes Ashmolean Museum, in dem Sie sich wochenlang mit Kunstwerken und Curiositäten unterhalten können. Oder wollen Sie in die Bodleian Library? Sie enthält jetzt etwa vierhunderttausend Bände. Kein Wunder; denn die Sammlung begann im Jahre 1320 und wird noch jetzt progressiv fortgeführt. Seit 1709 läuft von jedem in England gedruckten Buche ein Pflichtexemplar hier ein. Dieser jährliche Zuwachs allein beträgt sechstausend Bände, Dank unserer gesegneten literarischen Fruchtbarkeit". —

„Halten Sie ein", bat ich abwehrend, „Sie wissen, ich bin weder Kunstkenner noch Gelehrter; zeigen Sie mir das lebendige Oxford, verständlich für einfach menschliche Reisende und lassen wir Ihre todten Unsterblichen ruhen".

„Gut, lassen wir sie ruhen", beruhigte mich Mr. D. „Dann wollen wir zunächst unsere lebendige Jugend in ihren nationalen Spielen zu Lande und zu Wasser kennen lernen. Später essen wir in der grossen Hall von Christ Church College, wohin ich für Sie und mich zum heutigen Strangersday (Gasttage) von meinem Vetter, der dort Senior Student ist, eine Einladung erhalten habe und den Abend — werden wir wohl irgendwie in akademischer Weise beschliessen".

„Sehr gern", stimmte ich ein; „als alter heidelberger Corpsbursch habe ich über diesen letzten Punkt noch einige sachverständige Erinnerungen und werde also einer oxforder Studentenkneipe mit Nutzen und Interesse beiwohnen können"· „Hier in St. Mary Hall", fuhr Mr. D. fort, die freundlich anheimelnde Umgebung rund umher vorstellend, „kann ich Ihnen ausser diesem frischen grünen Höfchen nichts besonderes zeigen. Wir rechnen uns zwar, was das urkundliche Alter betrifft, zu den Vornehmsten in Oxford, denn wir sind noch eine der alten „Herbergen" aus der Jugendzeit der Universität. Im Stillen betrachten wir daher die meisten der reichen Colleges als Emporkömmlinge, denn unsere Geschichte als Pfarrhaus von St. Mary's Kirche beginnt 1229 und eine akademische Hall sind wir seit 1333. Leider! aber war, trotz dieser ehrwürdigen altersgrauen Erinnerungen, unsere Entwickelung nur bescheiden, und jetzt sind wir nicht viel mehr als ein Anhängsel, eine Art Lehnsmann von Oriel College. Sehen Sie sich unser Mutterhaus einmal äusserlich an, es ist der Mühe werth. Ich will unterdessen meinen Dienst als Tutor hier rasch erledigen, dann bin ich sogleich bei Ihnen".

Wir betraten jetzt Oriel Street, High Street den Rücken wendend, und standen bald auf einem kleinen unregelmässigen Platze vor der Strassenfront des Collegegebäudes. Ein origineller Anblick. Der fast dreieckige Platz ist eingefasst von alten verwetterten Giebelhäusern mit schiefen Dächern, hohen Schornsteinen, niedrigen Nebengebäuden. In der Mitte zwei windgebeugte Linden, die den einzigen hier sichtbaren lebenden Erscheinungen, dem Kutscher und Pferde eines Hansom Cab, nothdürftigen Schutz vor der Sonne gewährten.

Ueber dem Eingange des College fiel mir ein besonders grosses und stark hervortretendes Erkerfenster auf, in England „Oriel window" genannt.

„Gab vielleicht dieses stattliche Fenster dem College den Namen: Oriel?" fragte ich.

„Ich denke nicht", erwiderte Mr. L., „denn der Name

kommt schon im vierzehnten Jahrhundert vor, das Gebäude hier wurde erst um's Jahr 1820 aufgeführt. Die eigentliche Ableitung der sonderbaren Beziehung des College kennt niemand. Wir stehen hier wieder vor einem der Räthsel von Oxford; erinnern Sie sich noch der Ungethüme am Kreuzgange im Magdalen?" Einige rathen auf „Aul Royal", andere auf „oratoriolum", noch andere haben eine wohlthätige Dame „Alienore" ermittelt". —

Wir hatten inzwischen den Eingang durchschritten und standen der Nordseite eines viereckigen Hofes gegenüber: ein Prachtstück der englischen spätesten Gothik, schon gemischt mit dem Stile der Elisabethzeit, in welcher der Bau entstand. Das Gebäude ist einstöckig mit breiten Spitzbogenfenstern. Ueber dem niedrigen, aufgetreppten und bedeckten Portale stehen in Nischen die beiden Könige Eduard II. und III. als Stifter. Darüber die Jungfrau Maria, auf deren Namen als St. Mary's das College ursprünglich getauft wurde. Später erst schlich sich unvermerkt „Oriel" ein. Der hohe Giebel über der Nische der Muttergottes gehört schon völlig der Renaissance an. Eigentümlich sind die grossen, ovalen, mit sogenannten Eselsrücken abschliessenden Zinnen des Gesimses. Hoch über dem Dachfirste ragt zu unserer Rechten der imponirende Thurm der Chapel von Merton College empor. Der Stein auf den Mauerflächen des Hofes ist stark verwittert und giebt, wie eine edle Patina, dem Gebäude einen besonders alten echten Ton. — ·

Unsere andächtigen architektonischen Betrachtungen in dem stillen ungewöhnlich menschenleeren Hofe wurden durch unseren jungen Reverend aus St. Mary unterbrochen.

„Ich bin jetzt bereit, Sie abzulösen", sprach er, zum Freunde L. gewandt, „da ich weiss, dass Ihr Amt Sie ruft; unsern Fremden führe ich einstweilen weiter. Inzwischen ist es bereits zwei Uhr geworden und die Zeit drängt, wenn wir das grosse Cricket Match nicht versäumen wollen, welches heute auf den Merton Meadows zwischen Merton und Oriel College ausgefochten wird. Wie Sie sehen, ist hier bereits alles davon geflogen".

Demnach verabschiedete ich mich bis zum Abende von meinem Gastfreunde und wir eilten auf Richtwegen durch enge

17*

gewundene Gässchen vorwärts. So wirkte das heitere und
originelle Schauspiel doppelt überraschend, welches mich
empfing, als wir plötzlich am Eingange der grossartigen alten
Ulmenallee standen, die sich im Süden der Stadt vom Cherwell
zur Isis hinzieht. Wir fanden den hoch überwölbten schattigen
»Broad Walk von Christ Church« trotz seiner beträchtlichen
Breite von etwa funfzehn Metern, gefüllt mit einer lebhaft auf
und abwogenden Menge, welche mich hinderte, die ganze
Länge der Allee, mindestens fünfhundert Meter, mit einem
Blicke zu übersehen.

„Hier kommen Sie mitten in das High Life von Oxford",
flüsterte mir Mr. D. zu: „Da wir uns dem Schlusse des
akademischen Jahres nähern, der zu Anfang Juli eintritt, so
führt alte Sitte die schöne, die gelehrte und die bürgerliche
Welt Oxfords hier in dieser Stunde zusammen. Namentlich
sind bei günstigem Wetter die Seiden- und Sammttalare der
Professoren und der grossen Würdenträger der Colleges hier
stark vertreten".

Wir wandelten gemächlich vorwärts, schiebend und
geschoben, unter den uns umgebenden charakteristischen Gestalten, deren scharf ausgearbeitete Züge und friedlich würde-
volle Haltung das Gepräge der langjährigen getreuen Aus-
übung ihres gelehrten Berufes trugen. Erfreulicher Weise war
der, Ehrfurcht gebietende Grundton der schwarzen Chorröcke
hinreichend belebt durch die mannigfachen heiteren Frühlings-
farben der schönen und der respectablen weiblichen Welt von
Oxford. Jedoch die viereckige Trenchercap überwiegt und
bestimmt durch ihre ebene Gesammtoberfläche, nur überragt von
einzelnen schwarzen und weissen Cylinderhüten, den allgemeinen, sehr originellen Eindruck des Bildes.

„Wo sind denn aber die Studenten?" frug ich, „die
männliche Jugend ist hier ja ausserordentlich in der Minderheit".

„Treten wir dort rechts zwischen den Bäumen hinaus",
schlug Mr. D. vor, vielleicht finden wir sie". —

Vor uns lag ein ebener grüner Platz, der sich in
bedeutender Breite längs dem Broad Walk erstreckte und
jenseit dieser weiten Fläche bot sich wieder eines jener eigen-
artig schönen Bilder dar, an denen Oxford so reich ist. Eine
uralte graue Mauer fasst die grosse Rasenfläche auf der uns

gegenüberliegenden Langseite ein. Der massive verwitterte Steinwall ist mehrere Male unterbrochen von halbrunden niedrigen Thürmen und gekrönt mit dichtem alten geschnittenen Heckenwerke, über welchem die grossartigen Linien von Merton College sich in die Luft erheben.

Als eine der ältesten Gründungen, von 1264, zeigen die beiden uns zugekehrten langen Fronten das typische Bild des grossen altenglischen Hauses: stattliche, kräftig profilirte Giebeldächer und zwischen je zweien der hohe, nicht entstellende, sondern verzierende Schornstein. Der viereckige stumpfe, mit zahlreichen schlanken Fialen gekrönte Thurm der Collegechapel überragt das langgestreckte Gebäude. Im Hintergrunde erheben sich Oxfords überall sichtbare Wahrzeichen: der spitze Thurm von St. Mary the Virgin und die mächtige Kuppel der Radcliffe Library. Ihnen zur Rechten schliesst eine Gruppe breitästiger alter Cedern das prächtige Bild ab.

Auf dem saftig grünen, im hellen Sonnenschein glänzenden Rasengrunde vor uns herrschte das regste Leben. In der Mitte ein freier Raum von etwa 80 Metern im Geviert, abgesteckt durch bunte Fähnlein: die Arena des heutigen Cricket Match. Jenseit dieser Grenzzeichen dichte Gruppen von Zuschauern über die grüne Fläche hin vertheilt und gelagert. Das Spiel war bereits in lebhaftem Gange. Wir wählten unseren Standpunkt im Schatten einer hohen Ulme, zur Seite des hier aufgeschlagenen buntbewipfelten Zeltes. Ich suchte mich auf der weiten Ebene ein wenig zurecht zu finden und verfolgte einige Zeit die raschen Bewegungen der Spieler.

Dann bat ich: „Nun erklären Sie mir, aber kurz und fasslich, was hier vorgeht".

„Gern", erwiderte mein Führer, „ich werde versuchen, Sie in unser grosses Nationalspiel einzuweihen. Cricket wird von zwei Parteien gespielt; die normale Stärke der Theilnehmer auf jeder Seite ist: elf. Sie sehen wohl dort in der Mitte des freien Raumes die zwei Spieler, die sich auf eine Entfernung von etwa 20 Metern gegenüberstehen. Sie tragen, wie alle übrigen Theilnehmer, ein Flanellhemd, gleiche Beinkleider und einen Strohhut, alles in vorgeschriebenen Farben und Abzeichen; schwere mit Nägeln beschlagene Schuhe und dicke lederne

Handschuhe vollenden den Anzug. Jeder dieser beiden Kämpfer führt in der Hand eine breite flache Keule: Bat oder Schläger genannt. Etwa ein Meter hinter jedem stecken drei rundliche, wohl 80 Centimeter hohe Stäbe, Stumps, nebeneinander mit je 9 Centimetern Abstand. Auf je zweien von ihnen ruhet quer ein rundes kurzes Stäbchen, Bail genannt. Diese, aus gekreuzten Stäben gebildete Figur hiess cross-wicket (Kreuz-Pförtchen) und gab, in cr-icket zusammengezogen, dem Spiele den Namen. Diese Wickets zu vertheidigen ist die Aufgabe der beiden Batsmen oder Schläger. Beide gehören derselben Partei an, wie ihre Abzeichen kundgeben. Die übrigen neun Mitglieder dieser Seite bleiben einstweilen unthätig.

Die Gegenpartei spielt mit dem Ball. Ihre Aufgabe ist: mit diesem die Wickets umzuwerfen. Hiefür stellt sie zunächst zwei Ballwerfer, Bowlers. Jeder von diesen steht dem von ihm anzugreifenden Wicket auf etwa 20 Meter gegenüber und zwar etwa einen Meter rechts hinter dem gegenüberliegenden Gestecke, also beide Bowlers über's Kreuz.

Die übrigen Mitglieder der angreifenden, ballwerfenden Partei vertheilen sich nach bestimmten Regeln über den Cricketground, um den, in verschiedenen Richtungen davonfliegenden Ball möglichst rasch wieder in die Hände des Bowlers zu spielen.

Der Schläger, welcher das Wicket gegen den vom Bowler geworfenen Ball vertheidigt, sucht diesen zu treffen und vermittelst seiner Keule möglichst weit in das Feld hinaus zu treiben. Sobald der Ball weit genug entfernt ist, wechseln beide Schläger laufend ihre Plätze; einmal — wenn möglich: mehrere Male. Jeder Lauf zählt für sie einen „Point".

„Die Bowler und ihre Genossen suchen dagegen die Wickets umzuwerfen, denn der Vertheidiger jedes fallenden muss abtreten und scheidet einstweilen aus dem Spiele. Ausserdem aber ist es die Aufgabe der ballwerfenden Partei, durch geschicktes Zuwerfen und Fangen des Balles die beiden Batsmen im Laufen zu hindern".

„Beachten Sie einmal genauer die eigenthümliche Art, in welcher der Ball gegen die Wickets geschleudert wird. Es ist verboten, ihn im Bogen durch die Luft zu werfen, das wäre zu gefährlich für die Batsmen welche nur unten durch dicke lederne

Beinschienen geschützt sind. Trotzdem setzt es nicht selten schmerzhafte Treffer und auch wohl ernste Verletzungen. Denn der Ball ist aus Leder sehr fest gearbeitet, hart wie Stein und wiegt immerhin gegen fünfhundert Gramm. Der Ball wird daher geschleudert wie eine Kegelkugel, jedoch ohne den Boden zu berühren. Dieser Wurf in horizontaler rasanter Flugbahn erfordert viel Kraft und Geschick und begründet hauptsächlich den Ruhm und Erfolg des Cricketspielers".

Es war in der That ein fesselndes Bild. Mit welcher Spannung wird der Wurf erwartet! geht er fehl — allgemeines Gelächter; fährt er in's Wicket oder wird er durch einen wohlgezielten kräftigen Schlag abgewiesen — lauter Beifall und anhaltendes Händeklatschen. Gelingt den Schlägern ein kühner, fortgesetzter Lauf, trotz der behenden Anstrengungen der Gegner — lebhafte jubelnde Anerkennung. Wird das Wicket mit dem zu früh zurückgebrachten Ball umgeworfen und der zu langsame oder zu waghalsige Batsman findet es schon am Boden, so folgt Spott dem Schaden und die trockene Bemerkung des Gegners, der ihn auf die zerstreuten Hölzer mit ernster Miene hinweist: „Es scheint mir einige Unordnung in Ihrem Holzhofe zu herrschen", ist stets des allgemeinen beifälligen Gelächters der Zuschauer sicher. —

„Hier neben uns und vor dem Zelte, das zum An- und Auskleiden der Spieler dient", bemerkte Freund D., „stehen die beiden Unparteiischen, die Kampfrichter. Neben ihnen sehen Sie eine grosse, schwarze Tafel, auf dieser werden die Runs der beiden Parteien und die umgeworfenen Wickets notirt". —

„Over", rufen die Unparteiischen.

„Ist es zu Ende?" fragte ich.

„Nein", erwiderte D., „es sind jetzt von demselben Bowler vier Bälle auf das gegenüber stehende Wicket geworfen; nun tritt eine kurze Pause ein und die Spieler wechseln ihre Stellungen".

Jetzt ein neuer Wurf und Schlag! Die Batsmen laufen wieder, aber zu lange; die Gehilfen des Bowlers haben den Ball zurückgebracht, ehe der Schläger am Male war; jetzt ist er »out«, er muss abtreten und ein anderer von seiner Partei nimmt seinen Platz ein. Das Spiel gehet nun fort, bis zehn Mitglieder der Partei »out» geworden sind. Dieser Abschnitt heisst ein »Innings«

Alsdann wechseln die Rollen, die Werfer werden Schläger und
es handelt sich darum, sie ebenfalls »out« zu machen. Die
Zahlen der beiderseitigen Runs entscheiden endlich den Sieg.

Das ist die einfachste Partie, bestehend aus zwei Innings;
sie dauert, je nach Glück und Geschick, einige Stunden.

„Leider können wir den Schluss nicht erwarten", erklärte
mein Führer, nach der Uhr sehend, „wir müssen jetzt zum Wett-
rudern an die Gestade der Isis eilen".

Während wir die kühlen, schattigen Uferpfade des Cherwell entlang gingen, fuhr D. in seiner Vorlesung fort:

„Was wir gesehen haben, ist nur ein kleines, einfaches
Match. Es wird hier auf den Merton Meadows gespielt
zur Unterhaltung der feinen Welt von Oxford und weil
Merton College der Herausforderer ist. Der ernsthafte Cricket-
sport jedoch wird auf den Cricketgrounds geübt, die in der
Gegend liegen, wo Sie heute Magdalen College betraten. Dort
haben die meisten Colleges ihre Plätze und für einen Kenner
des edlen Spiels giebt es dort stets Unterhaltung. Denn, wie
Sie wissen, ist Cricket nicht etwa ein speciell akademischer
Sport. Jeder Knabe von acht Jahren ruhet nicht, ehe er nicht
seinen Ball und Schläger hat, die Schulen üben es, die grossen
Clubs und Gesellschaften spielen es, alle Stände betreiben es,
von den königlichen Prinzen durch Ober- und Unterhaus bis in
jedes Dorf hinab. Seine Geschichte verliert sich in das Dunkel
der Vergangenheit, seine Literatur ist reichhaltig. Es existirt
ein Codex der Cricketgesetze; grosse Principienfragen werden
von der Centralstelle des Cricketspiels, der Generalversammlung
des Marylebone Clubs in London, unfehlbar entschieden. Be-
achteten Sie wohl die Berichte in der Times während der
Cricketseason, von Mai bis September? Sie sind nicht minder fach-
männisch als das seltsame Rothwelsch der Rennberichte. Da
ficht Oxford gegen Cambridge, Yorkshire gegen Kent, Süd-
england gegen Nordengland. Es existirt ein ambulanter Club
von Gentlemen, die sich selbst »I Zingari« nennen, welcher
umherreist und Gastrollen giebt. Ebenso ziehen die berühmten
professionellen Spieler »All England Eleven« von Mai bis August
umher. Sie werden von Provinzialclubs eingeladen, die gegen
sie spielen und ihnen Honorar zahlen. Im Jahre 1861 gingen diese
»All England Eleven« nach Australien und spielten gegen die

achtzehn besten Spieler in Melbourne. Der Kampf dauerte vier Tage, die Elf siegten. Dann durchzogen sie Monate lang in fortwährenden Triumphen alle grosen Städte Australiens. — Auch bei jeder Kaserne finden Sie einen Cricketground. Kürzlich spielte die Household Brigade gegen die Division Aldershott in Chelsea. Auf beiden Seiten fochten Stabsoffiziere, Corporale und Gemeine Schulter an Schulter. Auf dem Plateau von Sebastopol spielten unsere Soldaten Cricket unter dem begleitenden Donner der russischen Geschütze".

„Ich danke Ihnen aufrichtig", versicherte ich, „dass Sie mich hierher brachten. Alle nationalen Eigenthümlichkeiten sind ja dem Fremden vorzugsweise interessant. Besonders aber erfreute mich das Aussehen der Jugend, die wir soeben in Thätigkeit sahen. So frisch, leicht und kräftig, nachlässig und entschlossen, ruhig und keck ist die Haltung. Die ganze Erscheinung dieser jungen Leute ist aristokratisch im besten Sinne des Wortes. Aber! — jetzt kommt doch ein „Aber" — meinen Sie nicht, dass diese Spiele und daneben noch die sogenannten „athletischen Sports": Werfen, Rennen, Springen u. s. w., ausserordentlich zeitraubend sind? Der jetzige kurze »Summerterm« dürfte daneben wohl in den Studien wenig Früchte tragen".

„Allerdings", entgegnete Freund D., „aber wir halten dennoch diese Zeit für wohl angewandt. Schon Lord Chesterfield sagt: „active sports are not to be reckoned idleness in young people". Wir wollen unsere jungen Leute hier nicht zu vollkommenen Philologen und Fachgelehrten oder zu jungen Beamten, fertig für das Staatsexamen, machen. Einige Lücken im Wissen des einzelnen halten wir daher für kein Unglück, denn — nicht wahr? — sie alle schon auf der Universität und in diesem jugendlichen Alter ausfüllen zu wollen, wäre doch etwas verfrüht? Der letzte Zweck unserer Erziehung ist vielmehr: unserer Jugend die Fähigkeit zum selbständigen Auftreten und Handeln im öffentlichen Leben beizubringen. „Lass Dein erstes Studium sein", so etwa predigte einer unserer grössten Pädagogen, der Dr. Arnold, seinen Schülern, „der Welt zu zeigen, dass Du nicht von Holz und Stroh bist, sondern dass etwas Eisen in Dir steckt". — Da ich, nach meiner hiesigen Universitätszeit fast ein Jahr in Göttingen lebte und in späteren

Ferien noch häufig auf dem Continente war, so weiss ich wohl, dass diese Erziehung ein gut Theil unserer insularen eckigen Schärfe und Einseitigkeit, unserer übel berufenen Selbst — — schätzung ausbildet, jedenfalls sie nicht abschleift. Diese englische „Steifheit" wirkt allerdings auf Fremde anfangs nicht gerade anziehend; später erkennt man dann wohl den meistens echten, soliden, zuverlässigen Kern unter der rauhen und harten Schale. — Aber, was schadet das alles uns selbst? Wir wollen ja gar nicht internationale, intellectuell und universell abgeschliffene Individuen sein und ausbilden, sondern sittliche, christliche, vor allem: englische Gentlemen. Wir arbeiten deshalb auf ein historisch nationales Ziel hin: jeder junge Mann soll dazu erzogen werden: in die Reihen der erwachsenen Engländer, wie sie nun einmal sind, einzutreten mit dem Bewusstsein der grossen Vorzüge, die ihm durch die Zugehörigkeit zu unserer Nation und zu unserer Kirche erwachsen".

„Diese Anpassung des studentischen an das öffentliche, politische und kirchliche Leben des Landes zeigt sich in dem ganzen hiesigen Thun und Treiben, wie die Studenten es sich selbst geschaffen haben, in ihren Vergnügungen wie in ihren ernsteren Bestrebungen. Ganz besonders schlagend tritt diese Nachbildung in einem der bedeutendsten und merkwürdigsten akademischen Institute, der „Oxford Union Society", zu Tage. Diese Gesellschaft ist zunächst ein grosser literarischer Universitätsclub. Sie finden dort sechs oder sieben geräumige Lesezimmer für die verschiedene Zweige unserer und der ausländischen Literatur; eine reich ausgestattete Bibliothek, Schreibzimmer, Kaffe- und Rauchzimmer. Alles dieses ist sehr stattlich, aber es ist nicht einzig in seiner Art, es ist auch anderswo zu finden. Die besondere Eigenthümlichkeit dieser Union ist das »Debattirzimmer«. Denken Sie sich einen hallenartigen Raum, 16 Meter hoch, 21 Meter lang und 11 Meter breit. Die innere Einrichtung dieses Raumes entspricht möglichst genau der Ihnen bekannten Ansicht des Unterhauses in Westminsterpalace: in der Mitte der »Tisch des Hauses«, zu beiden Langseiten aufsteigende Bankreihen, darüber thront an der Stelle des „Mr. Speaker", hier der Präsident. Rund um den Saal läuft eine Gallerie für die Zuhörer".

„Einmal wöchentlich, leider nicht heute, hält der Debattirclub hier seine Sitzung. Die Verhandlungen verlaufen vollständig in den Formen unseres Parlamentes. Die Gegenstände der Tagesordnung reflectiren stets das jeweilige öffentliche Tagesinteresse im Lande. Man redet über die irische Kirche, die Rinderpest, den Suezkanal, über das richtige Verhalten der einheimischen Regierung zum schlechten Erntewetter und über die Politik der indischen Regierung gegenüber dem Rajah von Bamgungewollah der, unter Missachtung der heiligsten Satzungen des Völkerrechtes, den englischen Unterthanen Messrs. Brown und Jones ihre Rechnungen nicht bezahlen will. Kurz, man redet über alles mögliche — und nebenher noch über verschiedene andere Dinge".

„Es ist wirklich originell, diese jungen Cannings und Gladstones an der Arbeit zu sehen; zu hören, mit welch jugendlicher Schnellfertigkeit des Wortes sie die grossen Lebensfragen der Nation lösen, über welche die gereiften Staatsmänner Englands stolpern und häufig — fallen. Die Debatten sind selbstverständlich viel lebhafter als in Westminster, denn der Mangel an positiver Sachkenntniss befördert bekanntlich die Unbefangenheit des Urtheils, nicht minder auch die Sicherheit und Schwungkraft des Gedankenfluges. Natürlich laufen viele schönrednerische Phrasen und viele confuse Argumente unter; die besten der letzteren sind noch immer diejenigen, welche aus dem neuesten Leitartikel eines extremen Blattes entlehnt wurden. Aber diese Fechtübungen gewähren eine ausgezeichnete Schulung: sie geben die Gewöhnung und Sicherheit frei zu reden und zwar vor einer grossen gemischten Zuhörerschaft, die, in Beziehung auf Mängel in der Form, keineswegs nachsichtig ist, sondern den unglücklichen stockenden und stammelnden Demosthenes baldigst erbarmungslos niederhustet".

„Der Club besteht bereits seit dem Jahre 1823. Anfangs war er der Behörde bedenklich und man nahm verschiedene Anläufe, um ihn zu schliessen. Jetzt ist er völlig gleichberechtigt in die Reihe der akademischen Bildungsmittel aufgenommen. Im Jahre 1873 feierte er sein fünfzigjähriges Jubiläum; dazu erschien eine lange Reihe bedeutender und hochstehender Männer, alte Oxonians, die sich mit Dankbarkeit des werthvollen „Trainings" erinnerten, das sie hier genossen hatten und das sich ihnen später im öffentlichen Leben so förderlich erwies".

„Ich bedauere aufrichtig", konnte ich nur erwidern, „dass ich mich für dieses Mal mit Ihrer anziehenden Schilderung begnügen muss. Der Debattirclub gefällt mir sehr; er füllt in praktischer Weise eine Lücke aus, die ich in unserer deutschen Erziehung für das öffentliche Leben stets schmerzlich vermisst habe — an mir selber wie an anderen, besseren Männern. Bei uns schreibt man durchgängig immer noch viel leichter und gewandter als man spricht. Daher kommt es, dass so häufig in unserem politischen Leben praktischere Kräfte und reifere Köpfe gegen gewisse doctrinäre parlamentarische Klopffechter zurückstehen müssen, deren Gedanken oft recht — leicht bei einander wohnen".

„Sie sehen, lieber Freund", fuhr ich fort, „ich habe für England und englisches Wesen ein reichliches Maass von Anerkennung. Trotzdem aber dürfen Sie nicht, wenn ich Ihren Auseinandersetzungen über die Principien der englischen Erziehung bis jetzt ruhig gefolgt bin, daraus meine unbedingte Zustimmung ableiten. Erlauben Sie mir also jetzt, Ihrer, doch etwas zu einseitigen Betonung des nationalen Elementes, vom Standpunkte meiner deutschen, universell humanistischen Bildung aus ein weniges entgegen zu treten:

„In Deutschland nämlich — — —"

Zu meinem grössten Bedauern wurde hier meine Gegenrede, schon in ihrem Beginnen, abgeschnitten durch ein neues anziehendes Bild aus dem oxforder Leben.

VI.

Englische Bildungsmittel zu Wasser.
Ein Bumping Race.

Wir hatten uns während jener Rede ohne Gegenrede dem Punkte genähert, wo der Cherwell sich mit der Isis vereinigt. Zwischen beiden Flüsschen breiten sich die grossartigen baumreichen Christ-Church Meadows; wir durchschnitten diese, um an die ausgedehnte Niederlassung zu gelangen, die hier, von Follybridge bis zum Einflusse des Cherwell, am linken Ufer der Isis den Hafen von Oxford bildet.

Je mehr wir uns dem Ufer näherten, desto lebhafter wurde der Andrang der mit uns zuströmenden Menschen. Die tiefer liegende Wasserfläche der schmalen Isis war noch verdeckt durch eine lange Reihe, längs dem Ufer liegender, flacher, breiter, schwerfälliger Barken, nicht unähnlich den Archen Noah, welche auf den Werften von Nürnberg vom Stapel laufen. Das Mitteldeck ist mit einer niedrigen Holzhütte überbaut. Etwa im Centrum der Aufstellung liegt die grösste Barke, über alle anderen weit hervorragend; sie trägt einen stattlichen verglasten Oberbau, ähnlich denen unserer Rheindampfer. Am hohen Maste wehet eine stolze Flagge mit dem Wappen der Universität, im blauen Felde ein offenes goldenes Buch mit sieben Siegeln. Auf den beiden Blättern steht: Der Herr ist — Mein Licht.

Längs dem Ufer ziehet sich ein breiter von Ulmen beschatteter Kai hin, heute bedeckt mit Gruppen schaulustiger Spaziergänger, unter denen hier die jungen, hübschen und heiteren Zuschauerinnen die erfreuliche Mehrzahl bilden.

„Lassen sie uns auf jene grösste Barke hinübergehen"
schlug Mr. D. vor, als wir auf dem hölzernen Uferbollwerk
standen, „sie ist das Hauptquartier des „Oxford United Boating
Club". Die kleinen Barken aufwärts und abwärts, gehören
den einzelnen Colleges oder den verschiedenen Bootvermiethern.
Es liegen hier wohl gegen fünfzig Stück — Von hieraus
können sie den Fluss, auf und ab, am besten übersehen".

Und wirklich, er war des Sehens werth! Die lang ge-
streckte Wasserfläche wimmelte von Booten und Schiffchen
jeder Art; schwere kleine trogähnliche Zweiruderer, Tubs genannt,
für die Anfänger; lange schmale Wiffs und Scullingboats mit
vertieftem Sitze, der Schwerpunkt so schwankend dass sie nur
durch beständiges Ruhen der flachen Ruder zu beiden Seiten
auf dem Wasser vor sofortigem Umschlagen bewahrt werden
können; grössere Fahrzeuge für zwei und vier Ruderer; kleine
Segelboote; breite flache kleine Schauken (Punts), die mit einer
langen Stange fortgestossen werden. Alles trieb sich fröhlich
durcheinander und ich bewunderte die Geschicklichkeit wie den
guten Willen der Insassen, die sich auf der schmalen Strasse
ohne jedes Anrennen oder „Rempeln" auswichen.

Plötzlich stieben alle auseinander, um die Bahn frei zu
machen, denn ein mächtiger Achtruderer schiesst von einer
der Collegebarken in den Strom. Ein schmales sehr scharfes
Schiff, etwa 70 Ctm. breit und über 20 Meter lang. Bemannt
ist es mit acht Ruderern, die, hinter einander sitzend, jeder einen
langen schmalen Riemen führen. Ihnen gegenüber sitzt ein
neunter Mann am Stern, der Coxswain, und regiert vermittelst
zweier Stricke das, wohl drei Meter von ihm entfernte Steuer
am Ende der hinteren Spitze.

„Das ist Brazenose", rief D. „blau und weiss gestreifte
Jerseys (Flanelljacken) mit gelber Einfassung. Am Bugspriet
wehet die Collegeflagge".

Das Boot stand einen Augenblick im Wasser still, dann
gab der Vorruderer (Stroke, Schlag) das Zeichen und im gleichmässigen Tacte fuhr das schneidige Fahrzeug stromabwärts.

„Die anderen Boote werden bereits unten sein", bemerkte
Mr. D. und das „Bumping Race" wird gleich beginnen".

„Bitte, was wird beginnen?" fragte ich, überrascht durch

diesen mir neuen nautischen Ausdruck, dessen energischer Klang mich wahrhaft erfrischte.

„Ja so", lachte er, „das bedarf allerdings der Erläuterung;. es ist eine unserer berechtigtsten oxforder Eigenthümlichkeiten. Also: in jedem College bestehet ein Ruderclub; dieser besetzt vor allem einen Achtruderer, wie Sie ihn eben sahen, mit seinen besten „Männern". Kräftige Füchse werden zunächst im Tub, dann im Zwei-und Vierruderer gedrillt, bis sie im nächsten Frühjahre im Stande sind, mit einem Achtruderer in den „Torpid Races" der Juniors mitzugehen. Aus diesen Recruten werden dann die besten auserwählt, um die Lücken im Achtruderer des College zu besetzen, die kräftigsten Arme kommen an die Riemen, ein leichter aber gewandter Mann an das Steuer. Nun folgt das „Coaching" dieser Acht nach den strengen Grundsätzen der edlen Kunst und jetzt, gegen das Ende des ›Summerterm‹ der von Pfingsten bis zum Anfange des Juli läuft, finden die grossen Races statt, durch welche festgestellt wird: welches der Colleges „auf dem Flusse an der Spitze stehet". Und zwar ›an der Spitze‹ im strengsten Wortsinne. Denn der schmale Fluss ˙erlaubt, wie Sie bemerken, keine breite, sondern nur eine tiefe Aufstellung der langen Boote. Wie das gemacht wird, sollen Sie sogleich selbst sehen. Inzwischen will ich suchen mit meiner Vorlesung schleunigst zu Ende zu kommen".

„Sämmtliche Ruderclubs der einzelnen Colleges sind nur Unterabtheilungen des „Vereinigten Universitäts-Ruderclubs", der hier auf dieser grossen Barke residirt. In ihm concentrirt sich die Leitung der gesammten „aquatischen" Interessen und Bestrebungen der Universität. Natürlich begreift er in seinem Vorstande die bewährtesten Autoritäten des Rudersports und ihm liegt vor allem die grosse nationale Aufgabe ob: diejenigen Acht auszuwählen und zusammenzustellen, welche im Universitäts-boote der „Varsity" die weltberühmte Wettfahrt gegen die Universität Cambridge, das „Wasser Derby", weiter abwärts auf der Themse zwischen Putney und Mortlake, auszufechten haben". — „Sie wissen ja, wie dort Hunderttausende von Zuschauern sich versammeln; alles strömt hinaus: zu Wagen, zu Pferde, mit den Bahnen, auf unzähligen Dampfern. Und wenn nicht der Himmel so ist doch jedenfalls an diesem Tage die ganze

Landschaft blau: Kleider, Cravatten und Schleifen an Menschen, Pferden und Peitschen; Flaggen auf den Schiffen; dunkelblau für Oxford, hellblau für Cambridge. Von der leidenschaftlichen Erregung, welche dort meine sonst so gefassten kühlen Landsleute ergreift, kann man sich nur aus eigener Theilnahme einen Begriff machen. Aber auch schon wochenlang vorher wird die Einübung, das »Coaching«, der Eight unter ihrem professionellen Trainer mit dem gespanntesten Interesse verfolgt. Ein technisch gebildeter Berichterstatter giebt in der Times an jedem Tage eine genaue kritische Mittheilung darüber: was die Acht heute geleistet haben, wieviel Ruderschläge in der Minute, ob der Takt fest und gleichmässig war, ob die Ruder noch zu stark unter dem Wasser „federten", ob nach dem Durchziehen des Ruders die Arme wieder rasch genug die Brust verliessen — und endlich: die Abnahme des Gewichtes bei einem jeden: ob nur fünf oder schon sechs Pfund in den letzten vierzehn Tagen. Dadurch erhält das Publikum, welches selbst im schlechtesten Wetter den täglichen Uebungen in der Nähe von Hampton Court und Richmond beiwohnt, schon im voraus die genauesten Anhaltspunkte für die Berechnung der Wetten".

So ist es denn ohne Zweifel eine hohe Auszeichnung, zu den „Varsity Eight" zu gehören, aber sie wird auch theuer erkauft. Monate lange, unausgesetzte, systematisch gesteigerte Abrichtung geht voraus, bei rauhem Wetter im Februar und März. Während dieser Zeit grosse Mässigkeit im Essen, keine Fettbildner; kein Rauchen und kein Alkohol; dadurch würde der Athem leiden. Nach genauen Regeln wird so die möglichst vollkommene Rudermaschine ausgebildet. Die Wissenschaften stehen während dieser Zeit nicht minder zurück als die Vergnügungen, überhaupt alle anderen Interessen sind absorbirt. Der Varsity Mann bringt willig jedes Opfer, dessen ein entschlossener Wille und ein enthusiastischer Ehrgeiz fähig ist, um die höchste Ehre für seine Universität zu gewinnen".

„Ich selbst bin nicht zu dieser hohen Würde gelangt; nur zum Coxswain meines Collegebootes berief mich mein leichtes Gewicht, denn dieses soll 112 Pfund nicht übersteigen, während das Durchschnittsgewicht eines „Oarsman" zu etwa 150 Pfund angenommen wird". —

Hier wurden wir durch einen entfernten Kanonenschuss,

von stromabwärts her, unterbrochen, dem eine gemeinsame
Bewegung aller Zuschauer nach dem Strande des Ufers zu
folgte. Dann trat plötzliche Stille ein und alle Blicke wandten
sich stromabwärts.

„Was Sie hier sehen werden, ist folgendes", flüsterte D.
mir zu, augenscheinlich selbst ergriffen von der Bedeutung des
Momentes; „wir stehen also vor einem „Bumping Race"; das
ist schwer zu übersetzen, vielleicht wäre ein „Rempel-Rennen"
keine schlechte Bezeichnung dafür. Es findet nämlich ein nie
erlöschender Wettstreit statt, um die Stellung der Collegeboote
auf dem Flusse. Ein jedes strebt unaufhörlich, in der Reihenfolge aufzurücken und an die Spitze zu gelangen. Um
diesen Kampf aller gegen alle auszufechten, werden die
etwa 20 ‘Meter langen Boote in einem Abstande von je
20 Metern, also von Bootslänge, hinter einander aufgestellt,
und es gilt dann für jedes einzelne Collegeboot: diesen Abstand
zu gewinnen und dem vorauf eilenden Vorderboote so nahe
zu kommen, dass man es im Stern, hinten am Steuer, anrennt,
„bumpt oder rempelt". Das so geschlagene Boot verliert seinen
Platz und muss sich hintenan setzen oder erscheint auch wohl
während desselben Terms gar nicht mehr auf dem Flusse.
Uebrigens sind jetzt die »Collegeachter« in zwei Divisionen
getheilt, da, wenn sämmtliche Boote zugleich liefen, die Bahn
für das vorderste zu kurz werden würde. Heute werden sieben
oder acht Boote beim Start erschienen sein, jedoch das allgemeine Interesse concentrirt sich auf den Kampf zwischen
Brasenose, welches jetzt an der Spitze stehet, und meinem alten
College „New", das durch seinen ausgezeichneten Vorruderer
Mr. Robinson rasch bis in die zweite Stelle vorgerückt ist.
Der Brazenose Stroke, Mr. Marriot ist jedoch nicht minder
gross an seinem Platze; beide waren im diesjährigen Varsity-
Boote und dort Nebenbuhler um den Ehrensitz Nr. 8, den des
Vorruderers. Sie werden also jedenfalls heute eine Leistung
sehen, bei welcher beide Parteien alle Kräfte zusammennehmen".

Inzwischen erhob sich, stromabwärts ein murmelndes
Geräusch zusammentönender Menschenstimmen, es lief dem
Ufer entlang, wuchs und wuchs, und schwoll endlich zu lautem
Brausen hinauf als das erste Boot, das von Brazenose, hinter

einer sanften Biegung des Ufers hervorschoss und sich mit Pfeilgeschwindigkeit näherte; ihm folgte in ganz kurzem Abstande das zweite Boot, dasjenige von New. Die Mannschaft trug weisse Jerseys mit Violet und Orange eingefasst und das Boot führte dieselben Farben in der Flagge am Bugspriet.

„New ist bereits bedeutend aufgerückt", bemerkte mein Nachbar, ohne den gespannten Blick von den Schiffen abzuwenden, „wohl schon um ein Drittel des Abstandes".

Jetzt konnte auch ich die Einzelheiten des Vorganges unterscheiden, denn die Boote flogen rasch heran. Mit vollkommenster Regelmässigkeit bewegten sich die Ruderer vor- und rückwärts, strichen die Riemen durch das Wasser, etwa 35 Schläge in der Minute, dabei kein Ueberhasten, Rucken und Plätschern. Immer lauter schwollen die Zurufe, immer erregter wurden die Zuschauer. Und so ergreifend war selbst für den unbetheiligten und sachunkundigen Fremden die Spannung des Augenblicks, so unwillkürlich ansteckend die Theilnahme an dieser Leistung jugendlicher männlicher Energie und Geschicklichkeit, dass auch ich mit schnelleren Herzschlägen der nahenden Entscheidung entgegensah. Die Boote waren nun beinahe vor uns angelangt und die Ueberlegenheit von New wurde augenscheinlich. Nur noch ein Drittel Bootslänge trennte beide Kämpfer, immer fester legten die Mannschaften sich in die Riemen, als ob der letzte Athemzug, die letzte Muskelspannung nicht zu theuer wären für das grosse Ziel.

Da — war es nun, dass die Brazenose Männer die beim Rudern rückwärts blickten, ihr herannahendes Schicksal erkannten und, dadurch entmuthigt, instinctiv nachliessen — plötzlich, wie von einer neuen, unsichtbaren hilfreichen Kraft gestossen, sprang New in wenigen Ruderschlägen gegen Brazenose vor und versetzte ihm durch eine geschickte Bewegung des Steuermannes einen streifenden Stoss am äussersten Ende des Sterns, so stark, dass beide Boote schwankten und in drehende Bewegung geriethen! — —

Ungeheurer brausender Jubel von allen Seiten füllte die Luft; New war also dennoch »an die Spitze« gelangt und die grosse Frage, die schon seit Wochen Oxford in Bewegung erhalten hatte, war entschieden. Die Leistungen der nachfolgenden Boote blieben daneben von der grossen Masse der Zuschauer unbeachtet und nur die Schiedsrichter erfuhren, was zwischen ihnen vorgegangen war. —

„Nachher wollen wir uns die Sieger in der Nähe ansehen", sagte mein Führer, „wenn sie sich in ihrer Barke umgekleidet haben; lassen Sie uns inzwischen noch einen Blick hier in die grosse Hütte der Universitätsbarke werfen". ·

Wir traten in ein geräumiges, mit allem Comfort ausgestattetes Lesezimmer. Der mittlere grosse Tisch war ringsum mit schweigenden lesenden Gentlemen besetzt, andere lagen auf den schmalen, gepolsterten Bänken unter den Fenstern und betrachteten mit unverwüstlichem Ernste die stets wechselnden heiteren Bilder des Lebens und Treibens auf dem Flusse.

„Hier also tagt der hohe Rath", erklärte mein Führer, „ausserdem ist dieser Raum ein sehr beliebtes und gut ausgestattetes Clublocal. Hier arbeitet der Generalstab die Feldzugspläne gegen die »Cantabs« aus, deren Ergebnisse für Sieger wie Besiegte stets gleich ehrenvoll sind. Bis jetzt spielte das Zünglein der Waage ziemlich gleichmässig hin und her. Siebenzehn Male hat Oxford gesiegt, ebenso oft Cambridge. Vor zwei Jahren (1877) war ein todtes Rennen. Den ruhmvollsten Sieg erfochten die Oxonians ohne Zweifel im Jahre 1843. Eines ihrer Ruder brach und dennoch kamen sie zuerst durch's Ziel. Sehen Sie hier diesen Armstuhl, er ist aus dem Holze des siegreichen Bootes gemacht. Die Rücklehne besteht aus den Blättern der sieben Ruder. — Alle diese Bilder an den Wänden sind Porträits berühmter »Oarsmen".

Mein Blick fiel auf zwei grosse Sèvresvasen von besonderer Schönheit.

„Es ist ein Preis, den Oxford im Jahre 1867 mit seinem Vierruderer auf der Seine bei Paris gewann. Er vertritt eigentlich einen doppelten Sieg, denn diese internationalen Lorbeeren liessen unsere Vettern in Amerika nicht schlafen. Noch in demselben Jahre erhielt Oxford eine Herausforderung von der Universität Harward in den Vereinigten Staaten. Zwei Jahre dauerten die Verhandlungen; der 27. August 1869 war der grosse Tag, an dem das Race auf der classischen Arena zwischen Mortlake und Putney vor einer Million Menschen gerudert wurde, über 6 Kilometer in 22 Minuten 50 Secunden. Oxford siegte nach sehr hartem Kampfe; der Start fand um

18*

276   *Ein Tag in Oxford.*

5 Uhr 14 Minuten Nachmittags statt; vor 6 Uhr schon flog das Siegestelegramm »hinüber«".

Als wir wieder hinaustraten, war der Fluss bereits leer geworden, nur einzelne Boote mit fröhlicher Damengesellschaft gingen noch langsam auf und ab.

„Worin besteht der Preis", fragte ich, „um den die Achter der Colleges kämpfen; ich meine: das äussere sichtbare Zeichen des Sieges?"

„Es ist ein Ehrenpreis", erwiderte D., „Am Montage in der letzten Woche des »Summerterm«, der festlichen »Commemoration Week«, stellt sich das siegreiche Boot hier längs der Universitätsbarke auf und alle andere salutiren des „Head boat« im Vorbeifahren".

Inzwischen war die Mannschaft von New herangekommen und mein Freund, ein ehemaliger Student des College, beglückwünschte sie über den Sieg. Freude und Befriedigung strahlte aus den frischen, noch gerötheten jungen Gesichtern. Zu meiner Ueberraschung begrüsste mich der Coxswain als alter Bekannter, er war der Sohn einer mir befreundeten englischen Familie.

„Ich wusste zwar, dass Sie kommen würden", sagte er, „habe aber nicht erwartet, Sie heute an dieser Stelle zu treffen. Da Sie nun Zeuge unseres Sieges waren, müssen Sie auch den Schluss des heutigen Festes mit uns erleben und unser Gast beim »Bumping Supper« sein. Mr. D., unser alter Coxswain, kommt hoffentlich mit Ihnen".

Wir nahmen dankend an und schieden schleunigst, denn mein Führer mahnte an die nahende Essensstunde. Rasch eilte ich nach Hause, mich festlich zu kleiden; an der »High Table« von Christ Church Hall erscheint man, wenn nicht im Gown, stets im »Evening Dress«, das heisst: Frack und weisse Halsbinde.

Während wir gingen, kam Mr. D. nochmals auf unsere Erlebnisse am heutigen Tage zurück.

„Es ist wahr", gab er, auf meinen früheren Vorhalt zurückkommend, nachträglich zu, „der kurze »Summerterm« von knapp zwei Monaten geht in den Sports zu Wasser und zu Lande, in anderen Unterhaltungen der schönen Jahreszeit und endlich in den Festesfreuden der »Commemoration« so ziemlich auf. Aber wir Lehrer bedauern das nicht, denn diese Sports gehören zu den nothwendigen Elementen einer vollendeten englischen Erziehung. Der natürliche Hang zu körperlichen Kraftleistungen und zu einem bewegten Leben, namentlich auf dem Wasser, liegt uns im Blute. Das ist zugleich angelsächsische und normannische Erbschaft. Das Wasser ist ja eines der wesentlichsten Momente in der gesammten Entwicklung Englands; es giebt uns unsere unabhängige, insulare Stellung; zugleich bildet das befreundete Element in uns ein abgeschlossenes Selbstvertrauen aus und den frischen, männlichen Sinn, den Sie selbst an unserer Jugend gelobt haben. — Ich könnte immerhin einräumen, dass Ihre jungen Leute im allgemeinen Wissen voraus sind, aber ich behaupte: unsere Erziehung ist wirksamer, sie giebt eine bessere Ausrüstung für das Können im Leben".

„Vielleicht", erwiderte ich, „haben Sie in Ihren letzten Worten nicht so ganz Unrecht. — Unwillkürlich reihet sich bei mir hieran eine Beobachtung, die mich verfolgt hat seit ich mich in England umsehe, nämlich: die so sehr geringe Anzahl der Brillenträger in den hiesigen höheren Ständen. — Jedenfalls ist ein Volk, welches Muth, Kraft und Ausdauer so national ausbildet, in seinem Kern gesund; es ist berechtigt: an seine eigene Zukunft zu glauben. — Deshalb aber kann auch Ihre Pädagogik nicht von anderen Nationen einfach nachgeahmt werden, denn die Vordersätze ihres Systems liegen in Ihrem festgefugten öffentlichen Leben und in der glücklichen Entwickelung Ihrer Geschichte. Wir Deutschen sind zwar als „Römisches Reich deutscher Nation" bereits über tausend Jahre alt; aber Sie wissen ja:

> „Das liebe heil'ge Röm'sche Reich.
> Wie hält's nur noch zusammen?"

Als lebendiger Staat sind wir noch sehr jung und noch sehr unfertig. Bedenken Sie nur, dass noch in diesem Jahrhunderte unsere Staats-Kunstschnitzer Deutschland glücklich bis zum »geographischen Begriffe« erniedrigt hatten, zum Hohn und Spott aller unserer uneigennützigen, wohlwollenden Freunde und lieben Nachbarn rechts und links! — Es fehlt uns dadurch noch eine wesentliche Eigenschaft: das unbewusste, zweifellose, angeborene Staatsbewusstsein. Allerdings erscheint unser Nationalgefühl in der gegenwärtigen Generation schon bedeutend gehoben, aber diese Hebung hat sich wesentlich auf dem

Umwege der Reflexion vollzogen, und zahlreiche achtbare Gruppen meiner Landsleute stehen noch verständnisslos oder schmollend bei Seite. Erst unseren Kindern wird — so hoffe und vertraue ich wenigstens — dieser nothwendige Kitt angeboren sein, bei ihnen wird das Nationalgefühl naiv und unbewusst auftreten. Uns Aelteren ist es verkümmert und verkrüppelt hinter den leidigen gelb-grünen und grau-braunen Grenzpfählen!"

„Indessen", fuhr ich nach diesem Bekenntnisse fort, „Eines ist mir doch immer noch nicht ganz begreiflich in Ihrem akademischen Bildungsgange. Sie haben $4\frac{1}{2}$ Monate Ferien, der „Summerterm" umfasst 2 Monate und ist wesentlich den Sports und dem Leben im Freien gewidmet. Dann müssen aber doch Ihre Studenten in den übrigen knappen 6 Monaten ganz übermässig angestrengt arbeiten, um in dieser Zeit das condensirte Jahrespensum zu bewältigen und zu verdauen, für welches unsere Universitäten, auch während dreier Jahre 8—9 Monate jährlich bedürfen und verwenden?"

Freund D. lachte über meine pedantische Hartnäckigkeit, verschob es aber einstweilen, diese mir unbegreifliche concentrirte Verdauungsfähigkeit des jungen Englands zu erläutern, denn jetzt durchschritten wir den tiefen gewölbten Eingang unter dem berühmten alten Glockenthurm von Christ Church und traten in den prächtigen ersten Hof, dieses vornehmsten aller englischen Colleges, den „Great Tom Quadrangle".

VII.

Dinner in Christ Church Hall.

Der grossartige Hof eines grossartigen burgähnlichen Palastes! Ueber neunzig Meter im Geviert. Vor uns die lange Front zeigt eine der reichsten und vornehmsten Schöpfungen des Tudorstils. Zwei Stockwerke; die hohen Zinnenbrüstungen des Gesimses verbergen das flache Dach, nur die Schornsteinbündel treten hervor. Im oberen Stocke sehen wir einen völlig freien Wechsel der verschiedenartigsten viereckigen Fenster: einfach, gekuppelt, übereinander gestellt, je nach dem Bedürfnisse der inneren Eintheilung. Alle tragen den charakteristischen Ueberschlagsims, die sogenannte Traufleiste, die sich vorspringend um die obere Hälfte des Fensters zieht und, ursprünglich zur Ableitung des Regenwassers vorgerichtet, ein so eigenthümlicher edler Schmuck für die Fronten des gothischen Profanbaues in England geworden ist.

Im Erdgeschosse finden wir Fenster und Thüren nicht minder in völlig ungebundener Anordnung. Zwei grössere Bogenportale bezeichnen den Eingang zur Kathedrale, deren spitzer achteckiger Thurm auf reichem viereckigen Unterbau herüberragt. Auf dem südlichen Winkel des Hofes lagert ein schwerer würfelförmiger gezinnter Glocken-Thurm, oben mit zierlichen Fialen und kräftigen achteckigen, ebenfalls gezinnten Eckpfeilern geschmückt.

Unsere Aufmerksamkeit wird zunächst durch die weitgespannten gedrückten Tudor-Blendbogen gefesselt, die den ganzen grossen Hof umlaufen. Es sind die Ansätze des Kreuzganges, der den Hof einfassen sollte und nie zur Ausführung gelangte.

„Diese Blendbogen erzählen die Geschichte der Gründung des „College", bemerkte Freund D. „Ursprünglich (1525) war es eine Stiftung, in welcher der allmächtige Lord Kanzler Heinrichs VIII., der Cardinal Wolsey sich verewigen wollte. Es war im Beginn unserer Reformation und geistliches Gut stand ihm reichlich zur Verfügung. Das neue College wurde mit dem Vermögen von vierzig aufgehobenen Klöstern und Stiftungen ausgestattet. Noch jetzt ist Christ Church der Patron von neunzig Pfarren in allen Theilen Englands. Ehe jedoch das grosse Werk vollendet war, fiel der allmächtige Minister, weil er die Partei der verstossenen Königin Katharina von Aragonien ergriff, und der Bau hier gerieth in's Stocken. Später nahm der König selbst die Sache in die Hand; er verband das unfertige »Cardinal's College« mit der bischöflichen Kathedrale und so entstand das jetzige grossartigste aller englischen Colleges: »The Cathedral Church of Christ in Oxford'«. Der Kreuzgang des Cardinals aber blieb unausgeführt".

Während wir uns an der Spiegelung der edlen Architectur in dem kleinen klaren Weiher vor uns ergötzten, der die Mitte des weiten mit schönen Grasflächen bedeckten Hofes bildet, ertönte aus dem Flügel zu unserer Rechten das energische anhaltende Geläut einer tiefen kräftigen Glocke.

„Das erste Zeichen zum Dinner", erklärte mein Führer. „Sehen Sie hier rechts diesen höheren langgestreckten Bau mit den breiten gestabten Fenstern, schon im Perpendikulärstile; das Dach ist beinahe überreich mit Zinnen nnd Fialen geschmückt. Dort ist die grosse Hall von Christ Church, die grösste in England nach der weltberühmten Westminster Hall".

„Machen wir jetzt rasch noch eine zweite Vierteldrehung rechts, dem Eingange zu. Sie müssen nothwendig dem „Great Tom" Ihren Respect bezeugen, denn er ist einer der „Löwen" von Oxford. — Wie sie sehen, hat der hohe Thurm vor uns seinen Abschluss erst sehr spät erhalten, erst durch Sir Christopher Wren, den Erbauer der St. Pauls Kathedrale zu London, im Jahre 1682; daher die hässliche längliche Zwiebelkuppel, die seine Spitze verunziert. Aber seine eigentliche Berühmtheit steckt drinnen, nämlich seine grosse Glocke, der „Great Tom". Wir Leute von Oxford sind sehr stolz auf

unseren ehernen Riesen, obgleich derselbe in der Reihe seiner
Brüder nach seinem Gewichte erst Nr. 31 zählt, er wiegt
17,5 Centner. Die Kaiserglocke in Cöln hält, wie man mir dort
sagte, 50 Centner, und nimmt den siebenten Platz ein. „Great
Tom" existirt seit dem Jahre 1200, aber er feierte seitdem
bereits mehrere Auferstehungen. Fünfmal wurde er umge-
gossen, zuletzt im Jahre 1680. Jetzt trägt er die Aufschrift:
„Magnus Thomas Clusius Oxoniensis, renatus, April 8, 1680".
    „Verzeihen Sie mein lückenhaft gewordenes Latein", unter-
brach ich, „aber was heisst: Clusius Oxoniensis?"
    „Ich glaube nicht", erwiderte mein gelehrter Freund, „dass
es ciceronianisch ist; es soll heissen: der Thorschliesser von
Oxford. An jedem Abende nämlich um 9 Uhr 5 Minuten
ertönen vom Tom 101 Glockenschläge, das Zeichen für das
Schliessen sämmtlicher Aussenthüren des College. Tom giebt
101 Schläge, weil ursprünglich das College stiftungsmässig aus
101 Mitgliedern bestand; jetzt sind deren weniger; es wurde
also ein jeder persönlich zur Pünktlichkeit und Häuslichkeit
ermahnt".
    „Wie Sie heute den Tag über gesehen und noch mehr
gehört haben, ist Oxford reichlich mit Glocken ausgestattet
und macht von ihnen einen höchst ausgiebigen Gebrauch. Das
Geläute geht fast ununterbrochen fort von Morgens bis Abends.
Die Christ Church Glocken jedoch sind von allen die
populärsten; selbst das Volkslied beschäftigt sich mit ihnen.
Ich erinnere mich, wenn ich sie läuten höre, stets eines alten
Liedchens, das meine Grossmutter uns Kindern gern vorsang.
Es geht so:

> Hört die lieben Christ Church Glocken:
> 1, 2, 3, 4, 5, 6;
> So wundertief, so wunderhell,
> Wie sie so lustig rufen und locken
> Hört! das erste — das zweite Läuten!
> Um Vier und um Zehn, was mag es bedeuten?
> „Kommt, kommt, kommt zum Gebete schnell!"
> Und vor dem Dean schreitet ernst der Pedell.

> Tingle, Tingle Ting! geht die kleine Glock um Acht,
> Sie ruft in alle Schenken: „jetzt Feierabend gemacht!"
> Doch, zum Teufel, kein Mann
> Lässt im Stich seine Kann
> Bis ihn ruft der gewaltige Tom. —

„Die alte Melodie — — —"

Ein zweites energisches Geläut aus der Hall unterbrach uns.

„Kommen Sie", schloss D. rasch sein Lied von der Glocke, „es ist das letzte Zeichen zum Dinner. Seien auch wir pünktlich, damit Sie den Verlauf des originellen Vorganges von Anfang an erleben. Ich kann Sie jetzt nicht mehr durch jenes östliche Thor führen in den zweiten Hof, den Peckwater Quadrangle. Dort steht die grosse Bibliothek im Paladiostile. Jenes Thor hat übrigens einen üblen Ruf wegen der gefährlichen Zugluft, die darin herrscht und heisst auch „the Kill-Canon" der „Domherrn Tod". Gehen wir also jetzt hinein, mein Vetter erwartet uns bereits in der Hall".

Wir stiegen die breite Terrasse hinan, die den „Tom Quad" rings umläuft, und betraten durch ein hohes Bogenthor den südlichen breiten Glockenthurm. Ueberrascht blieb ich stehen, gefesselt durch die Grossartigkeit des Raumes, der uns hier aufnahm. In seiner Mitte steigt ein schlanker Bündelpfeiler vor uns wohl dreissig Meter zur Decke empor. Oben breitet der Pfeiler sich in reichgemustertem zierlichen fächerartigen Schwunge auseinander und trägt das ganze Gewölbe des Treppenhauses. Nach jeder der vier Wände strebt von ihm aus ein riesiger flacher Tudorbogen zur Mauer hin. Aus jeder Ecke steigen die Gewölbansätze ebenfalls in schwellender Bewegung fächerartig empor und stossen, gleich Palmenkronen aufwachsend, oben in der Kappe in Halbkreisen zusammen. Zwischen diesen liegen die Füllungen einer grossen zierlichen Rosette, deren Schlussstein sich wiederum traubenartig senkt. Eine kolossal breite und schwere Streintreppe führt in zwei Absätzen um den Mittelpfeiler herum und hinauf zum Eingang der Hall.

„Wahrhaftig, das ist die reichste und anmuthigste Blüthe der decorativen Fächerwölbung, die ich noch gesehen habe", rief ich bewundernd aus, indem wir langsam, ich mit andächtig aufwärts gewandten Augen, emporstiegen, „wie phantastisch und dabei doch welch klarre harmonischer Rhythmus".

„Dieses Treppenhaus", stimmte mein Führer ein, „ist eine der edelsten Früchte, welche die Spät- oder richtiger noch, die Nachgothik in England hervorgebracht hat, denn dieser selten schöne Bau stammt aus dem Jahre 1640, als im übrigen Europa schon längst die Spätrenaissance herrschte".

Am oberen Ende der Treppe öffnete sich uns eine tiefe, mächtige Flügelthür und ich stand am Eingange der berühmten Hall von Christ Church; das grossartigste Refectorium in dem an gothischen Hallen so reichen England. Jedoch war jetzt nicht der Augenblick, mich staunend in die imposanten Schönheiten rund um mich und über mir zu vertiefen. Freund D. schob mich vorwärts. Wir schritten einen breiten mittleren Gang hinauf zwischen vier Reihen langer Tafeln hindurch, die bereits von hungrigen Tischgenossen umstanden wurden. Am entgegengesetzten oberen Ende der Hall zeigte sich eine Estrade, auf welcher an einer langen Quertafel etwa 30 Plätze gedeckt waren. Hier gesellten wir uns zu den bereits versammelten Mitgliedern des College im schwarzen Gown und einigen eingeladenen Gästen in feierlichem „Evening Dress". Rasch wurde ich dem Dean vorgestellt, der bereits, mit einem gewichtigen altehrwürdigen hölzernen Hammer in der Hand, am oberen Ende des Tisches stand. Alsbald gab er einige laute Schläge auf die Tafel; allgemeine achtungsvolle Stille. Einer der Studenten, ein „Bible Clerk" trat an das Betpult in der Mitte des breiten Ganges und sprach oder las der, mit entblösstem Haupte gesammelt dastehenden Tischgesellschaft ein lateinisches Gebet, von dessen Inhalte mir nur der Anfang im Gedächtnisse hangen geblieben ist: »Benedictus benedicat, per Jesum Christum dominum nostrum — — —« Darauf nahmen sämmtliche hungrige Anwesende ihre Plätze ein „und sie erhoben die Hände zum lecker bereiteten Mahle".

„Welche Suppe wünschen Sie?" fragte mein Wirth, ein „Senior Student" von Christ Church, indem er mir das Menü vorlegte. „Man wählt hier aus jedem Gange eines der verschiedenen Gerichte, welches dann sofort gebracht wird. Also zunächst

Suppe: Oxtail oder Mulligatowny?"

Der letztere Name reizte mich.

„Oxtail ist mir bekannt, ich bitte um Mulligatowny".

Es war, dem äusseren Ansehn nach, eine etwas fette Bouillon mit Reis. Ich probirte herzhaft und ein heftiges Brennen im Gaumen belehrte mich über das wirksame Ingrediens dieser anscheinend so unschuldigen Flüssigkeit. Es war, dem innern Wesen nach, eine concentrirte Lösung von Curry in Bouillon. Mit Vorsicht ass ich weiter und war dankbar für den vortrefflichen alten Sherry, der wie ein linderndes Wundwasser den heftigen Brand des indischen Pfeffers allgemach wieder linderte.

Jetzt gewann ich Zeit, die Tafel etwas näher zu betrachten. Ihre Ausschmückung war, nach unseren Begriffen, ziemlich dürftig und nüchtern; keine Aufsätze und Dessertschalen in der völlig kahlen Mitte, ringsum nur einige sehr grosse alte silberne Salzfässer und einige Ständer für Senf, Pfeffer und die Saucen. Zu meiner Verwunderung sah ich weder Tischwein in Krystallflaschen auf der Tafel noch die gewohnte Glasgarnitur vor meinem Platze; mein Sherryglas, stets frisch gefüllt, blieb einstweilen einsam; später wurde die Leere etwas durch silberne Tankards (Seidel mit Henkeln) ausgefüllt. Dagegen prangte der Reichthum des Collegesilbers auf einem hohen Büffet, welches in der Nische des grossen Erkerfensters hinter dem Platze des Dean stand. Silberne Schüsseln und Präsentirbretter, Spülgefässe, hohe Kannen und bauchige Flaschen glänzten mir von dort entgegen. Alles von besonderer Schwere und in alterthümlichen Formen; die Verzierungen, in Masken und Festons mehr oder weniger an Motive der Renaissance erinnernd.

Nachdem ich das flüssige indische Feuer glücklich gelöscht hatte, kam unter dem entfernten Suppenteller ein Untersatz zum Vorschein, von derselben Grösse und etwa zwei Fingerbreiten hoch, aus blankgeputztem Zinn. Ich berührte ihn zufällig, zog aber rasch meine unvorsichtigen Finger zurück: es war wiederum Feuer! 'Der hohle Untersatz war mit kochendem Wasser gefüllt, um jeden nachfolgenden Teller schnell zu erwärmen. Auf der einen Seite dieses Wärmers lagen mehrere kolossale silberne Gabeln, auf der anderen mehrere Messer gleichen Wuchses in dem allgemein verbreiteten Muschelmuster, das wir als »Queens Patern« kennen. —

Der weitere Verlauf des Menüs war nun folgender:

Fisch: Steinbutt, Makrele, Kabeljau — in Wasser gekocht und von den nationalen riesigen ungesalzenen Wasserkartoffeln begleitet. Einem jeden Gaste bleibt es überlassen, sich das

Gericht mit Salz sowie mit Worcester- oder Anchovissauce zu würzen.

Entrées: Leber mit gerösteten Schnitten von Dörrfleisch, Hummerpastetchen, Devilled Kiddneys (ein stark gepfeffertes Nierenragout); dazu Schnittbohnen in Wasser gekocht, zu denen man Salz und frische Tafelbutter nach Belieben fügt, und zur Auswahl Wirsingkohl, ebenfalls nur in Wasser gekocht und allerdings etwas recht fade.

Joints: Roastbeef mit Yorkshire Pudding, letzterer ein dicker Pfannkuchen, der zugleich mit dem, am Spiesse, vor einem verticalen Kohlenfeuer bratenden Fleische und unter demselben gebacken wird, so dass die herabträufelnde Brühe den Pudding durchtränkt; sehr empfehlenswerth. Daneben Lammbraten, der „Sadle" (Ziemer) eines einjährigen Thieres, so gross, rosig und fett, wie ich ihm nur in meinen heimathlichen Seemarschen begegnet war. Hiezu eine „Tunke" von gehacktem Pfeffermünzkraut, eine nationale Lieblingsspeise, dem Fremden aber doch wohl etwas officinell schmeckend.

Braten: Puter, junge Gänse, Hühner; dazu ein kräftiger Selleriesalat.

Süsse Speise: kleine Törtchen, gefüllt mit den in England ausserordentlich geschätzten schwarzen Johannisbeeren; Rhubarb Pie, eine feste gebackene Kruste und in dieser ein Compotte von jungen Rhabarberschösslingen, deren fein säuerlicher Geschmack demjenigen gekochter unreifer Stachelbeeren ähnelt.

Rechtzeitig war bereits mit dem Fische jedem Gaste eine Pinte „Bitter", eignes Gebräu des College, in einem schweren silbernen Tankard vorgesetzt worden. Sobald ich meine etwas ermatteten Lebensgeister hiedurch aufgefrischt hatte, wandte ich mich dem Schauspiele vor und unter mir zu. Mein freundlicher Gastgeber, der Senior Student, bemühete sich sofort meinem Auge als Führer zu dienen.

„Ich sehe", begann er, „dass Sie das reiche zierliche Sprengwerk bewundern, das die Hall deckt: es ist von altem fast schwarzem irischen Eichenholze gemacht und stehet an Kühnheit der Construction und an Kunst der Arbeit nur der Westminster Hall nach. Jedoch sind die Dimensionen hier um ein gutes Drittel kleiner; unsere Hall ist vierzig Meter lang, vier-

zehn Meter breit und achtzehn Meter hoch. Die grossen ge-
stabten Fenster im oberen Theile der Wandmauern, an den
Langseiten und hier über uns, zeichnen sich durch ihr schönes
Masswerk aus. Die untere Hälfte der Wände ist getäfelt; an
dem Karniesse, der die Täfelung oben abschliesst, sehen Sie
eine ausserordentlich schön und üppig geschnitzte Guirlande.
Darunter laufen Schilde ringsum, welche die verschiedenen
Wappen des Cardinals Wolsey und des Königs Heinrichs VIII.
vorführen. Wie Sie wohl schon wissen, waren Beide die
Stifter des College. Diese Hall ist 1529 vollendet, in demselben
Jahre, in dem Wolsey gestürzt wurde. Hier über uns haben
wir die beiden Portraits von Hans Holbein dem Jüngeren.
Noch viele andere Meister sind hier durch die einundsiebzig
Portraitbilder von Wohlthätern oder ausgezeichneten Mitgliedern
des College, welche die Hall ringsum zieren, glänzend vertreten:
Vandyk, Kneller, Sir Joshua Reynolds, Mengs, Hogarth, Sir
Thomas Lawrence und andere".

Mein Blick fiel auf das grosse farbenprächtige Erkerfenster
zu unserer Rechten über dem Silberbüffet.

„Das Fenster ist neu" erläuterte mein Wirth, „es ist vom
Subdean Clerke im Jahre 1867 gestiftet zu Ehren des Prinzen
von Wales und des Kronprinzen von Dänemark, die beide
als Mitglieder des College hier studirten. In der Mitte des
Fensters sehen Sie die Federn des Prinzen von Wales mit dem
berühmten Motto ›Ich dien‹. Bekanntlich entstammen diese
Federn und dieses Motto dem Helm des blinden-Königs Johann
von Böhmen, der in der Schlacht von Crecy (1346) erschlagen
wurde; sein Helm fiel als Beute dem ›schwarzen Prinzen‹ zu".

„Heizen Sie im Winter diese mächtige Halle mit jenen
vier schwarzen Marmorcaminen?" fragte ich bedenklich.

„Allerdings ist Feuer darin, aber mehr zur Decoration,
weil es freundlicher aussieht; die Heizung geschieht jetzt durch
heisses Wasser; die frühere Generation hatte sicherlich entweder höhere Blutwärme oder — trug beim Dinner solide Pelze".

Ich überblickte mit Interesse das belebte Bild der vier
langen Tischreihen, besetzt mit eifrig schmausender Jugend.
„Sie müssen hier sehr zahlreich sein", fragte ich „nach der Menge
der Anwesenden zu schliessen".

„Ja", erwiderte der Senior Student, „wir bilden hier beinahe eine kleine Universität für uns. Das Capitel unserer Kathedrale bestehet aus dem Dean mit sechzigtausend Mark, und sechs Canons mit je dreissigtausend Mark Einkommen. Wir Senior Students oder Fellows sind unser achtundzwanzig, jeder hat etwa viertausend Mark jährlich; die Junior Students, eine Art von Stipendiaten, sind zweiundfünfzig, sie erhalten etwa zweitausend Mark. Ausserdem hat jeder eine geräumige Wohnung. Unsere Tutors, zu denen ich ebenfalls gehöre, werden mit fünf bis acht Tausend Mark honorirt, und die Lecturers, Privatlehrer in Specialfächern, erhalten je nach Angebot und Nachfrage dreitausend bis achtzehntausend Mark. Wir haben hier etwa zweihundert und fünfzig Studenten, die Sie dort unten vor sich sehen. Die jährliche Gesammteinnahme von Christ Church College wird nicht viel unter zwei Millionen Mark geschätzt.

„Indessen", unterbrach mein Wirth sich selbst, „ich störe Sie durch meine Statistik im Studium Ihrer »Devilled Kidneys". Meine Zahlen sind trocken, diese Nieren gut gepfeffert. Beides macht Durst. Ich möchte Ihnen deshalb einen anderen Trunk empfehlen, der hier sehr beliebt und im ganzen Süden von England ein Nationalgetränk ist".

Ich nahm unbesehens dankbar an und rasch stand vor mir ein geräumiger, schwerer, silberner Humpen, gefüllt mit einer weingelben klaren Flüssigkeit. „Es ist ein „Cider-Cup", ermuthigte mich mein Wirth, „ein gewürzter Apfelwein; die Würze besteht hauptsächlich in Borretsch".

Ich kostete das Getränk und es war kühl und flüssig, übrigens allerdings etwas allzu „national" für eine moderne Bordeaux- und Moselweinzunge. Indessen der interessante altväterische Typus des Trankes half bei redlichem Willen über manches hinweg.

Zwischen dem Trinken betrachtete ich meinen Humpen. Es war alte getriebene Arbeit, ein prächtiges solides Urväterstück: reiche Blumen, Festons und verschiedenartige originelle Masken. Rundum lief ein Spruch der allen, die es angeht, nachstehende weise Lehre ertheilt:

„Trink, lieber Herr, mit Mässigkeit
Und nicht aus trunkner Gierigkeit;
Schöpfst dann aus der Gesundheit Born,
Vermeidest Zungenstreit und Zorn".

Als ich die Reihe meiner Mitgäste entlang blickte, stand
vor jedem Platze ein ähnlicher schöner, alter Tankard.
„Ihr reiches College", bemerkte ich, „hat augenscheinlich
einen grossen Silberschatz".

„Leider besitzen wir nur noch so viel als in den letzten
zweihundert Jahren angeschafft und geschenkt worden ist; denn
in den unglücklichen Kämpfen Karls I. gegen das Parlament,
in denen Oxford treu und standhaft zum Könige hielt, wurde
fast alles Silber der Colleges dem Könige zum Einschmelzen
dargebracht. Es waren etwa zwanzig Centner, von denen
Christ Church beinahe zwei lieferte. Der König liess daraus
die „Exsurgat"-Münzen schlagen, so benannt nach ihrer Umschrift:
„Exsurgat Deus, dissipentur inimici" (Möge Gott sich erheben
und seine Feinde zerstreuet werden.) Diese Münzen sind jetzt
sehr gesucht und theuer, wir tragen sie hier gern an den Uhren
wie man anderswo auf alte Georgithaler Jagd macht. Denn wir in
Oxford und namentlich wir hier in Christ Church waren von
jeher sehr conservativ und royalistisch gesinnt. Fast alle
unsere Monarchen liebten auch wieder Oxford, hoben und
beschützten es auf alle Weise, ehrten besonders Christ Church
und hielten sich gern bei uns auf. Die Good Queen Bess war,
zum Beispiel, so oft und so lange hier, dass die Ehrenausgabe
für ihre verschiedenen Besuche schliesslich für sämmtliche
Colleges zusammen auf etwa hundert und fünfzigtausend Mark
anschwoll. Während sie hier in dieser Hall speiste, wurde ihr
eine eigenthümliche Tafelmusik gemacht: verschiedene Studenten
hielten eine Art von Turnier vor ihr ab, nämlich theologische
Disputationen, in denen selbstverständlich die orthodoxe Ansicht
der englischen Kirche obsiegte".

„Im Jahre 1621 wurde Jakob I. hier königlich bewirthet.
Ein Senior Student, Barton Holliday, hatte dafür ein Festspiel
geschrieben: „Technogamia" oder „die Vermählung der Künste".
„War nun das Stück zu gelehrt", so berichtet der wahrhafte
Chronist des College „oder waren die Schauspieler bereits zu
betrunken, genug: Se. Majestät wünschte mehrere Male sich
zurückzuziehen und blieb nur auf dringendes Bitten bis zum
Schlusse, um die „Students" nicht zu entmuthigen. Uebrigens", fährt
die Chronik fort, „erkannte man allgemein an, dass weder Pointe
noch Schneide, weder Sinn (ausgenommen Unsinn) noch sonst etwas

in dem Stücke sei". Am Schlusse dieser bündigen Kritik steht folgendes hübsche Epigramm:

„In Christ Church gab man vor dem König: „Die Vermählung".
Im Wunsch, die Spieler nach Verdienst belohnt zu sehn,
Wollt' Majestät geruhn — so lautet die Erzählung —
Zweimal, dreimal sogar — schleunigst hinaus zu gehn".

„Ein grosser Ehrentag", fuhr mein liebenswürdiger Wirth fort — — — — —

VIII.

Common Room und Kathedrale.

„Ein grosser Ehrentag", fuhr mein liebenswürdiger Wirth
fort — — —

„Verzeihen Sie", unterbrach ich, auf einen der uns zunächst
stehenden unteren Tische weisend, „aber dort geht, wie mir
scheint, etwas Ausserordentliches vor. Jene jungen Herren
sind besonders heiter, sie lachen viel und trinken mit unge-
wöhnlichem Eifer aus einem ungewöhnlich grossen Humpen, der
Reih' um geht".

„Es wird dort wohl jemand gestraft „sconced" sein", erklärte
mein Wirth. „Jeder Tisch hat seinen President, der die Tisch-
regeln handhabt und auf Anstand hält. Zu diesen gehört
namentlich, dass kein „shop" geredet werden darf. Hiezu
rechnet man alle professionellen Gespräche, also hier auch
lateinische und griechische Citate, ferner pointelose, sogenannte
faule Witze und das, was Sie „Kalauer" nennen. Wer nun des
„shop talking" überwiesen ist, wird zum „Cup" verurtheilt.
Das ist, wie Sie sehen, ein grosser Humpen, ein oder mehrere
Male gefüllt mit mehreren Litern Bier. Dem Sünder wird dieses
Trankopfer auf die Rechnung gesetzt, dafür darf er aber auch
zuerst aus dem Cup trinken. Natürlich sucht er einen möglichst
tiefen Zug zu thun, um seinen Schaden, soweit thunlich, wieder
einzubringen. Das möchten nun die anderen verhindern und
daher der fröhliche Lärm". —

„Nun also", lenkte der Senior Student wieder in sein Thema
ein, „der grosse Ehrentag, von dem ich soeben erzählen wollte,
fand am 14. Juni 1814 statt. Damals speisten hier in der Hall
neunhundert Personen; hier an der auserwählten High table auf

unseren Stühlen sassen: der Prinz Regent, der Kaiser von Russland, der König von Preussen; Fürst Metternich, Blücher und Wellington. Der alte Blücher, dessen Gesundheit getrunken wurde, hielt einen „speech" in seinem originellen Deutsch mit seiner mächtigen volltönenden Stimme, der Prinz Regent selbst übersetzte sofort die Rede. Abends war auf den Meadows ein prachtvolles Feuerwerk vorbereitet, das aber leider, wie so manches hier zu Lande, vollständig verregnete. Die vorgenannten allerhöchsten und berühmten Personen wurden dann sämmtlich zu Doctoren der Rechte, D. C. L. ernannt". —

In diesem Augenblicke gebot, nachdem die riesigen Käse die Runde gemacht hatten, der schwere Hammer des Deans wiederum Stille; der Bible Clerk trat an das Betpult und sprach das Gracias, welches abermals begann mit „Benedicto benedicamur". — Die Tische lichteten sich rasch, nur das Biergericht über den armen Shopsprecher sass noch mit Einziehung der Strafe beschäftigt. Auch die Genossen der High Table zogen in geschlossenen Reihen davon, ohne weitere Abschiedsförmlichkeiten.

Ich blickte fragend auf Freund D.

„Es ist hier Sitte", erklärte er, mir zu Hilfe kommend, „das Dessert in einem anderen Raum einzunehmen, dem Common Room, wo die Fellows und sonstigen Würdenträger ganz unter sich sind. Kein Undergraduate darf in dieses geheiligte Gemach eindringen".

Wir folgten der Tischgesellschaft und betraten einen grossen Raum mit kassettirter Holzdecke, an den Wänden Getäfel und über ihm dunkelgrüne Ledertapeten. An der einen Langseite ein manneshoher altenglischer Marmorkamin. Einige lebensgrosse ältere Portraitbilder hochwürdiger geistlicher Herren in schwarzen schweren Holzrahmen unterbrachen die weiten Wandflächen. Das Ideal eines comfortablen Clubzimmers.

In der Mitte des hohen saalartigen Raumes stand ein mächtiger alter Esstisch von spiegelblankem fast schwarzen Mahagoniholze, ringsum geräumige Armstühle. Auf ein Zeichen des Präsidenten liessen sich alle nieder. Der Tisch selbst war mit hohen silbernen Dessertschalen besetzt, darin trockene Früchte, Kuchen und vor allem verzuckerte Ingwerknollen. Ein würdevoller Buttler (Haushofmeister) stellte vor jeden

19*

Gast drei tüchtige Weingläser. Vor dem Präsidenten erschien auf der Tafel ein geräumiger solid gebauter silberner Lastwagen, der drei weitbäuchige geschlossene Krystallflaschen mit silbernen Beschlägen und Deckeln trug. Ein jeder dieser drei „Decanters" führt an silberner Kette ein Brustschild, wie ehemals die baierischen Offiziere. Auch hier sind die Zierrathe zugleich Standesabzeichen, denn wir lesen darauf: Sherry Port Claret. Da ich zufällig rechts neben dem Präsidenten sass, so schob er, der Sitte gemäss, den Wagen ein wenig zu mir herüber, um mir den Vorzug der ersten Wahl zu geben. Dann rollte das Fuhrwerk, wieder und wieder, nach links unablässig rings um die Tafel. Jeder Gast hat dabei die Freiheit, sich einzuschenken und die Pflicht „to pass the bottle", die Flaschen ohne Zeitverlust dem Nachbar zuzuschieben. Die allgemeine ruhige Unterhaltung rund um den Tisch begann sich zu entwickeln und gruppirte sich nach und nach um gewisse anerkannte und beliebte Führer. Bald erschien auch vor meinem Nachbar auf einem wahrhaft riesigen massiven silbernen Brette ein Kaffeegeschirr, dessen kunstvoll getriebene Kannen und Zuckerschalen den Dimensionen des Zimmers entsprachen. Nachdem ich wiederum den Vorrang genossen, glitt auch diese gewichtige Masse auf ihren niedrigen Rollfüssen geräuschlos nach links um den Tisch. Ihr folgte ein ähnliches Brett mit Cognac und Likören, die aus kleinen silbernen Becherchen, etwa vom sechsfachen Inhalte eines Fingerhutes, geschlürft werden.

Freund D. erläuterte mir die originellen Umgebungen und Sitten. Zum Schlusse sagte er, auf den würdevollen Haushofmeister zeigend:

„Jetzt vollzieht sich dieser gemeinsame Trunk beim Afterdinner nur mehr oberflächlich und zur Belebung der Geselligkeit. Ehedem aber gab es hier bessere Männer; da war Trinken ein ernster Selbstzweck. Damals wurde zum Buttler nur ein besonders starker zuverlässiger Mann erwählt mit breiten Schultern, um — wenn nöthig — am Schlusse der Sitzung die würdigen Fellows in ihre respectiven Schlafgemächer zu befördern. Doch die Zeiten solcher tüchtiger männlicher Leistungen sind längst entschwunden!"

„Aus jenen Zeiten", erwiderte ich, „kenne ich eine Schilderung des oxforder Lebens und Treibens, die Sie vermuthlich interessiren wird. Ein deutscher Geistlicher, Namens Moritz, ein origineller Kauz, bereiste vor gerade hundert Jahren England zu Fusse und schilderte seine Erlebnisse in Briefen an einen Amtsbruder. Eines Abends, schon gegen Mitternacht, kehrte er hier in Oxford im altberühmten Gasthaus zur Mitra ein. Er fand dort eine zahlreiche Gesellschaft von »Priestern mit ihren Mänteln und Krägen um einen grossen Tisch, jeder seinen Bierkrug vor sich«. Sein Reisegefährte, Mr. Modd M. A. und Fellow von Corpus Christi College, führte ihn ein. Es entspann sich unter den Herrn Confratres eine halb ernste, halb launige theologische Disputation, namentlich wurden biblische Räthsel aufgegeben, »Bierräthsel« wie unsere jetzigen Studenten sagen würden. Moritz, der gut lateinisch und englisch sprach, betheiligte sich mit Erfolg an deren Lösung. Er fand Beifall und es wurden ihm »viele Gesundheiten in dem starken Ale zugetrunken«. Als es nun gegen Morgen kam, sprang Mr. Modd — er war zugleich Pfarrer für einige Nachbardörfer, und hielt in seinem College Vorlesungen über classische Autoren — plötzlich auf mit dem Ausrufe: »D—me I must read Prayers in All Souls!« und eilt spornstreichs davon. Die Uebrigen verloren sich dann auch und mein Landsmann ging »etwas aufgeräumt« zu Bette. Am andern Tage konnte der Arme wegen eines fürchterlichen Katzenjammers von dem gestrigen starken Zutrinken der ehrwürdigen Herren nicht aufstehen und hat seinen Tag in Oxford jedenfalls viel schlechter benutzt als ich den heutigen. Das waren die guten, alten Zeiten". —

Nach einer Pause gemeinschaftlichen stummen Bedauerns über die Entartung der jetzigen Generation bemerkte ich, um den Freund zu weiteren Mittheilungen anzuregen:

„Was ich jetzt in den letzten Stunden wiederum gesehen habe, bestätigt mir so recht lebhaft das Wort König Friedrich Wilhelm IV., als er in Oxford war: »Hier ist Alles alt und Alles neu".

„Ich glaube wohl", erwiderte D., „dass ein solches Dinner in einer unserer grossen Halls jedem Fremden seltsam erscheinen muss, zumal sehr wenige Ausländer Gelegenheit haben, daran Theil zu nehmen. Es ist so grundverschieden

von aller modernen Eleganz und Verfeinerung; gar keine ge-
künstelte französische Leckerei!"

Das letztere konnte ich allerdings ·mit gutem Gewissen
bestätigen. —

„Die echte alte englische Küche und Sitte. Und wir setzen
einen ganz besonderen pädagogischen Werth in unsere alten
Formen, in unsere feste, von Geschlecht zu Geschlecht über-
lieferte Bildungsweise, die, trotz aller zweckmässigen Reformen
in Einzelheiten, doch in ihrem Wesen seit Jahrhunderten unver-
ändert blieb".

„Wie beständig", fuhr er fort, „wir hier in den Formen
unseres Lebens sind, dafür finden Sie einen schlagenden Beweis
in den Papieren eines Deutschen, Paul Heutzner, der im
Jahre 1598 England bereiste. »Die Studenten (im weiteren
Sinne) zu Oxford«, schreibt er, »führen eigentlich ein mönchisches
Leben: sie beten und studiren. Sie speisen an drei Tafeln.
Zur ersten gehören: Grafen, Barone, Doctoren und Magister;
sie ist reicher bestellt als die anderen. An der zweiten Tafel
essen: Bachelors, Gentlemen (Commoners) und vornehme
Bürgerliche; an der dritten diejenigen von niederer Stellung.
Während dem Essen liest einer der Studenten laut die Bibel
an einem Pulte in der Mitte der grossen Hall. Nach dem
Gracias kann jeder in sein Zimmer oder in den, überall vor-
handenen, prächtigen Garten gehen. Ihre Kleidung ist fast
wie die der Jesuiten, Talare bis an die Knöchel, zuweilen mit
Pelz verbrämt. Sie tragen viereckige Kappen. Die Doctoren
und Professoren haben verschiedene Auszeichnungen an ihrem
Gown. Jedes ältere Collegemitglied führt einen Schlüssel zur
Bibliothek, denn kein College ist ohne eine solche".

„Wollten Sie einmal", fügte der Freund, hinzu, „wollten
Sie Ihren »Tag in Oxford« ebenfalls schildern, so würden
Ihre Mitheilungen wohl kaum wesentlich von den jetzt drei-
hundertjährigen Ihres Landsmanns abweichen". —

Der Tutor von St. Mary Hall nahm jetzt sein pädagogisches
Thema wieder auf: „Unsere hiesige Jugend wächst schon im
elterlichen Hause unter dem Segen einer festen Gewöhnung
auf und bringt dadurch etwas mit, was vielleicht dem grösseren
Theile Ihrer deutschen Studenten zu wünschen wäre: anerzogene

religiöse, sittliche und politische Ueberzeugungen sowie Respect vor dem Bestehenden".

„Leider", musste ich bestätigen, „lässt dieser Punkt bei uns sehr zu wünschen übrig. Ein gesinnungstüchtiger deutscher Liberaler würde einen solchen ererbten Conservatismus ziemlich geringschätzig betrachten und ihn »anerzogene Vorurtheile« nennen". — „Hier in Oxford", fuhr D. fort, „wird dann jeder Geist in die bestehenden festen historischen Formen gemodelt. Die Hindernisse auf der akademischen Laufbahn sind rationell für durchschnittliche Fähigkeiten bemessen; Niemand sucht eigene Wege, so zählen wir bei uns auch keine Irrenden und Verlorenen, wenigstens nicht durch die Wissenschaft, höchstens durch das Nichtsthun. Selbstverständlich haben wir mit Leichtsinn, mit Uebermuth, ja! mit unerzogener Rohheit zu kämpfen, vielleicht nicht weniger als die deutschen Universitäten. Um so grösseren Werth legen wir gerade deshalb auf unsere alten feststehenden Formen, die eine tägliche Unterordnung unter die erziehende Autorität fordern; Erwerb umfassender Kenntnisse ist erst unsere zweite Aufgabe, auf Ausbildung unserer Studenten zu Gelehrten verzichten wir vollständig. Ich sagte Ihnen ja bereits: wir halten nun einmal den Baum der Erkenntniss nicht für den Baum des Lebens".

„Ich bin hierher gekommen, um zu hören, nicht um Sie zu berichtigen", versetzte ich, indem ich den wieder vorüber rollenden silbernen Wagen dieses Mal ohne jeden Aufenthalt weiter schob, „daher denke ich nicht daran, Ihnen mit den Ansichten unserer deutschen Autoritäten über die verschiedenen Bildungssysteme zur Last zu fallen. Wir haben nun einmal eine von der Ihrigen verschiedene nationale Grundanschauung über das Wissen und Lernen, und diese findet sich vielleicht am idealsten in Lessings bekanntem Satze ausgedrückt: dass wenn ihm die Wahl zwischen dem sicheren Besitze der Wahrheit und dem unausgesetzten Triebe nach deren Erforschung gelassen würde, er den letzteren wählen würde. — Vergessen Sie nicht, wie lange und wie weit die stürmischen Wellen der französischen Revolution über unsere Grenze hingeschlagen sind, dass Deutschland niemals eine meerumgürtete Insel war und dass es gar so sehr „mitten in der Welt" liegt".

„Brechen wir also ab", stimmte der Freund ein, „lassen
Sie mich nur noch gegen Lessing eine andere deutsche
Autorität anführen. In Göttingen studirte ich den alten
Lichtenberg, dessen Schriften mich wegen seines Commentars
zu Hogarths Bildern anzogen. Darin fand ich, unter vielen
anderen witzigen und auch klugen Sachen, eine Bemerkung, die
sich mir fest in das Gedächtniss eingeprägt hat. Lichtenberg
beklagt einmal, dass der junge Student vermöge der univer-
sitätischen wissenschaftlichen Freiheit und Vielseitigkeit zu
rasch aus einem Schüler ein Kritiker und Richter seines
Lehrers werde und drückt das in seiner spitzigen Weise so
aus: dass auf diese Art die meisten Jungen eher lernten die
Nase zu rümpfen als sie ordentlich zu schnäuzen".

Ich musste lachen, bemerkte aber doch: „Lichtenberg war
zwar ein deutscher Professor, aber etwas ein Clericus irregularis,
im Grunde ein geistreicher Schalk. — Sieht man jedoch die
Reihe der seit Jahrhunderten von hier ausgegangenen
bedeutenden Männer an, so darf man wohl sagen: alles, was
die Colleges von Oxford etwa nicht leisten, wiegen sie reichlich auf durch das, was sie für Englands nationale Grösse gethan
haben und noch thun. — Jetzt aber müssen wir hier aufbrechen,
denn bald beginnt es zu dämmern und ich habe die Kathedrale
von Christ Church noch nicht gesehen".

Ich dankte meinem gastfreien Senior Student, dann nahmen
wir von der heiter bewegten Gesellschaft in aller Stille
französischen Abschied.

Während wir unsere Schritte beflügelten, um noch das
Licht der untergehenden Sonne in den Wölbungen der Kirche
anzutreffen, sagte mein Führer:

„Unsere Kathedrale rühmt sich eine der ältesten in
England zu sein. Sie stammt, so wie sie jetzt dasteht, noch
aus der Uebergangsperiode des romanischen — wir nennen
seine hiesige Abart; normannischen — zum frühen gothischen
Baustile.

Hier gründeten um das Jahr 740 ein sächsischer Vicekönig
von Oxford, Didan, und seine Frau Saxfrida ein Kloster mit
Kirche für ihre Tochter, die heilige Frideswide. Im Jahre 1180
wurde die jetzige Kathedrale geweihet. Bis 1520 blieb das
Gebäude in seinem ursprünglichen Zustande wohl erhalten,

dann wurde es leider vom Cardinal Wolsey zur Ausführung seiner grossartigen Pläne, bös verstümmelt. Sir Gilbert Scott hat nun in allerneuester Zeit die Kirche wieder restaurirt, für etwa eine halbe Million Mark. Es ist eine dreischiffige Kreuzkirche und der Thurm, der älteste in England, sitzt auf der Vierung".

Wir standen im Langhause des Mittelschiffes, vor uns der hohe Chor. Die Gewölbdecke über ihm ist mit erhabenem Stern- und Netzwerk so reich und ungewöhnlich geschmückt, dass man sagen mcchte: hier ist die Holzdecke in Stein nachgeahmt.

Die Säulen und Rundbögen des alten normannischen Baues sind wohl erhalten. In den Zwickeln zwischen diesen Bögen steigen sogenannte Dienste (Rundstäbe) auf, über denen dann kräftige gegliederte Gewölbgurten ansetzen. Vor diesen Ansätzen senkt es sich wieder consolenartig und steigt dann ebenfalls in bunten Gurten empor, die sich in der Mitte des Raumes zu reichen sternförmigen Mustern vereinigen.

Sämmtliche Fenster haben prächtige Glasmalereien; die Sitze des Deans und der Canons sind mit reichem Schnitzwerke in altem Nussholze an den Rückenlehnen und den überragenden Baldachinen ausgestattet; bewundernswerth kunstvolle Eisengitter bilden die Abschlüsse des hohen Chors.

Die herrliche Orgel über uns ertönte und leitete den Abendgottesdienst ein, wir begannen daher uns bescheiden bei Seite zu ziehen.

„Treten wir hier in St. Frideswide's Chapel", schlug mein Führer vor; „sie ist augenscheinlich der allerälteste Theil der Kirche".

„Diese arme Heilige", fuhr er fort, „wenn überhaupt eine Heilige »arm« genannt werden darf — verdiente sich ihre Glorie vor allem durch Unruhe: Unruhe im Leben, Unruhe im Tode. Der König Algar von Mercia begehrte sie zur Ehe, sie aber, im Vorgefühle ihres höheren Berufes, schlug den Freier aus. Hier die Glasmalereien zeigen uns, wie hartnäckig sie vor ihm floh und wie zudringlich er sie mit seinen Werbungen verfolgte. Im Augenblicke der höchsten Noth thut, hier oben rechts, die Vorsehung ein Einsehen und blendet den Bösewicht durch einen Blitzstrahl".

„Aber worin bestand denn sein Verbrechen?" fragte ich verwundert.

„Vermuthlich im indiscreten Ungestüme seiner Bewerbungen" meinte der Reverend, „denn seine Absichten waren ja durchaus — wie man zu sagen pflegt — ehrenhafte".

„Darin ist keine poetische Gerechtigkeit", beharrte ich pedantisch, „denn die demnächstige Aufnahme seiner Erwählten in die höchste himmlische Hofordnung konnte der arme Halgar doch unmöglich vorhersehen".

„Ganz unmöglich", stimmte Freund D. zuversichtlich ein; „indessen die Unruhe der armen Heiligen, die dann in reiferen Jahren hier als Aebtissin waltete und starb, war noch lange nicht zu Ende, nachdem sie zuerst in der Krypta, hier unter uns, später (1180) in diesem grossartigen gothischen Grabmale, hier vor uns, beigesetzt war. Sie wurde im Wechsel der Zeiten noch verschiedene Male ausgegraben und umgebettet.

„Zunächst unter Eduard VI. Damals brach eine engherzige, wahrhaft kindische Verfolgung und Vernichtung aller katholischen Symbolik aus. Namentlich wüthete eine unsinnige Idiosynkrasie gegen die bunten Kirchenfenster sowie gegen die Miniaturen und Initialen der alten Evangelienbücher und Handschriften; die rothe Farbe galt als ganz besonders abergläubisch; fast Alles wurde hier zerstört. Auch die heilige Frideswide wurde damals aus ihrer sauer verdienten Ruhe gerissen und im Garten, hier neben der Kirche, vergraben. Die fromme Ehegattin des gelehrten italienischen Doctors der Theologie Peter Martyre, des ersten verheiratheten protestantischen Canons von Christ Church, der dafür von den Anhängern der alten Ordnung schwere Unbill zu erleiden hatte, erhielt an Stelle der Heiligen diesen Ehrenplatz.

„Unter der katholischen Maria änderte sich die Auffassung wieder und natürlich wurde auch die Situation hier schleunigst umgedreht. St. Frideswide zog wieder ein und Mrs. Martyre, die Frau des nachträglich wieder ketzerisch gewordenen Canons, wanderte in den Garten.

„Unter Elisabeth gelangte man endlich zu einem Compromisse, dem regelmässigen praktischen Austrage jedes grossen politischen und religiösen Principienstreites. Denn nun kamen beide, St. Frideswide und Mrs. Martyre hier in dieses

geräumige Grabmal, wo sie noch heute einträchtig schlafen. —
Lesen Sie einmal die Inschrift auf dieser Messingtafel: „Hier
ruhen vereint Glaube und Aberglaube". Das kann nun jeder
Leser beziehen, wie es ihm recht dünkt".

„Wie sagt doch Goethe", musste ich wieder citiren:

> „Wie Einer ist, so ist sein Gott;
> Darum ward Gott so oft zum Spott!"

Während wir uns dem Ausgange der Kirche näherten,
verstummte die Orgel und es erhob sich vom hohen Chor ein
prächtiger mehrstimmiger acapella-Gesang, ein alter angli-
kanischer »Chant«, ausgeführt von jugendlichen Sängern in
weissen Chorhemden. Die meisterhafte Leistung der klangvollen
frischen Stimmen rief in der ehrwürdigen, jetzt fast verdunkelten
Kirche eine ergreifende Wirkung hervor und hob die inzwischen
versammelte Gemeinde in reiner Andacht hoch über die
thörichten Streitfragen empor, welche einstens den Grabstein
der ruhelosen St. Frideswide umtobt hatten.

Wir durchkreuzten jetzt wiederum den schönen Tom
Quadrangle und nahmen unseren Rückweg nach St. Paul's
Vicarage quer durch die Stadt. Als wir den Hof der Bodleion
Library durchschritten, sagte mein Führer:

„Diese berühmte Bibliothek und die Kunstsammlung bleibt
Ihnen also einstweilen vorbehalten. Aber eines muss ich
Ihnen doch erzählen, was sich hier ereignet hat, da ich weiss,
wie hoch Sie die Franzosen und namentlich den Humbug der
französischen Revolutionshelden verehren. Nämlich der
berüchtigte Marat, der grosse »Ami du peuple« lebte in
jüngeren Jahren als französischer Sprachlehrer hier in Oxford.
Bei guter Gelegenheit stahl er, es war am 5. Februar 1776,
aus der Bodleian Library eine Reihe kostbarer Münzen und
Medaillen zum Werthe von 4000 Mark. Er entfloh damit nach
Dublin, wurde jedoch erwischt, hierher zurückgebracht und zu
fünf Jahren Zuchthaus verurtheilt. Mit einigen anderen Spitz-
buben machte er einen verzweifelten Versuch, hier aus dem
alten Castell auszubrechen, musste jedoch seine Strafe in den
schwimmenden Gefängnissen von London absitzen. Vermuthlich
trug die dortige hohe Schule nicht unerheblich zur Entwickelung
der Bestie in ihm bei. Dann zog er unter dem alias eines
deutschen Grafen in Schottland umher und beschwindelte die

Leute. Im Jahre 1787 verliess er England, in Frankreich wurde er der grosse Volksmann und Dictator während der Schreckenszeit, bis ihn endlich die strafende Gerechtigkeit in der Gestalt von Charlotte Corday erreichte".

Wir gingen jetzt wieder das stattliche Gitter entlang, von dem die Hermen der Weisen und Caesaren als strenge Wächter des Heiligthums herabblickten.

„Heute habe ich mehrere Male die Commemoration« erwähnen gehört", bemerkte ich fragend, „das Fest, welches hier im Sheldonian Theater in einigen Wochen gefeiert wird. Der Name klingt wie eine Erinnerungsfeier?"

„Ganz richtig", erwiderte Freund D. „Diese Feier umfasst sogar eine volle Festwoche und schliesst unser akademisches Jahr. Der officielle Name ist „Commemoration of Founders", ein Erinnerungsfest für alle Stifter der Universität. Aber dieses Erinnerungsfest hat nach und nach eine viel weitere und tiefere Bedeutung erhalten. Für diese Woche füllt sich Oxford mit Fremden, von denen die Mehrzahl langjährige Freunde sind. Alte Studenten, die sich durch fröhliche Jugenderinnerungen erfrischen wollen, kommen mit Frauen und Töchtern. Frühere Fellows und andere graduirte Männer in den verschiedensten Lebensstellungen erscheinen mit unverminderter Dankbarkeit gegen die Alma Mater regelmässig wieder. Eltern und Geschwister wollen mit dem Sohne und Bruder die Ertheilung des wohlverdienten Grades von B. A. feiern".

„Nun kleidet sich die alte Stadt in ein heiteres Festgewand. Vortreffliche Lunches in den Collegewohnungen der Brüder und Vettern setzen schon Morgens die junge Welt in eine gehobene erwartungsvolle Stimmung; dann werden die schattigen Gärten im fröhlichen hellen Haufen — oder auch, von einzelnen weicher gestimmten Pärchen absichtlicher Nachzügler, nur zu Zweien — durchstreift und bewundert. In der Townhall ist ein nationales Massenconcert; am Sonntage strömt alles nach St. Mary, um eine der berühmten Bamptonpredigten zu hören. Ein Rev. Bampton stiftete vor etwa hundert Jahren diese sechs Predigten über die wichtigsten Sätze der christlichen Lehre; der Lecturer, welcher mindestens ein Magister Artium und jedenfalls ein hervorragender Redner sein muss, wird dafür mit sechstausend Mark honorirt. Am Abend dieses „Show Sunday" strömt, wie heute Nachmittag, alles in den Broad Walk von Christ Church; jedoch ist die Scene viel heiterer, als wir sie heute erlebten, da alsdann der gelehrte dunkle Gown völlig gegen die frischen blonden und die feinen brünetten Gesichtchen in Weiss, Blau und Rosa zurücktritt. Montags fährt man nach Woodstock und Blenheim, wo es unter alten Eichen ein Picknick mit Pasteten, kaltem Champagner und rührender Romantik giebt. Liebhaber klassischer Bildung erheben sich an der gelungenen Aufführung eines griechischen Trauerspiels: Agamemnon oder Oedipus auf Kolonos, in einem strebsamen College. Abends ist in einer der schönen Kollege Halls ein grosser Ball, dazwischen Blumenausstellungen und Concerte.

So kommt der grosse Tag heran. Das weite Parterre des Theaters füllt sich mit „Dons" (Professoren und Graduirten), heute in prächtigen und heiteren Gowns von bunter Seide. Die obere Gallerie ist bereits von Damen und Studenten dicht besetzt. Die grosse Orgel, welche die Bühne dieses phantastischen Theaters einnimmt, erweckt zunächst durch ihre mächtigen Klänge eine weihevolle Stimmung. Inzwischen eröffnen die Undergraduates die Feier in ihrer Weise. Denn für diese Jugend geht heute, nach uraltem Herkommen, ein Tag auf, an dem sie ihrer freiesten Kritik und ihrem fessellosen Uebermuthe die Zügel schiessen lassen darf. Personen und Reden werden, je nach dem politischen und religiösen Standpunkte und nach der akademischen Beliebtheit, mit Cheers und Klatschen oder mit Groans (Grunzen), Heulen und Stampfen begrüsst.

Ein anerkannter Wortführer ruft: „The Queen!" — unendliches Hurrah; ebenso erfolgt herzhafte Anerkennung für Lord Beaconsfield und für den Kanzler Lord Salisbury; denn wir sind hier sehr conservativ; nicht minder werden beliebte Professoren und Fellows mit betäubender Sympathie empfangen. Dann aber folgen: „drei Grunzer für den Senior Proctor" (Universitäts-Polizeidirector) und seine »Pro-Proctors«! welche allerdings sofort gemildert werden durch: „drei Cheers für die junge Dame neben dem Proctor!" Hierauf werden gefeiert „die drei jungen Damen in Weiss, die soeben eintraten!" und endlich: „alle Schwestern, Cousinen und Tanten". Selbst ein heute zu promovirender Ehrendoctor, der den Herren Studenten nicht gefällt, hat keine Schonung zu erwarten, sondern

drei gründliche Grunzer. Nachdem die National-Hymne gesungen
ist, eröffnet nun auch der Vicekanzler die Feier auf seine
Weise. Er proclamirt die heute zu ernennenden Ehrendoctoren
der Rechte, die D. C. L. Diese werden jetzt, umwallt von
prächtigen rothen Talaren, unter Ausrufung ihrer Namen in
den Saal geführt, jeder wird vom »Regius Professor of Civil
Law« mit einer eleganten lateinischen Lobrede apostrophirt,
dann werden sie feierlich auf ihre Ehrenplätze geleitet.
Alles unter der fortlaufenden Kritik der Gallerie. Zuweilen werden von dieser riesige Illustrationen zu jenen Lob-
reden herabgelassen, die jedoch immer nur kurze Zeit erheiternd
wirken können, da die Pro-Proctors sofort auf diese Kunstwerke
Jagd machen und sie entführen. Endlich redet der „Public
Orator" der Universität von einer Art von Kanzel aus eine,
meistens höchst interessante Rede, es werden gekrönte Preis-
arbeiten in lateinischer Prosa und englischen Versen von den
Verfassern selbst verlesen und mit einem brausenden Orgel-
marsche schliesst das Fest, welchem die Studenten in der ernsten
Stimmung zwischen zwei Monaten Summerterm — verbracht in
Sport, athletischen Uebungen und „Bummeln" — und den
unmittelbar folgenden vier Monaten grosser Ferien beiwohnen.

„Die Mitglieder der königlichen Familie sind häufig bei
der Commemoration anwesend; so im Jahre 1856 der Prinz
Albert mit dem Prinzen Friedrich Wilhelm von Preussen, jetzt
Ihrem deutschen Kronprinzen. Der hohe junge Herr, der
bereits seine Studien in Bonn vollendet hatte, wurde damals,
mit dem Grossherzoge von Baden, zum Ehrendoctor der Rechte
ernannt. Auch Ihres berühmten alten Marschalls Vorwärts
wollen wir gedenken, der hier im rothen Talare des Dr. jur.
erschien und die dankbare Erwartung aussprach: „wenn ich
Doctor werden soll, so muss Gneisenau doch mindestens zum
Apotheker ernannt werden".

„An derselben Stelle wurde auch Ihr ehrwürdiger Landsmann Döllinger, nach seiner Excommunication im Jahre 1871, zum
Ehrendoctor promovirt, — jedoch nicht ohne einige hochkirchliche Opposition von sechszehn gegen fünfundsechzig Stimmen".

„Doch hier", unterbrach sich Freund D. selber, indem er
das Gartenthor öffnete, ist unsere Vicarage von St. Paul".

IX.

Eine oxforder Studentenkneipe.

In der Vicarage erwartete die liebehswürdige Hausfrau
uns schon beim Thee und bald fand sich auch der Hausherr
ein, nachdem sein Abendgottesdienst beendet war. Ich musste
berichten, was ich erlebt hatte; unwillkürlich rückte ich alsbald
wieder mit allerlei Fragen und Bitten um Erläuterung heraus.

„Es geht Ihnen wie jedem Fremden", bemerkte mein Gastfreund lächelnd, „Sie können sich doch nicht recht hineinfinden,
dass wir hier für den stets wechselnden jungen Wein stets
wieder die uralten Schläuche benutzen und sogar vorziehen.
Ich weiss wohl, wir erscheinen dadurch immer noch etwas als
protestantische Mönchsklöster. Der Student, welcher heute das
Tischgebet in Christ Church Hall las, heisst „Bible Clerk" und
„Clerks" Clerici hiessen im Anfange unserer Zeiten alle
Studenten. Die urkundliche Geschichte der Universität beginnt
im Jahre 1214 damit, dass die Stadt ein schweres Wehrgeld
von 52 Schillingen zahlen musste, weil sie einige Clerks auf-
zuhängen sich unterfangen hatte, »propter suspendium clericorum«.
Der päpstliche Legat, damals unter dem traurigen Schatten-
könige Johann ohne Land des Papstes Vicekönig in England,
hatte die Blutstrafe auferlegt. Aber auch bei diesen alten
Clerikern verläugnete sich unser Nationalcharakter nicht; sie
waren zuerst Engländer und Liberale, hernach erst Katholiken.
Denn zwanzig Jahre später geriethen sie selbst mit dem
Legaten in Händel und erschossen sogar seinen Leibkoch; —
wie ich annehme, war ihr Widerstand durchaus gerechtfertigt, denn der Koch hatte ihnen zuvor kochende Fleisch-
brühe auf die Köpfe gegossen".

„Das nenne ich thatsächlichen Protestantismus", bemerkte ich anerkennend, „auf solchem Boden musste John Wycliff gedeihen".

„Auch unsere jungen Füchse", fuhr Mr. L. fort, „sind meistens sehr verwundert über all die seltsamen Verpflichtungen, die sie bei der Immatriculation übernehmen und noch heute feierlich beschwören müssen. So z. B. im Huldigungseide für die Königin: „dass er von Herzen verabscheuet, detestirt und abschwört, als sündhaft und ketzerisch die verdammenswerthe Lehre, dass Fürsten, welche vom Papste oder irgend einer römischen Autorität excommunicirt sind, von ihren Unterthanen oder sonst wem abgesetzt und ermordet werden dürfen! sowie: dass kein fremder Fürst, Prälat oder Potentat irgend eine weltliche oder geistliche Gewalt in diesem Reiche besitze".

Bis vor zwanzig Jahren musste sogar ein jeder Ankömmling die neununddreissig Artikel der englischen Kirche unterzeichnen. Der bekannte Humorist Theodor Hook liess sich durch seinen Humor verleiten, die Aufforderung hierzu mit der Erklärung zu beantworten: er sei völlig bereit, selbst vierzig zu unterzeichnen, wenn es gewünscht werde". Natürlich begann er seine akademische Laufbahn sofort mit einer längeren „Rustication"; er wurde für ein Jahr „aufs Land" zurückgeschickt, um sich zunächst mehr Anstand und Ernst anzueignen".

„Neulich hatte ich Gelegenheit", führte der Tutor von St. Mary Hall das unterhaltende und ergiebige Thema fort, „die alten Universitätsstatuten wieder durchzulesen und namentlich den Titel XIV. „Ueber die Kleidung und äussere Haltung des Scholaren" und den Titel XV. „Ueber die Besserung der Sitten". Darin werden auch seltsame Pflichten auferlegt: der Studenten Kleider sollen nur von schwarzer oder dunkelbrauner Farbe sein — sie sollen sich des öffentlichen Erscheinens in „Stiefeln" enthalten, wie der lächerlichen Mode, ihr Haar lang zu tragen — sie sollen sich fern halten von allen Tavernen, Weinschenken und vom Kraute genannt Nicotiana oder „tobacco" — sie sollen nicht Wild mit Hunden oder Netzen jagen, keine Armbrüste oder andere „bombardirende" Waffen führen und keine Falken zur Vogelbeize; nur ein Bogen und Pfeile sind ihnen erlaubt zu anständiger Ergötzlichkeit. Und das alles ist heute noch Gegenstand der eidlichen Verpflichtung".

„Mephisto sagt", hub ich an — die Hausfrau lächelte still. „Ich sehe", unterbrach ich mich selbst, „Sie haben bereits meine Schwäche für Citate aus Goethe bemerkt, aber Mr. D. ist nicht minder ein eifriger Verehrer unseres grossen Dichters und wir fanden uns zuerst in diesem Cultus — also: Mephisto sagt, und dieses Mal nicht ironisch: „Es erben sich Gesetz und Rechte wie eine ewige Krankheit fort, — Vernunft w i r d Unsinn" —

„Aber nicht Wohlthat: Plage", rief Freund D. abwehrend, „denn kein Mensch denkt hier an die Befolgung dieser Bestimmungen".

„Gewiss nicht", bestätigte mein Gastfreund, „indessen die alten äusseren Bezeichnungen und Formen der Dinge erhalten sich hier mit merkwürdiger Zähigkeit, wie bei gewissen Petrefakten, nachdem das innere Wesen längst völlig umgewandelt ist. So begeht in den nächsten Tagen jedes College seine »Collections«, seinen »Sammeltag«. Was geschieht alsdann dort? Alle Studenten erscheinen in der Hall vor dem Master des College und dem „Dean of Chapel". Die Prüfungsarbeiten liegen auf dem Tische, aber niemand kümmert sich gross darum. Die eigentliche ernste Prüfung [ist das persönliche Erscheinen vor den beiden gestrengen Herren Richtern.

„Der Dean nimmt das Wort: „Mr. Brown, Ihre Arbeiten sind gut, aber Ihr Kirchenbesuch und Ihre Theilnahme an den Religionsübungen!! Für einen Stipendiaten geben Sie darin ein sehr schlechtes Beispiel! Im Sonntagsgottesdienste waren Sie nur ein einziges Mal und dazu noch im Paletot und hohen Stiefeln!"

Darauf der finster blickende Master: „Mr. Brown, das College vernimmt mit Bedauern ein solches Verhalten von einem Stipendiaten. Sie haben Hausarrest für die ersten vierzehn Tage des nächsten Terms". — Und so geht es fort".

„Aber weswegen heisst dieser Gerichtstag: »Sammeltag?» frug ich, „doch nicht wegen der Gelegenheit zur moralischen Sammlung für die verlaufenen Schafe?"

„O nein", erklärte Mr. L., „sondern weil im Jahre 1331 ein Statut erlassen ist: dass jeder Scholar jährlich mindestens zwölf Pfennige Honorar bezahlen muss für das „Collegium logicum" und achtzehn Pfennige für das „Collegium physicum"

Ompteda, L. v., Bilder. 20

und dass jeder Master of Arts verpflichtet sein solle, am Schlusse des Terms sein Honorar selbst von den Studenten einzusammeln. Jetzt werden diese Honorare schon seit ein paar hundert Jahren durch den Cassirer zu Anfang des Terms erhoben, aber der Name „Collection" ist dem gefürchteten Gerichtstage geblieben".

„Der Fall ist recht charakteristisch, wie mir scheint", erklärte ich, „namentlich aber: dass sich hier niemand darüber wundert. Bei uns wären aufgeklärte Geister schon längst mit ihrer Reformscheere über den »alten Zopf« hergefallen".

„Wir könnten Ihnen derartige oxforder Eigenthümlichkeiten wohl noch die halbe Nacht hindurch erzählen", schloss Freund D., indem er sich erhob, dieses Capitel, „aber jetzt ist es höchste Zeit für das »Bumping Supper«. Wir kommen ohnehin nur noch zum Nachtische".

Mit aufrichtiger Dankbarkeit, und beiderseitigen, herzlichen Wünschen für baldiges Wiedersehen trennte ich mich von den gastfreundlichen, liebenswürdigen Bewohnern der Vicarage und wir traten hinaus in die mondhelle Sommernacht.

Während wir Holywell Street hinauf wanderten, begann mein getreuer Führer abermals:

„New College, in das wir jetzt gleich eintreten werden, ist trotz seines Namens eines der ältesten, von 1379; zugleich ist es eines der bedeutendsten Colleges in Oxford. Sein Stifter ist William of Wykeham, Bischof von Winchester, ein zu seiner Zeit sehr hervorragender Mann, der zugleich des Königs Edward III. Lord Kanzler und oberster Baumeister war. In letzerer Eigenschaft ist er Ihnen wohl schon in Windsor Castle bekannt geworden, das ihm seine jetzigen allgemeinen Grundmauern und manche noch bestehende Theile, namentlich die berühmte grosse Küche verdankt. Auch New hat eine gewisse Grossartigkeit durch die Einfachheit und Dauer seiner Architektur, es macht den Eindruck von halb Kloster und halb Festung; seit fünfhundert Jahren ist daran wenig verändert worden. Als es gegründet wurde, war die „Universität" als Lehrkörper hier allmächtig, die damals schon bestehenden Colleges: University, Merton, Balliol, Exeter, Oriel und Queens waren nicht viel mehr als unentgeltliche Herbergen für Unbemittelte, ausserdem konnte jeder Student leben und wohnen nach Belieben, wie noch jetzt in Paris und Heidelberg. Das neue College, dessen officieller Name: St. Mary of Winchester war, eröffnete damals eine neue Aera im Leben der Universität. Es war nach der Absicht seines grossen Stifters eine wirkliche, in sich abgeschlossene, höhere Lehranstalt. Mit dem College gleichzeitig schuf Bischof Wykeham die »Grammer School« in Winchester; diese nahm die Knaben auf und sandte später die tüchtigsten Jünglinge nach Oxford, wo sie selbstverständlich in das »Neue College« eintraten. Auf diese Weise sollte die ganze Laufbahn der gelehrten Erziehung geregelt und umschlossen werden. Dieses Verhältniss hat seitdem fünfhundert Jahre bestanden und besteht noch heute; noch immer rekrutirt sich New aus Winchester!"

„Wieder diese beneidenswerthe Continuität in Ihrer geschichtlichen Entwicklung", rief ich bewundernd, „ich wüsste auch nicht eine einzige noch lebende Institution in meinem armen Deutschland, die heute fünfhundert Jahre alt wäre!"

„Nach und nach gelangten viele dieser Zöglinge zu hohen Kirchenwürden und fuhren fort, im Sinne und Geiste ihres Meisters Colleges zu stiften. So wurde, in ganz ähnlicher Weise die Public School zu Eton mit King's College in Cambridge verknüpft. Bald wurden dann die schon bestehenden Colleges nach dem Muster von New erweitert und reformirt; durch diesen Epoche machenden neuernden Einfluss erklärt sich auch das Aufkommen und Beibehalten des jetzt allerdings etwas sonderbaren Namens. Die Universität selbst sank durch diesen Umschwung nach und nach zu einer Ansammlung von Colleges herab und so blieb es bis vor zehn Jahren, als der Collegezwang aufgehoben und der »Unattached« zugelassen wurde. Aber ihre Erniedrigung gereichte der Universität zum Heile, denn diese klösterlichen Corporationen bildeten ein festes Knochengerüst, sie gaben ihr Halt in den Stürmen des sinkenden Mittelalters und in der Zeit der Wiedergeburt wurden sie die Pflanzschulen der neu auflebenden Wissenschaften".

Wir durchschritten mehrere tiefe gewölbte Thore, zwischen denen lange, schmale Höfe sich hinzogen. Endlich erreichten wir den grossen Quadrangle. Ein zauberisches Bild im hellen Mondenlichte! Vor uns eine lange, zweistöckige, niedrige, gezinnte Front bis oben hin mit dichtem Epheu bewachsen,

20*

zwischen dessen schwarzen Vorhängen die schmalen erleuchteten
Fenster matt schimmern; zur Linken die Kapelle, belobt als
eine der schönsten in Oxford. Für heute müssen wir uns an
der Spiegelung des Mondes auf ihren bunten, gothischen
Bogenfenstern und an den fahlen Lichtern genügen lassen, die
auf ihrem alten Gemäuer, an den in die reine Luft ragenden
Fialen und auf der noch höheren Plattform des schweren, alten
Thurmes spielen, denn von der Thür neben diesem löst sich
jetzt eine Gestalt ab, die uns erwartet, um uns in die Sitzung
des Ruderclubs von New einzuführen.

Während wir noch in Betrachtung der zauberhaften Beleuchtung zögerten, fuhr Freund D. fort:

„Am Schlusse dieses Jahres begeht New sein fünfhundert-
jähriges Stiftungsfest. Man wird dieser seltenen Feier ein
schönes, sinniges Denkmal setzen, nämlich: die innere Restauration der alten Kapelle vor uns. Auch hier in Oxford war,
wie überall in den letzten zwei bis drei Jahrhunderten, das
historische Gefühl und damit das künstlerische Verständniss für
unsere herrlichen Bauten aus den Zeiten der Plantagenets verloren gegangen. Erst seit etwa zwanzig bis dreissig Jahren
können wir sagen, dass der architektonische Gedanke des vierzehnten und fünfzehnten Jahrhunderts in seiner ursprünglichen
Reinheit wieder belebt ist. Wir dürfen diese Erweckung wohl
an die allgemeine Vertiefung des kirchlichen Lebens anknüpfen,
die wir der hochkirchlichen »Tractaten-Bewegung« verdanken,
obgleich die Tractarians durchaus nicht mit Bewusstsein Kunst-
historiker waren. Ich will nur sagen: der von ihnen gegebene
Anstoss hat fortgezeugt. — Der verwitternde Zahn der Zeit
und die Unruhen des siebzehnten Jahrhunderts hatten, wie Sie
wissen, auch hier in Oxford vieles zerstört. Dann folgten die
verflachte Bildung und der vernüchterte Geschmack des vorigen
Jahrhunderts, die sich nicht scheueten, William von Wykehams
Meisterwerk zuzustutzen und zu corrigiren. Die Kapelle trug
ursprünglich einen offenen, spitzen Dachstuhl von herrlichem
schwarzen Eichenholz — man zog unter ihm eine saubere flache
Stuckdecke ein; alles gothische reiche Maasswerk wurde nett
weiss angestrichen und das noch sichtbare Holzwerk freundlich
hell chokoladenbraun überpinselt. Alle diese frevelhaften
Incrustationen werden jetzt, in demüthiger Pietät gegen den

Genius Williams von Wykeham, wieder beseitigt und die moderne Kunstrichtung der Königin Victoria setzt die Zeiten Richard II. (1377—1399) wieder in ihre Rechte ein. — Wir lassen uns diese späte Genugthuung etwas kosten, denn die Rechnung für die Restauration, wenn sie im nächsten October zum Jubelfeste vollendet sein wird, beläuft sich gewiss auf mehr als vierhunderttausend Mark".

„Und fürchten Sie nicht", fragte ich bedenklich, „dass eine spätere Generation sich wieder unter dem ernsten, zugigen schwarzen Holzdache ungemüthlich fühlen und wieder Sehnsucht nach der hübschen, warmen, hellen Stuckdecke aus der Zeit von Sir Josua Reynolds verspüren wird?"

„Dann mögen sie einheizen, die Barbaren!" rief D., halb ärgerlich halb lachend; „jetzt aber ist es die höchste Zeit hineinzugehen, denn unser Führer dort unter der Thür trippelt schon lange ungeduldig hin und her".

Nachdem wir einige gewundene Steintreppen und gewölbte schmale Gänge zurückgelegt haben, öffnet sich eine Thür und wir treten in ein Zimmer, geräumig genug, um die Gesellschaft von etwa dreissig jungen Herren zu beherbergen, die hier um eine lange Tafel versammelt ist.

Im Augenblick unseres Eintritts herrscht achtungsvolle Stille. Man lauscht den letzten Worten eines Redners, des Tischpräsidenten, deren Schluss ein Hoch auf die Mannschaft des heute siegreichen Bootes bildet. Der Toast wird selbstverständlich mit betäubenden anhaltenden „Cheers" aufgenommen.

„Der Redner ist der Captain des College-Ruderclubs", flüsterte D. mir zu; „jetzt werde ich Sie einführen". Wir wurden sehr gut empfangen und sassen bald auf den Ehrenplätzen zur Rechten und Linken des Captain. Freund D. war hier augenscheinlich im besten Andenken, denn von allen Seiten flog ihm herzliches Begrüssen und Zutrinken entgegen. Neben mir sass der Coxswain, der mich heute eingeladen hatte; D.'s Nachbar war Mr. Robinson, der Stroke.

Das Supper war bereits abgeräumt und die Tafel trug jetzt Trinkgefässe jeder Gattung: zwei geräumige Bowlen, Krystallkrüge mit Claret und Portwein, zinnerne Bierkannen, silberne Becher, viele grosse und einige noch grössere Kelchgläser. Die akademische Nachtischfreiheit hatte schon eine malerische Unordnung in der Gruppirung der Gäste und in der vielleicht nicht ganz salonfähigen Schaustellung weisser Hemd-ärmel entwickelt; die Düfte der Cigarre wetteiferten bereits mit den massiven, blauen Wolken der Meerschaum-, Holz- und Thonpfeifen. Man sass in und auf den verschiedenartigsten Lehnstühlen umher, oder stand und ging nach Belieben und ein jeder schien nur die einzige Pflicht zu fühlen: den Lärm zu vermehren und die Getränke auf Tisch und Buffet zu ver-mindern. Jedoch trugen dienstfertige „Scouts" (Stiefelfüchse) wie die Geister in Goethes Zauberlehrling, unausgesetzt neuen flüssigen Stoff herzu.

„Was wollen Sie trinken?" fragte mich der Captain „vielleicht geeisten Sangaree oder Sherry Cobbler oder Champagne Cup?"

Ich bat um letztere, die ich als eine verhältnissmässig unschuldige Mischung von Sekt, Apollinariswasser und Zucker kannte. Sherry Cobbler namentlich mit dem Strohhalm ist, wie man weiss, etwas heimtückisch, und Sangaree nichts anderes als starker kalter Cognacgrog mit Citronen und Muskatnuss.

Und wahrlich, ich that wohl, den leichtesten Stoff zu wählen, denn in der nächsten Viertelstunde hatte ich mein Glas bereits ein Dutzend Male geleert, und so ging es fort, da jeder Genoss der Tafelrunde dem Gaste den Vorzug erwies: „ein Glas Wein mit ihm zu trinken".

Es war die geräumige Behausung eines Gentleman Commoners, in der die Sitzung stattfand, und die Aus-schmückung der Wände sprach für den Geschmack und die Neigungen des Bewohners. Der Spiegel über dem Kamine war gekrönt — mit einem Fuchskopfe und zwei Blumen, da-neben Peitschen, Sporen, Stöcke, Rappiere, Angeln, Cricket-schläger und Fechthandschuhe. An der Wand gegenüber ent-faltete sich ein reichhaltiges Pfeifensystem und darunter strebte eine stattliche Pyramide empor, deren bräunliche Bausteine die Stempel: „Regalia", „Dos Amigos", und, „Todos me elogian" trugen. An den Wänden ringsum entdeckte ich, soweit die verdichtete Atmosphäre es zuliess, einige der bekannten schönen Landseers und die verbreiteten Sportbilder von Herring: der Start für's Derby, die Royal Mail Coach und andere.

Zu meiner Beruhigung erkannte ich bald, dass unsere Anwesenheit keinerlei Zwang ausübte; ausser unseren sehr artigen nächsten Nachbaren schien sich niemand um uns zu bekümmern, nachdem ich mit jedermann ein Glas getrunken hatte. Der Captain fragte mich nach dem Stande des Rudersports in Deutschland. Ich konnte ihm erzählen, dass gute Anfänge gemacht seien. »Aber«, fügte ich mit dem Tone inniger Ueberzeugung hinzu, „für eine Concurrenz mit englischen Booten sehe ich vorläufig noch keine Möglichkeit. Einmal bestehen unsere Ruderclubs nur vereinzelt und unsere Bootsmannschaften aus zufällig zusammengebrachten Liebhabern, nicht, wie hier, rationell ausgewählt aus hunderten, dann fehlt uns noch die Schule alter Erfahrung und das lange, harte Training".

Mein Bericht, der zu befriedigen schien, wurde hier unterbrochen durch ein rasch anwachsendes, allgemeines Geschrei, Tischtrommeln und Gläserklingeln, das sich an den mir gegenüber sitzenden Stroke richtete.

„Robinson! Ro—bin—son!! ein Lied! sing' uns ein Lied!"

Der Stroke erhob mit grossem Ernste sein leeres Kelchglas, sah missbilligend hinein und reichte es dem Bowlenverwalter hinüber, indem er in vorwurfsvollem Tone mit kräftigem Baryton sang:

> „Füll diese Bowle bis zum Rande!
> Füll rasch mein Glas, es wär' 'ne Schande,
> Wenn alle tränken, nur nicht ich.
> Sprich, weiser Mann, warum denn nich'?"

Allgemeiner Beifall folgte diesem anscheinend improvisirten Eingange. Nachdem der »weise Mann« der Beschwerde des Sängers thatsächlich abgeholfen hatte, trank Mr. Robinson zunächst gründlich und mit Bedacht.

Wieder trat erwartungsvolle Stille ein, nun aber begann er zu hüsteln, zu prusten und rief mit halberstickter Stimme: „Macht doch ein Fenster auf, man kann ja den Tabaksqualm hier schneiden!"

Seinem Verlangen wurde schleunigst entsprochen und jetzt, sichtlich erleichtert, sang er mit warnender Miene, indem er in der linken Hand einen geräumigen, braunen Meerschaumkopf schwang:

„Raucht nicht! raucht nicht Cigarren schlecht und theuer,
Raucht in der Pfeife nicht das Blatt der Rübe,
Infames Zeug, das niemals zahlte Steuer;
Es macht Euch Nicotin das Leben trübe!
Raucht nicht! raucht nicht!

Raucht nicht! rasch wird das Gift durch Eure Adern rinnen,
In Euern Magen zieht der Jammer ein,
Es schwimmt die Welt vor Euern trüben Sinnen,
Eu'r letzter Seufzer ist: Allein zu sein! — — —
Raucht nicht! raucht nicht!"

Der dramatisch bewegte Vortrag, unterbrochen und
illustrirt durch mächtige Wolken aus dem Meerschaum, schloss
unter fanatischem Jubel, aus dem sich alsbald folgender viel-
stimmiger, ebenso energischer als unharmonischer und lang
ausgesponnener Chorgesang losrang:

„Denn er ist ein ganz famoser Kerl!
Denn er ist ein ganz famoser Kerl!
Unser Bruder soll er sein,
Und ein H—sf—t, der sagt: Nein!"

Nachdem Ruhe eingetreten, ausgetrunken und wieder ein-
geschenkt war, nahm der Captain das Wort:

„Gentlemen! Sie wissen, dass ich Sie selten mit einer
wohlgesetzten Rede behellige. (Allgemeine bedauernde Zustimmung.) Aber bei einer festlichen Gelegenheit wie heute, wo
wir zudem durch die Gegenwart eines ausgezeichneten Fremden
geehrt werden, der an unserem Siege Theil nahm und jetzt
dessen Feier erhöht, in einer solchen Stunde mache ich von
meinem Vorrechte Gebrauch und schlage Ihnen die Gesundheit
unseres Gastes vor. Er ist spät gekommen, so hoffe ich: er
wird auch als der Letzte das Local verlassen. Und nun mit
allen Ehren!"

Der Club liess seinen Captain nicht im Stiche. „Three
times three", erscholl es, „— hipp! hipp! hipp! hurrah! — one
cheer more! — again and again! — one other little one! — —"

Dann stimmte der officielle Chor wieder an: „Denn er ist
ein ganz famoser" u. s. w. und auch ich wurde vermittelst
dieses zwang- und endlosen Canons, der lebhaft an das „Uns
ist, uns ist so kannibalisch wohl" in Auerbachs Keller
erinnerte, als „Bruder" erklärt und gegen jeden verneinenden
H—t in des Bundes Schutz aufgenommen.

 Endlich trat einige Ruhe ein, in der sich augenscheinlich die Erwartung meiner Erwiderung ausdrückte.

Es half offenbar kein Sträuben noch Zögern, ich raffte daher allen Muth zusammen und wagte „Ehre und Reputation" an folgende englische Rede:

„Gentlemen! ich danke Ihnen herzlich für Ihre gastfreundlichen, gütigen Gesinnungen. Erlauben Sie zugleich, dass ich nach allem, was ich heute Morgen von Ihnen gesehen und heute Abend von Ihnen gehört habe, Ihnen meine aufrichtige Bewunderung für Ihre Lungen ausspreche! (Hört, Hört!) Möge das immer so bleiben, möge das jetzige „Headboat" der Isis niemals, niemals! wieder „gebumpt" werden!"

Nun brach es wieder aus: „Denn er ist ein ganz famoser Kerl" und nach der Dauer des Canons zu schliessen, hatte ich den bescheidenen Erwartungen, die naturgemäss jeder Engländer von den Leistungen jedes Fremden hegt, leidlich entsprochen. —

Inzwischen hatte sich eine ernste Discussion stofflichen Inhaltes in meiner Nähe erhoben.

„Geht mir mit Euern Cobblers und Cups", rief mein Nachbar, ich bin für reinen, ungemischten Stoff. „Hoc genus omne" das ganze edle Geschlecht des „Hock" (Hochheimer, aber auch jeder weisse Rheinwein) namentlich wenn er schäumt, das lobe ich mir! „Hoc erat in votis", ich votirte stets für „Hock".

Sein Gegner erwiderte ruhig: „Ich bin für Bier, alles andere ist verwerflich; lateinische Argumente, zumal aus den Satiren des Horaz, habe ich nicht zur Verfügung. Das ist „Shop". Aber ich will Euch ein englisches geben".

„Ja, ja", rief es ringsum, „das Argument, heraus mit dem Argument!"

Der Vertheidiger des Bieres liess sich nun also vernehmen:

> „Zwischen trocken und nass
> Ohn' Unterlass
> Den Mittelweg suche ich mir".
>
> „Wer hat wohl betroffen
> Mich jemals be—unnüchtert?
> Doch lob' ich mir immer mein Bier.
> Denn ich lieb' einen Tropfen gut Bier
> Ja! ich liebe zwei Tropfen gut Bier".
>
> „Limonade und Thee
> Machte stets mir Leib—liche Sorgen
> Doch niemals geschieht das beim Bier!"

Zwischen trocken und nass,
Ohn' Unterlass
Den Mittelweg find ich — beim Bier".

Allgemeiner Beifall; selbst der Gegner schien geschlagen, jedenfalls konnte er den Streit nicht verfolgen, denn am anderen Ende der Tafel hatte sich inzwischen ein Gesang erhoben, dessen Rundreim jetzt vom Chor kräftig aufgenommen wurde und der deutlich lautete: „How I should like the Pope to be". Erstaunt horchte ich weiter, und richtig! es war eine Uebersetzung des berühmten alten Lessing'schen Liedes:

„Der Papst lebt herrlich in der Welt!"

„Wissen Sie", wandte ich mich zum „Chairman", „dass da ein Landsmann von mir gesungen wird. Das Lied ist von Lessing".

„Das ist uns sehr interessant", erwiderte er, „das Lied singt man hier seit undenklichen Zeiten und wir lieben es sehr, aber niemand kannte den Dichter. Vermuthlich hat es einmal ein Engländer von einer deutschen Universität nach Hause gebracht".

„Jetzt aber", fuhr er fort, „habe ich noch eine traurige Pflicht zu erfüllen. Verzeihen Sie".

„Gentlemen", hub er an, nachdem er Ruhe geboten, „gedenken wir jetzt mit innigem Mitgefühle eines Scheidenden, der heute zum letzten Male in unserer Mitte weilt".

Alle blickten auf den Bowlenverwalter, der ernst, aber mit dem Schalk im Nacken, vor sich niedersah.

„Wie Sie wissen, ist unser Freund hier „rusticirt" und wird den nächsten Term auf dem Lande, fern von uns, zubringen. Was ist die Ursache? Er hat ungerechter Hinterlist und Gewalt offenen, männlichen Widerstand geleistet! Gleiches hat er mit Gleichem vergolten! Der Porter hatte ihn bei unserem Master angeschwärzt: er komme Abends regelmässig — unregelmässig nach Hause. Nun, er schwärzte den Porter wieder an: nämlich sein perfides Gesicht, mit gebranntem Kork!" (Bravo!)

„Dem Master, ein neuer Besen, der anfangs etwas zu scharf kehrte, und der unserem armen Freunde die Stunden der abendlichen, freien Bewegung — im Wirthshause — verkürzen wollte, brachte er das Wirthshaus in's Haus; denn eines denk-

würdigen Morgens sahen wir ein stattliches, anderswo ent-
behrlich gewordenes, Wirthshausschild an des Masters Thür,
worauf zu lesen war die Licenz: „Bier zu versellen und
offenen Schank im Locale selbst zu halten". (Verlängertes
Bravo.)

„An jenem Morgen hatte ich mich bereits zu meiner
gewohnten frühen Stunde erhoben. Ich studirte in dem grossen
deutschen Historiker Mommsen" (hier machte der Captain
mir eine verbindliche Verbeugung, die ich dankbar erwiderte)
„emsig die Manöver der beiden feindlichen Flotten in der
denkwürdigen Seeschlacht bei Actium, von der Sie wohl
meistens schon einmal gehört haben werden (Zustimmung), und
die das zukünftige Geschick dreier Welttheile definitiv entschied. Als Ihr Captain unterzog ich mich diesen schwierigen
Studien, denn es geschah zur Vorbereitung für den genialen
Schlachtplan, der heute Morgen den Sieg an unser Boot
fesselte". (Allgemeines A—h! der Ueberraschung, dann
stürmisches Bravo.)

„Da — plötzlich — höre ich unter mir, in des Masters
Wohnung, ein Fenster klirrend auffliegen und die von uns
allen so gefürchtete Stimme ertönt:

„Hollah! Tomkins! Tomkins!"

„Alsbald erscheint drüben an der Thür seiner Lodge unser
würdiger Porter im zartesten — Morgenanzuge.

„Was wünschen Sie, Sir?"

„Tomkins, komm herauf und öffne meine Thür! Sie ist
von aussen verrammelt — ich bin eingesperrt!"

„Sehr gut, Sir", erwiderte Tomkins, eilfertig seine Toilette
vollendend. Dann setzte er diensteifrig hinzu:

„Ich will nur sogleich zum Schlosser Picklock laufen!"

„Weshalb zum Schlosser Picklock?" kreischte es unter mir.

„Nun Sir, ich vermuthe, irgend ein unverschämter Schlingel
(Murren) hat Sie von aussen »eingeschraubt«! (mit einem Bohrer
der durch beide Flügel der Thür getrieben und dann abge-
brochen wird).

„Eingeschraubt? Unsinn!"

„Ja", fuhr Tomkins fort, „und in diesen Fällen pflegte Ihr
Herr Vorgänger mich stets zum Schlosser Picklock zu
schicken!" — (Oh! Oh's! sittlicher Empörung.)

„In diesem Augenblick zog ich mich tief gekränkt zurück.

„Wie wir alle wissen, war Tomkins wieder einmal in bös-
willigem Irrthume. (Ja! Ja!)

„Ausserdem aber hatte er frech gelogen, denn — wie wir
alle wissen, ist eine solche Missethat niemals — niemals! —
in New verübt worden". (Entrüstete Bestätigung von allen
Seiten.)

„Und was war das Ende? . . . . . .

„Unser Bruder „has been plucked", man hat ihn in
den Mods schmählich durchfallen lassen! Warum? weil er
zu unwissend in der alten Geschichte, seinem Specialfache, gewesen! Hören Sie nun aber, Gentlemen, welch hinterlistige
Fragen man ihm gestellt hat und urtheilen Sie dann selbst:
ob er „fairly" behandelt ist".

Der Captain zog mit grossem Ernste eine lange Liste
hervor und las:

„1. Geben Sie uns einen kurzen Abriss des vierten
punischen Krieges. (Murren.)

2. Ziehen Sie eine historische Parallele, in Plutarchs Manier,
zwischen Alexander dem Grossen und Nell Gwynne. (Lachen.)

3. Auf welche Weise versahen sich die Schatten am Ufer
des Styx mit geistigen Getränken? (Bravo.)

4. Zählen Sie die römischen Kaiser auf, welche die Vereinigten Staaten besuchten und was sie dort ausrichteten.
(Verstärktes Murren.)

5. Man weiss, dass Ariadne, als sie von Theseus verlassen
war, sich dem Bacchus vermählte. Ist dieses etwa eine mythisch-
poetische Form, um auszudrücken, dass diese vereinsamte Schöne
sich aus Kummer dem Trunke ergab?" — — (Bravo, Bravo!)

Der Schluss dieser Trauerrede erstarb unter dem steigenden,
schallenden, homerischen Gelächter der Zuhörer. Endlich, nachdem der „ganz famose Kerl" ausgetobt hatte, wandte man sich
auch an den Bowlenverwalter wegen eines Abschiedsliedes.

„Meinen Ausgang aus Oxford kennt Ihr bereits", erwiderte
dieser bescheiden, „so will ich Euch denn meinen Eingang
hierselbst erzählen".

Und er stimmte, etwa nach der alten Melodie: „Fordere
niemand mein Schicksal zu hören" folgendes hübsche Lied an:

„Hier in Oxford, ein Füchslein bescheiden,
Kam ich an eines Morgens im März!
Das Gesicht, das ich schnitt, war sehr dümmlich,
Vor Erwartung schlug ängstlich mein Herz.

Chor: Owiedummderumdidumm
Owiedummderumdidumm
Owiedumm, derum, didumm, deri, dida!

Ich zog ein auf dem Bocke der Stage Coach;
Kutscher Adams der alte Gesell
Setzt' mich ab in der prächtigen High Street,
Vor dem würdigen Mitra-Hotel.

Chor: Owie u. s. w.

„Niemand hatte je besseren Eingang"
Rief ich, kletternd vom Bock mit Geschick,
„Bin ich jetzt schon gelangt bis zur Mitra:
In der Kirche blüht sicher mein Glück.

Chor: Owie u. s. w.

Der Schlussreim: „Owiedummderumdidumm" schien etwas
von der Natur und Wirkung des Ariadnetrostes zu besitzen; nach
und nach machte sich in ihm ein Polkarythmus geltend; die
gesammte Gesellschaft gerieth mehr und mehr in einen flüssigen
Zustand und, wer nur irgend Raum gewann, brach mit seinem
Nachbar in einen höchst charaktervollen, bacchischen Sieges-
tanz, rund um den langen Tisch herum, aus.

„Ich hätte Lust nun abzufahren!" rief ich D. durch das
Toben der Elemente zu, „um so mehr als auch mein Zug in
einer halben Stunde abfährt".

Wir dankten dem Captain und verliessen still und unan-
gefochten die oxforder Studentenkneipe. —

Die frische Nachtluft, die uns in New College Lane ent-
gegenwehte, that merklich wohl.

Während wir Broad Street hinaufgingen, sagte D.:

„Auf der Sachsenkneipe in Göttingen ging es freilich anders
zu; hier haben wir kein specifisches Studentenleben; Sie sehen
hier nur eine etwas derbe Nachahmung der Sitten und Unsitten
unseres High Life. Daher überwiegen die Reden das Singen
und gemeinschaftliche Lieder sind eigentlich unbekannt. —
Auch unsere »Songs« werden Ihnen wohl reichlich verständig
und im Grunde etwas nüchtern erscheinen, mehr trockner
Humor als echte Poesie, wenn Sie dieselben mit dem herrlichen Inhalte des »Deutschen Commersbuches« vergleichen,

das ich noch besitze und stets mit Vergnügen wieder durchblättere".

— Wir betraten den menschenleeren Perron. —

„Allerdings", erwiderte ich mit bescheidenem Selbstgefühle, „wir haben zu Hause ein gewisses Etwas, welches wir »das deutsche Lied« nennen. Aber das ist ein ererbtes Geheimniss des deutschen Volksgeistes und lässt sich Fremden nicht enthüllen, eben so wenig wie bei Ihnen das — — Cricket".

Freund D. lachte herzlich über den schliesslichen Ausbruch meines, bis dahin so weislich und consequent unterdrückten Nationalbewusstseins.

— Der Zug fuhr in die Halle ein. —

„Sie kennen nun ein Stück vom oxforder Leben", so lauteten des Freundes Abschiedsworte. „Auch hier haben wir, wie bei Ihnen, jugendlichen Leichtsinn neben ernster Arbeit, Anstand neben Rohheit, Verfehlung neben Erfolg, Lohn neben Strafe. Die Formen sind verschieden, aber hier wie dort ist kräftige, hoffnungsvolle Jugend in Gährung".

„Und hierin liegt ja", fügte er halb entschuldigend hinzu, „die einzige Rechtfertigung für die Unbescheidenheit: ernsthafte Menschen unversehens in solch lustige Gesellschaft gebracht zu haben".

— Ich war bereits eingestiegen. —

„Und jetzt", sprach er zu mir herein, im Abschiede meine Hand haltend, „lassen Sie mich zum Schlusse noch einmal Ihren grossen Goethe citiren, als ein gutes Wort, eingelegt für Oxford und für Göttingen:

„Wenn sich der Most auch ganz absurd gebärdet,
Er giebt zuletzt doch noch 'nen Wein!"'

„Leben Sie wohl!"'

— Der Zug war schon im Rollen. —

„Auf baldiges Wiedersehen in Oxford" rief ich zurück.